MANUAL COMPLETO DE MORFOPSICOLOGÍA Y LA INTERPRETACIÓN DEL ROSTRO

Autor/ Auteur:

Moisés Acedo Codina / Moïse Acedo Codina

Morfopsicólogo - Miembro nº 3898 SFM
Morphopsychologue – Membre nombre 3898 SFM

Web oficial / Site officiel:

WWW.MORFOPSICOLOGIA.ORG

1ª edición

Impreso y editado en España
Imprimé et publié en Espagne

Texto e ilustraciones:
Moisés Acedo Codina

Otras imágenes:
Extraídas de libros del Dr. Corman
Personajes públicos / wikipedia Commons

ISBN papel: 978-84-686-3285-8
ISBN eebok: 978-84-686-3286-5
Editorial Bubok Publishing S. L.

Este libro está sujeto a posibles cambios y futuras ampliaciones

Dedicatoria:

...al creador de la vida, por otorgarme una llave mágica de comprensión y amor.

A mi familia y a mi hermano Joan, que regalándome un libro de Fisiognomía, despertó mi inquietud en esta ciencia.

A la morfopsicóloga y gran amiga mía María del Carmen Olmedo, por su incondicional apoyo e ímpetu.

Al profesor Ricardo Ariza y a su querida esposa Mónica.

A todos los seguidores del "Gabinete de Morfopsicología" "www.morfopsicologia.org" en Facebook y otras páginas de internet.

A la Société Française de Morphopsychologie y a Janine Marechalle.

INTRODUCCIÓN

En primer lugar agradecer la adquisición del libro, en el cual he plasmado mediante métodos sencillos y precisos, una sólida base para poder "leer" cualquier tipo de rostro humano así como los gestos, para poder "desentrañar" de forma objetiva, el comportamiento psicológico y el pensamiento de las personas. En cualquier ser vivo podemos decir que *"la forma es el resultado de la información que la anima"*.

Es de suma importancia, que la lectura del libro sea de principio a fin, sin prisas, y a ser posible tomando apuntes en una libreta a parte, si se quiere llegar a dominar esta ciencia y conseguir un alto nivel, en cuanto a la interpretación del rostro se refiere. No obstante, si el lector se adelanta a páginas o capítulos de su interés, será necesario conocer el "léxico técnico/morfopsicológico" que en un diccionario final describo, ya que de otro modo, comprenderemos nada o muy poco. He intentado a lo largo de todo el libro, y para facilitar su comprensión, utilizar en la medida de lo posible, unos paréntesis para sustituir palabras como "ojos átonos (caídos)" o "Marco retraído (cara estrecha)" y así facilitar la lectura y entendimiento.

Adivinar el interior según el cuerpo físico, es tan antiguo como el propio hombre, y desde tiempos inmemoriales, el ser humano ha querido entender y analizar la razón de todas las formas y cosas que le rodean. La Morfopsicología es la evolución de la Fisiognomía, y el resultado de investigaciones muy rigurosas, que ya genios como Leonardo da Vinci o Aristóteles, descubrieron hasta llegar al neurólogo *Paul McLane*, o el mismo creador de la Morfopsicología el psiquiatra *Dr. Luis Corman (1901-1995)*, quien designó su nombre actual. El Dr. Corman, publicó en el año 1937 *"Quinze leçons de morphopsychologie"* (Quince lecciones de morfopsicología), su primer libro sobre el tema, y en el año 1980, creó la SFM en París (Société Française de Morphopsychologie), bajo un importante lema que a partir de ahora en adelante, deberemos respetar y honrar en todo momento:

"COMPRENDER Y NUNCA JUZGAR".

La Morfopsicología es una herramienta de desarrollo personal, y no de exclusión como muchos creen o piensan, ya que nunca se podrán descifrar los secretos más íntimos (menos mal) o cambios inmediatos de comportamiento. La Morfopsicología es una ciencia que nos permite, a través del estudio y lectura del rostro, conocer la personalidad, temperamento, actitudes y aptitudes de las personas, dándonos pronósticos y soluciones de precisas en adaptación, proyectos, sentimientos y salud. El cuerpo vivo siempre nos hablará de cuanto lo mueve a tener su forma física, que aun procediendo del bagaje genético (lógicamente) o el "azar", como muchos dicen, siempre nos mostrará información del alma (psiquis). Desde el feto materno, el cerebro moldeará el físico según sus necesidades. No hay ningún cuerpo vivo o incluso a veces inorgánico, que no exprese su pasado, vitalidad, necesidades y un posible porvenir. Por insignificante que parezca cada parte del rostro, oculta una información por descifrar, y que voy a intentar explicar durante todo el libro del mejor modo.

El rostro, además de ser un resumen de todo el cuerpo, nos comunica con el mundo exterior y posee los 5 sentidos, con 12 pares de nervios ligados directamente al cerebro. La cara del ser humano es como el reverso de la mente, como si diésemos la vuelta a un calcetín, o sea que podemos decir con absoluta certeza y convicción, que *"ver la cara es ver el alma"*.

La Morfopsicología ha sido muchas veces cuestionada de ser poco científica, pero es que como todas las ciencias, la Morfopsicología no es una ciencia matemática, ya que nada ni tan solo el ser humano lo es, mostrándose en eterno y constante movimiento o evolución, generando insatisfacciones constantes. La Morfopsicología no es la simple descripción de la suma de rasgos fisiognómicos del rostro, sino una composición de diferentes matices, que habrá que sintetizar como "el resultado de un todo".

La mala fama que ha tenido la Morfopsicología en su pasado, ha sido por consecuencia de la psicología oficialista y tradicional, que se inspira en el principio filosófico de *Descartes,* quien sostenía que cuerpo y pensamiento eran distintos, sin embargo, la Morfopsicología está inspirada en el sentido común y la filosofía de *Spinoza,* para quien cuerpo y mente (físico y alma), sí forman una única realidad. Personalmente, pienso que si utilizamos la lógica, descubriremos que realmente la forma y el comportamiento siempre van unidos, en cualquier ser vivo. ¿Cómo algunas personas pueden pensar que el rostro no refleja nada?... este pensamiento carece totalmente de sentido, y es como pensar que estamos solos en el universo. Si tomamos como referencia el "*Síndrome de Dawn", "Prader Willy" o "Angelman"*, por citar alguno entre otros, descubriremos como comparten rasgos y características faciales, con idénticos comportamientos entre si, ya que sus cerebros han dado la misma forma a sus rostros, incluso pareciendo familiares sin llegar a serlo. De igual modo, la "*Alexitímia"* (dificultad para sentir y expresar los sentimientos), se puede observar en una carencia de pómulos (zona media emocional o Sistema Límbico en retracción - *Paul McLane 1913-2007).* La mayoría de psicópatas no poseen pómulos (lo explicaremos más adelante), por existir gran inhibición afectiva, y por tanto, insensibilidad emocional o sentimental (caras de guitarra),

La Morfopsicología, se asienta metodológicamente en leyes biológicas con características observables y analizables; tonicidad/atonía (actividad o pasividad), dilatación/retracción, armonía/equilibrio, o integración/evolución, entre otros.

Para finalizar añadiré que mi único deseo, es que todo lector o estudiante atraído por la psicología o la interpretación del rostro, descubra en este mundo precioso, real y desconocido por la gran multitud, un inmenso campo de nuevas e infinitas posibilidades. Espero que a partir de ahora, esta herramienta se haga imprescindible para su buen uso, y que día tras día, ayude a fomentar un mundo mejor para todos, con más comprensión, humanidad, aceptación y ayuda.

Moisés Acedo Codina.

ÍNDICE

Capítulo 1

Capítulo 2

Capítulo 3

Capítulo 4

Capítulo 5

Capítulo 6

Capítulo 7

Capítulo 8

Capítulo 9

Capítulo 10

Capítulo 11

Capítulo 12

Capítulo 13

Capítulo 14

Capítulo 15

CAPÍTULO 1
INTRODUCCIÓN A LA MORFOPSICOLOGÍA

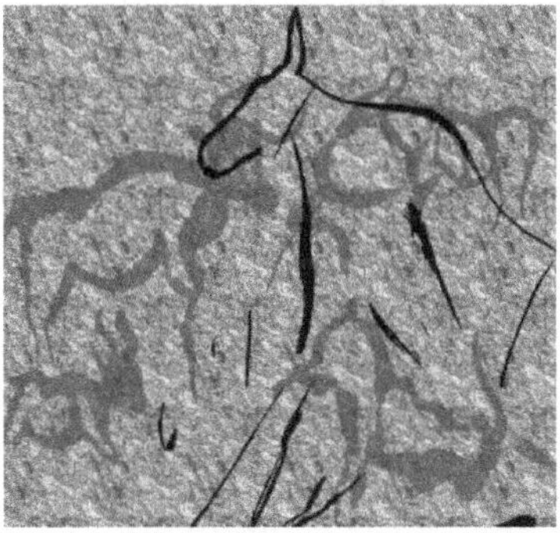
***Pinturas rupestres.**

La búsqueda del ser humano por conocer a sus semejantes y escrutarlos, data des los orígenes de la humanidad. Buenos ejemplos van desde las pinturas rupestres, hasta la escultura o los dibujos, grabados, cuadernos y estudios, basados en los libros actuales que tenemos hoy de Morfopsicología. Desde siempre el hombre ha tenido la intuición que existe una estrecha dependencia entre el aspecto físico de una cosa y su comportamiento. De hecho el origen de la Fisiognomía, puede remontarse a la prehistoria cuando se distinguía a los hombres físicamente perfectos de los que no, por tener algún defecto y eran considerados fuera de la norma o enfermos interiormente, como puede verse también en animales de manada como los lobos.

Con el paso de los siglos, se llegó a establecer una relación entre el aspecto físico y el comportamiento. Para llegar a unas primeras fórmulas teóricas, se tuvo que llegar a verificaciones científicas por parte de estudiosos de la Grecia antigua como *Platón, Hipócrates* y *Aristóteles,* de este último el más antiguo tratado de fisiognomía que existe. Ellos enseñaron que los elementos de la tierra eran cuatro. Siguiendo esta doctrina, el médico griego *Hipócrates (460-377aC)* descubrió los cuatro líquidos orgánicos fundamentales a los cuales atribuían el origen y el mantenimiento de la vida: sangre, bilis, flema o linfa, bilis negra o atrabilis, investigó que existían varias tipologías o actitudes en las personas.

Estos comportamientos eran resultado de su estado físico y biológico. Elaboró 4 "humores" o temperamentos: ***Linfático, Bilioso, Sanguíneo y Nervioso***, y las vitalidades físicas o características de cada uno de ellos.

1- LINFÁTICO:

Se desarrolla en las linfas. Es dilatado y átono. En Morfopsicología sería la tipología del niño.

**Tipo "Linfático".*

Movimientos lentos y de aparente pasividad. Capacidad analítica y metódica, con buena memoria. De trato agradable y tranquilo.

Características grafológicas:

Forma: predominio de las curvas y de las redondeces, sencilla.
Presión: trazo pastoso.
Velocidad: lenta o mesurada.
Firma: grande, bien rubricada, situada a la izquierda del texto y alejada.
Grupos: agua, invierno, infancia, Linfa, digestión, ritmo lento.

**Tipo "Sanguíneo".*

2- SANGUÍNEO:

Para Hipócrates el predominio de la sangre en el cuerpo da lugar a un buen desarrollo. Es dilatado y tónico. En Morfopsicología sería la adolescencia y el paso siguiente al tipo Linfático, tras la dilatación asténica (pasiva) para convertirse en tónica (activa) más tarde. Carácter fuerte y dinámico, de mente inquieta y optimista. Es sociable. Buen contacto con el entorno y tendencia al liderazgo.

Características grafológicas:

Tamaño: su escritura es generalmente grande.
Forma: predominio de la curva, ampulosidad de formas y mayúsculas adornadas.
Presión: firme o en relieve.

Velocidad: rápida.
Firma: de escritura grande y rúbrica exagerada situada a la derecha del texto.
Grupos: aire, primavera, juventud, sangre, respiración, ritmo rápido.

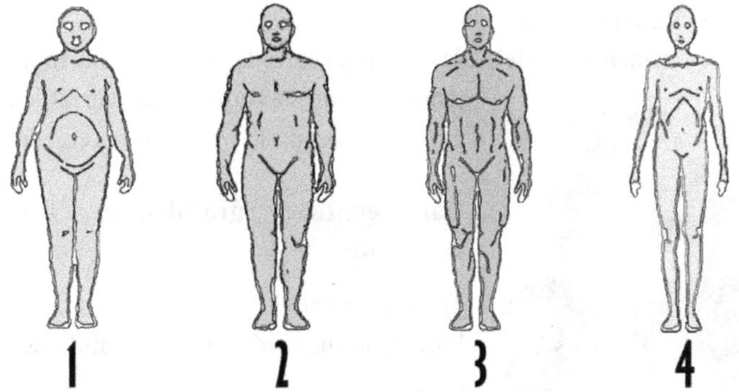

Los cuatro temperamentos según Hipócrates (460-377aC).

3- BILIOSO:

Se desarrolla en la bilis. Es retraído y tónico. En Morfopsicología sería el adulto.

Tipo esbelto, de mirada profunda, serio y de gestos firmes y mesurados. Es reflexivo, realista y de pensamiento ágil. Algo frío, distante e introvertido.

**Tipo "Bilioso".*

Características grafológicas:

Tamaño: escritura pequeña, decreciente dentro de la palabra.
Forma: la sobriedad y la simplificación, predominio del ángulo.
Presión: firme.
Velocidad: mesurada o rápida.
Firma: normal o pequeña, con escasa rúbrica o sin ella, y situada entre el centro y derecha del texto.
Grupos: fuego, verano, madurez, miembros, músculos, ritmo rápido.

4- NERVIOSO:

En el tipo hipocrático nervioso predominan los nervios. Es retraído y átono. En Morfopsicología sería la vejez.
Contrariamente al Bilioso, existe desequilibrio y desproporción tanto física como psíquica.
Suele destacarse la delgadez y tendencia a la introversión. Inquietos y temerosos de la rutina. Son versátiles en el trato, ofreciendo lo mismo que reciben.

**Tipo "Nervioso".*

Características grafológicas del tipo nervioso:

Tamaño: normal.
Forma: la movilidad y la variabilidad en los trazos.
Presión: firme, aunque irregular.
Velocidad: suele predominar la rapidez o precipitación del trazo.
Firma: con trazos angulosos, generalmente ilegible, en el centro o la izquierda del texto.
Grupos: tierra, otoño, vejez, huesos, cerebro, arritmia.

Durante la Edad Media, la fisiognomía constituyó un estudio tanto para los científicos como los árabes *Averroes* y *Avicena*, como filósofos escolásticos *Alberto Magno* y *Pedro Lombardo*.
Sin embargo la fisiognomía conoció su máximo y amplio desarrollo formándose en el Renacimiento. En 1586 se publicó un tratado que hoy se considera fundamental "De humana Physiognomonia" de *Giambattista Della Porta.* En este libro se demostraban los paralelismos entre la figura humana y el aspecto animal. Antiguamente se intentaba adivinar el carácter de las personas

Ilustración de Della Porta.

mediante los puntos en común con diferentes tipos de animales a los cuales se les atribuía muy dispersas cualidades. En el libro de Della Porta se perfilan elementos científicos del carácter. Tras profundos estudios sobre anatomía en el siglo XVI, llegó el teólogo suizo *Johann Kaspar Lavater a* publicar entre el año 1775 y 1778 "Fragmentos Fisiognómicos para promover el conocimiento y el amor del hombre" (Physiognomische Fragmente Zur Beförderung der Menschen keenntnis und Menschenliebe).

En esta obra en la que colaboró *Goethe,* Lavater retomó con nuevas observaciones e ideas los estudios de sus antecesores y trató de dar a la Fisiognomía la seriedad de una ciencia exacta.

En 1.770 sintetiza los rostros y propone una Fisiognomía diferencial con variaciones de un mismo elemento (temperamentos) y la interpretación que hay que darle. Por otra parte, a principios del siglo XIX, el médico alemán *Franz Joseph Gall* llegó a formular los primeros rudimentos de Frenología (1790). Gall afirmó que el desarrollo y la capacidad mental del hombre, estaba estrechamente relacionado con las protuberancias y las depresiones del cráneo.

Posteriormente, completándolos con nociones de Antropología, *César Lombroso* elaboró en el año 1.897 un sistema sinuoso o negro de Fisiognomía criminológica, que aprobaron jueces y magistrados a pies juntillas para el reconocimiento en todas las sentencias dudosas, pero en el 1930, un riguroso y sistemático estudio publicado en Estados Unidos por el inglés *Charles Goring,* desestimó definitivamente la falta de fundamento del sistema de Lombroso.

Dr. Paul McLean.

Paul D. MacLean (1913-2007), un médico neurólogo norteamericano y neurocientífico, hizo contribuciones de importante relevancia en los campos como la psicología y la psiquiatría: Su teoría evolutiva del cerebro triple o "*Cerebro Triuno",* propuso que el cerebro humano, es en realidad, la evolución y combinación de tres cerebros distintos, que unidos, forman el cerebro humano: el Reptiliano (Instintivo en Morfopsicología), el Sistema Límbico (Emocional) y la Neocorteza (Humano).

En el año 1914 el médico *Claude Sigaud* publica *"La forme humaine, sa signification"*, un tratado clínico de la digestión basada en la ley de dilatación-retracción, en relación con la forma de los organismos vivos. En 1929 *Pierre Abraham*, hace su teoría de las mitades del rostro o hemi-caras. El rostro no es simétrico y estudia ambas partes "Yo activo y Yo pasivo". Abraham fue el primero que intentó interpretar el significado psicológico de las asimetrías. El Budismo Tailandés ya había representado todas las disimetrías, atribuyendo a nuestro lado izquierdo los elementos femeninos o la madre, y al lado derecho los elementos masculinos o el padre. Posteriormente y de forma que ha marcado al mundo hasta el día de hoy, el psiquiatra *Doctor Louis Corman (1901-1995),* estableció que la dilatación o la retracción varía siempre en función del medio ambiente, y por tanto le corresponde un movimiento en el espíritu. Definió las leyes de correspondencia entre la forma exterior y el movimiento interior, por lo que es considerado por todos el padre de la Morfopsicología, que viene de la unión de *"Morpho-psychologie"* (morpho: forma, psycho: alma). Pero fue en el año 1937 que Corman acuñó esta ciencia cuando escribió *"Quinze leçons de morphopsychologie"* (Quince lecciones de morfopsicología), su primer libro sobre este tema. Corman fundó la *"Société Française de Morphopsichologie" en* 1980 (SFM) y definió diversas leyes, incluida la ley de Dilatación-Retracción, según la cual presuntamente: «Todo ser vivo está en interacción con su medio. Si las condiciones son favorables, las estructuras físicas y fisiológicas tienden a expandirse, en el caso contrario, ellas se reducen», como también el importante código deontológico: **"COMPRENDER Y NUNCA JUZGAR".**

Volviendo a la teoría sobre los temperamentos, ésta fue aceptada prácticamente sin discusión ni modificación durante siglos. Pero a finales del siglo IX y principios del XX, cuando aparecen nuevas clasificaciones en las cuales al respecto, relacionando la forma exterior con el temperamento. Una de ellas viene de la Escuela constitucionalista Italiana del psiquiatra *De Giovanni*, donde estableció los conceptos de *"normotipo y ectipo"*:

El normotipo: determina ciertas proporciones que el organismo debe presentar para corresponder a un tipo definido, debiendo presentar ciertas proporciones somáticas, como la longitud abarcada por los brazos abiertos que debía ser igual a la estatura y circunferencia torácica igual a la mitad de la estatura, además de otras medidas complejas.

El ectipo: se observa cuando el sujeto presenta medidas y dimensiones corporales en mayor o menor proporción que las fijadas para un tipo somático.

Al mismo tiempo, el alemán *Kretshmer* desarrollaba clasificaciones de tipos somáticos con las que intentó relacionar una estructura corporal determinada y las tendencias psicológicas correspondientes. Los tipos propuestos por Kretshmer son: el pícnico, el atlético y el leptosomático. Cuando Kretshmer establece a que la clasificación de tipos psíquicos se basa en algunos rasgos de enfermedades mentales. En el desarrollo embrionario, el sistema digestivo se origina del endodermo; el sistema nervioso y los órganos sensoriales del ectodermo, y el sistema muscular y óseo del mesodermo. Basándose en esos principios, *Sheldon* y su gran colaborador *Stevens,* establecen esta siguiente clasificación:

Tipo "Mesomorfo".

<u>El Endomorfo:</u> cuerpo redondeado y blando. (como el pícnico de Kretschmer). Predominio de las funciones digestivas.

<u>El Ectomorfo:</u> cuerpo delgado y alargado, (el asténico de Kretschmer). Predominio de las funciones espirituales.

<u>El Mesomorfo:</u> cuerpo duro, huesudo y potente musculatura. (como el atlético de Kretschmer). Predominio de las funciones motrices.

A partir de ese momento, la doctrina hipocrática de los cuatro temperamentos quedó al margen de la psicología científica, siendo sustituida por las de *Kretschmer* y *Sheldom.* Sin embargo en 1966 un psicólogo de nombre *Tim La Haye* retoma la teoría hipocrática de los cuatro temperamentos básicos, ya no bajo la óptica "humoral", sino bajo la óptica genética o hereditaria, y le agrega la premisa de que en una persona pueden encontrarse a la vez dos temperamentos, y en la mayoría de los casos, uno de esos temperamentos será el dominante.

ROSTRO Y CEREBRO

Al rostro llegan los únicos 12 pares de nervios que nacen directamente del encéfalo. Esto hace que se reflejen de forma inmediata los signos de lo que ocurre en el interior del cerebro. Se podría decir que el rostro es un detalladísimo "resumen" del cuerpo, ya que concentra los 5 sentidos, que permiten al ser humano conectarse con su medio interno y externo. Durante la formación del feto, el cerebro es el que determina y da forma al rostro según sus necesidades y desarrollo. Solo bastará interpretar cada parte de la cara, para averiguar el comportamiento de cada individuo.

GENÉTICA Y EPIGENÉTICA

Todo ser vivo, cuando está relajado se destensa y se dilata. Sea porque ha conseguido su objetivo (medio de elección), o porque su entorno ha sido generoso con él. Sin embargo, si el medio es hostil, el ser vivo crece en un estado de vigilia constante, protegido y en tensión. Esa actitud ante la vida, termina por "encogerle" para resguardar la poca energía disponible. Ejemplo: el hambre.

Podemos encontrar personas que nacen dilatadas, y en su tercera edad se retraen, como también a la inversa. Sólo si somos conscientes de nuestros puntos débiles, podremos corregirlos. De lo contrario, si no luchamos, estaremos a merced del *Libre Albedrío* o como se suele decir, hacia donde sopla el viento, sin rumbo.

Si el medio es favorable, el individuo se dilata, de lo contrario se retrae.

La herencia (genética):

Es la que más nos marcará de por vida en nuestro modo de ser. Lleva la *información Cromosomal* de nuestros antecesores, que debemos aceptar tal cual, ya que es muy complicada su modificación.
Muchas veces nos sorprendemos, viendo coincidencias de carácter entre personas de una familia. Por ejemplo; lo estrecho o retraído es hipersensible, en cambio lo ancho o dilatado hiposensible. Una nariz grande, significa sociabilidad y amabilidad en el trato, por tanto si un hijo hereda similar nariz, será también dulce en el trato hacia los demás. La Genética sólo podrá modificarse, durante la evolución del medio donde se encuentre (Epigenética), que según los obstáculos que encuentre se abrirá o cerrará (forma facial), cambiando también así su modo de actuación (psique).

El ambiente (epigenética):

Generalmente es el factor que menos nos influirá, ya que si una persona ha nacido con predisposición a robar, por mucho que se le intente encauzar, cuando no haya nada que se lo impida (Yo unificador) llevará a cabo para lo cual ha sido "confeccionado", de no ser que haga un trabajo y esfuerzo posterior, tomando consciencia del problema corrigiéndolo.
Es todo el medio o entorno que nos rodea; la familia, la climatología, la alimentación, el amor, la educación, los amigos... todos estos

factores, transformarán nuestro ser, desarrollando unas cosas positivas y otras negativas.
Si nos vamos de fin de semana a la playa, volvemos contentos y nuestra cara irradiará calma, pero si pasamos un momento de crisis, nuestro rostro denotará fatiga. Es como la planta que ha crecido en un medio favorable, será grande y preciosa, sin embargo la que crezca en un medio negativo, si sobrevive será retorcida y mal trecha, rasgos de momentos difíciles y de lucha. Si cogemos dos hermanos gemelos idénticos y los ponemos en medios distintos, con el tiempo veremos más Dilatado al que vive en un medio favorable (rostro más abierto), y Retraído al que ha padecido más (rostro más cerrado).
Frank Sinatra, aun siendo más bien retraído, fue poco a poco ensanchándose tras conseguir sus objetivos, relajándose, y por tanto, dilatándose como respuesta de un desarrollo favorable.

Evolución favorable de Frank Sinatra "ha conseguido su fin" (dilatación).

CAPÍTULO 2
LAS 3 ZONAS O "PISOS" DEL CEREBRO HUMANO

Como iré detallando a lo largo del libro, y considerando que será el fundamento o base primordial, explicaré detalladamente las 3 zonas o cerebros. Estos son el resultado de nuestra evolución, con diferentes funciones muy específicas, pero acopladas y fielmente conectadas entre si. Estos cerebros son los responsables de todo nuestro comportamiento, de las tendencias y de las reacciones: **1-** Córtex y Neocórtex (cerebro humano), **2-** Complejo Sistema Límbico (mamífero), **3-** Tronco y Cerebelo (reptil).

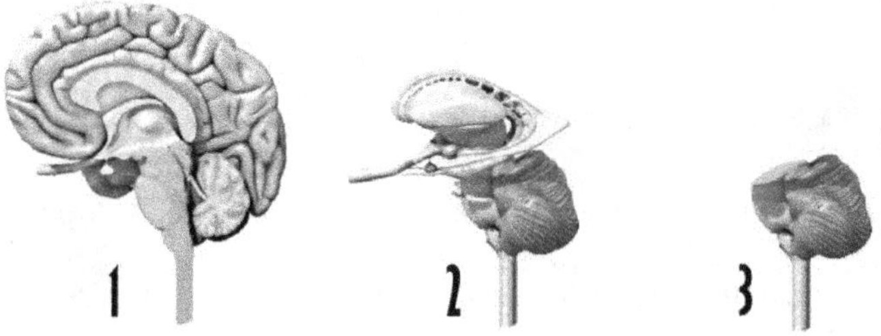

La Tierra tiene alrededor de 4.600 millones de años, y en los primeros 4.000 millones la vida existente era unicelular (principalmente bacterias). Los organismos multicelulares no aparecieron hasta 550 millones de años más tarde, en lo que se conoce como *"explosión de biodiversidad del Cámbrico"* (primer período geológico del Paleozoico), un evento en la evolución que marcó entre 540 y 520 millones de años atrás, la aparición de casi todos los grupos de animales actuales y seres vivos.

Como todos nuestros órganos, el cerebro humano ha evolucionado aumentando de tamaño a través de millones de años, tanto en contenido como en complejidad informacional. Su estructura actual refleja todos los estadios por los cuales ha ido pasando. Hoy sabemos que el cerebro evolucionó desde dentro hacia fuera, expandiéndose. En lo más profundo y fracción baja del cerebro, está la parte más antigua, el llamado "Tronco cerebral", que regula muchas de las funciones biológicas más básicas y primitivas, incluyendo los ritmos de la vida, como los latidos del corazón o la función respiratoria. Las funciones más complicadas del cerebro evolucionaron en tres etapas posteriores sucesivas de acuerdo con el descubrimiento del neurólogo *Paul Mac Lean 1913-2007*. A continuación vamos a citar las 3 zonas o pisos de nuestro cerebro, junto con su ubicación morfológica facial:

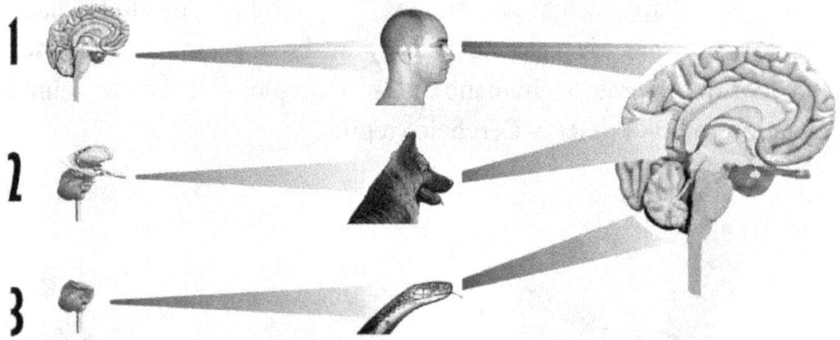

1-Cerebro humano (ideas) 2-Cerebro mamífero (afecto) 3-Cerebro reptil (instinto).

Bajo mi punto de vista, de las tres zonas del rostro, tenemos que localizar la más ancha. Esta nos indicará sin lugar a dudas, en qué terreno se encuentra más cómoda la persona. En el dibujo expreso estas predilecciones:

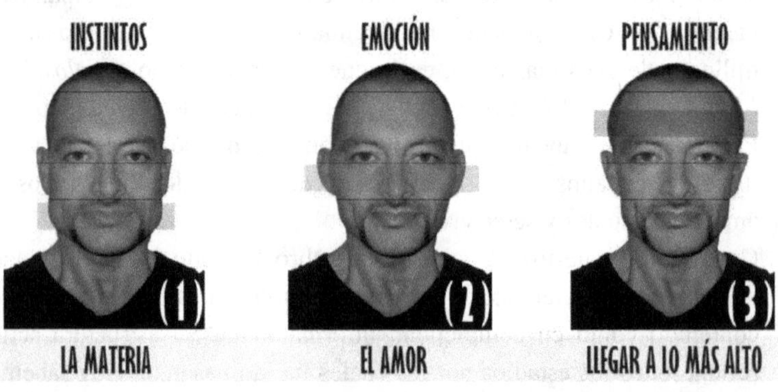

Si es la zona inferior la más ancha del rostro, con las mandíbulas salientes, nos hablará de predilección en el terreno físico (1); trabajo, actividades, voluntad, estabilidad, sexo. Si es la zona media la más dilatada, siendo los pómulos la parte más sobresalida, prevalecerán las emociones (2); sentimiento, sociabilidad, pasión, amor. Y por último, si es la zona superior el campo favorito, con el cráneo más ancho; reinarán las ideas y la mente ante todo. A continuación estudiaremos cada una de las zonas por separado.

1- ZONA SUPERIOR O CEREBRO DEL HOMBRE

El cerebro HUMANO (Córtex y Neocórtex):

En la parte más externa del cerebro, viviendo una especie de tratado incierto con los otros dos cerebros más primitivos, está la corteza cerebral, que ha evolucionado hace más de 150.000 años en nuestros antecesores los primates; el *Córtex y el Neocórtex.* La evolución ha sido conservadora, de manera que cada nuevo cerebro, se amoldó e integró con los anteriores. Los humanos tenemos los tres cerebros; *el reptiliano, el mamífero y el humano.* Nuestra corteza regula nuestras vidas conscientes y es por tanto una distinción de nuestra especie. Esta corteza cerebral es el lugar donde la materia es transformada en consciencia. Comprende más de los dos tercios de la masa cerebral y es la responsable tanto de la intuición como del análisis crítico. Será aquí donde tendremos las ideas y proyectos, donde leeremos o escribiremos, donde hagamos matemáticas o música... regula nuestras vidas conscientes y es el asiento de nuestra humanidad. La civilización es un producto de la corteza cerebral. En su parte delantera están los lóbulos frontales, y es en ellos donde podemos anticipar eventos o comprender el futuro, pudiéndolo evitar o modificar. En el siglo pasado, existía una terrible operación llamada *lobotomía,* para tratar varios problemas como el TOC, donde introduciendo un punzón o "pica hielo", se perforaba el hueso del ojo o *cara orbitaria*, y se separaba el cerebro de sus lóbulos

Cerebro humano

frontales. Quien popularizó esta intervención fue el Dr. Walter Freeman, que la llegó a realizar incluso en hoteles y su “lobotomóvil”.

Interpretación del primer piso: Córtex y Neocórtex.*

La zona morfopsicológica es la superior o primer piso, y comprende desde el inicio de la frente o justo después donde crece el cabello o *"zona sincipital"* hasta el final de los ojos, que son los receptores de la misma zona, y con los cuales nos comunicaremos con el exterior. Es la zona donde se crean los pensamientos y nuestras ideas, que más tarde irán en búsqueda de la realidad (zona baja reptil). Si los ojos son grandes, la persona tendrá más campo de visión, y por tanto una realidad más cercana de las cosas, así como más exteriorización a nivel de ideas, estando más abierto a la información externa, con predisposición a transmitir lo que piensa. Si los ojos son pequeños, al haber menos campo de visión, el individuo tiende a crear poco a poco su propio universo, que se alejará de la realidad tanto más pequeños y hundidos estén los mismos, imaginando un mundo con tendencia a la corrupción y muy lejos de lo real, con menor predisposición a escuchar a los demás y transmitir sus ideas. En Morfopsicología todo lo que está dilatado (hacia fuera) está “para dar”, mientras que lo es retraído (protegido o escondido) se desentiende del exterior. Esta norma será aplicable a todas las partes del rostro. La frente es un elemento clave en Morfopsicología, ya que la forma de la misma, como estudiaremos más adelante, nos hablará de las tendencias naturales básicas del comportamiento de cada persona. Es la zona más importante en cuanto a proyectos, método, orden y discernimiento.

Zonas de la frente:

A continuación citamos las 3 zonas que posee la frente humana: Superior (creación), media (reflexión) e inferior (realización).

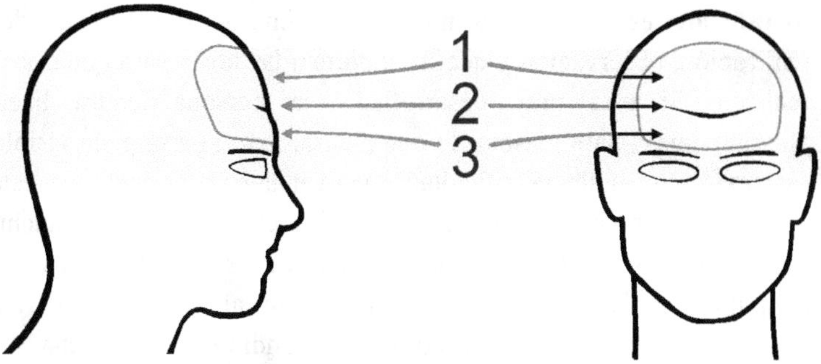

****3 zonas de la frente: superior (ideas), media (reflexión) e inferior (observación).***

1- Superior: es la zona alta donde se crean las ideas, los proyectos, la zona de la creatividad y abstracción del ser humano. La parte donde se forma la teoría o las primeras imágenes. Es la zona más redondeada y lo que nos queda de la evolución "del niño". Cuando esta zona está muy redondeada o es de importante magnitud, ofrece gran intuición al individuo pudiendo incluso adelantarse a los acontecimientos. Otorga un "olfato" especial para percibir las cosas.

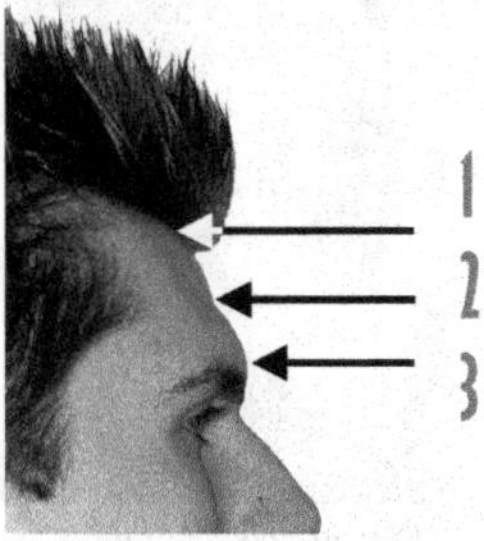

****3 zonas de la frente.***

2- Media: esta zona es el intermedio entre la superior y la inferior. Se le llama *"línea de paro"* o el *"surco de reflexión"*. Después de crear una idea, debemos reflexionarla antes de llevarla a cabo. Es en esta línea pues donde llevaremos a término dicha meditación, que podrá ser excesiva si el surco está muy marcado (tipo hachazo), leve si el surco está poco definido, o de reflexión inexistente si no se aprecia o está lisa. Hay que tener en cuenta que la mujer tiene menos marcados este tipo de los elementos del rostro, ya que su constitución genéticamente curva y redonda, hará que sea algo menos visible, pero no restará reflexión, de no ser claro está, que la línea sea absolutamente inapreciable.

3- Inferior: es la osamenta inmediata encima del ojo. La zona de la realización, observación y que da soporte a las ideas para que estas se realicen. Si está muy desarrollada, la persona tendrá buenas "herramientas" para plasmar lo que piensa, pero si está poco visible o es inexistente, indicará dificultades para materializar esos proyectos. Esta zona de la frente va unida estrechamente a la anchura mandibular. Si la zona de observación es débil, miraremos si la mandíbula es ancha, lo cual dará soporte al déficit de la zona superciliar, pero si por el contrario la mandíbula es estrecha y no existen superciliares, la dificultad de realización será entonces más conflictiva en todos los aspectos.

Una frente no diferenciada y redonda; es lo que llamamos en Morfopsicología "frente cisterna". Este tipo de frente es como la del niño; con buena capacidad para absorber datos, pero con gran dificultad de método y sobre todo, sentido del orden en todas sus variantes. Tiende a ser la frente de personas obesas, que pierden el control de la ingesta de alimentos, con propensión a la gula o aprovisionamientos innecesarios e hipercalóricos, de modo compulsivo. En Morfopsicología, como veremos más adelante, lo que otorga un buen discernimiento, finura, meticulosidad, cuidado y buen gusto en las cosas, es precisamente la diferenciación de los elementos. Una frente diferenciada siempre nos hablará de método y buen raciocinio, todo lo contrario de una frente redonda y amorfa.

****Frente cisterna o amorfa.***

Frente abstracta y frente concreta:

Tomando como referencia a "Quijote y Sancho Panza", la figura alta y delgada del Quijote indicaría lo espiritual, lo teórico o mental, y lo corto y ancho lo terrenal, la materia y lo práctico. Todo lo alto es más idealista que laborioso, por tanto una frente abstracta (nº1) nos hablará de mucha teoría, pero de poca realización para plasmar las ideas, siendo necesaria la colaboración con alguien de frente más concreta o ancha (nº 2). Mientras que si es más ancha que alta, quizá tenga menos proyectos, pero los llevará a cabo todos, además de poseer más capacidad o alto grado de especialización, precisamente por concentrarse más y ser menos disperso a nivel de ideas. Lo ancho siempre es más estable que lo estrecho. Hay que citar que la frente va ligada a la anchura de la mandíbula, y si es alta pero la zona mandibular ancha, se equilibrará la situación en lo concreto. En Morfopsicología no hay nada mejor ni peor, sino la combinación armoniosa y colaboración de los elementos.

***Ejemplo de Frente concreta.**

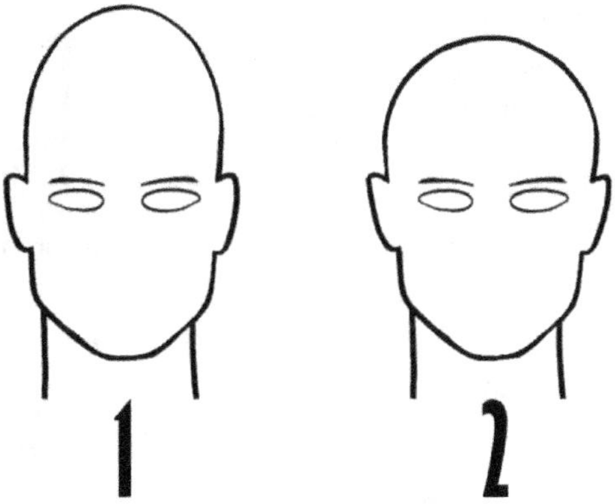

Frente abstracta (dibujo nº1) y frente concreta (dibujo nº2). La frente abstracta es más teórica que práctica, y la concreta más realizadora y pragmática. Para un buen equilibrio, será precios una armoniosa combinación de ambas.

En el caso del querido y fabuloso actor *Michael Landon*, podemos observar una frente diferenciada y concreta, que junto a su rostro dilatado, le ofreció una voluntad y especialización extraordinaria para realizar sus emotivas películas, debido a su zona emocional vibrante y dilatada. El rostro de una persona es su destino, ya que siempre nos hablará de la tendencia innata o natural, y por tanto de su posible desenlace futuro, muchas veces inminente o irreversible. En la mayoría de ocasiones, con voluntad y trabajo se podrá cambiar el carácter y la forma facial, y en otras, si el matiz es extremadamente fuerte, desgraciadamente será imposible la modificación.

LA "CUVETTE" FRONTAL

La *cuvette* o muchas veces llamada "quilla de barco", es un surco ubicado en la zona media de la frente e inmediatamente sobre los superciliares. Se caracteriza por su forma semejante a la "V". No se debe confundir la "*cuvette*" con la *"línea de paro"* (reflexión), la cual explicamos anteriormente en las 3 zonas de la frente. La *cuvette* facilita las dotes de mando. Es una preponderancia que ayuda a canalizar las ideas con la zona baja y realizadora de la frente (zona superciliar), otorgando a la persona claridad en de pensamiento, así como una mayor capacidad para llevar personas a cargo. Concede una positiva influencia "gobernante" y facultad para dirigir a los demás. Resumiendo, es una depresión que ofrece claridad de ideas, con madura autoridad, potestad y caudillaje.

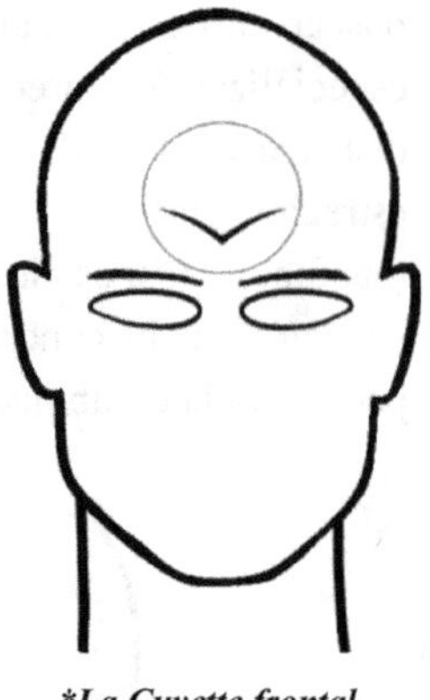

La Cuvette frontal.

LAS SIENES

La sien ayuda a canalizar las ideas y proyectos de la zona superior hacia la realidad concreta o mundo físico. Unas sienes aplanadas nos hablarán de una canalización ponderada o equilibrada, pero si están ahuecadas, indicarán fanatismo de ideas al existir una excesiva presión u obstrucción. A continuación expongo los 3 tipos de sienes básicos:

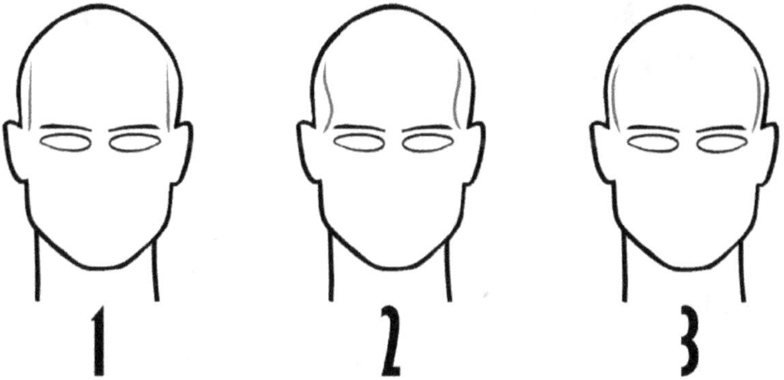

1- sien equilibrada, 2- sien fanática, 3- sien pasiva o desordenada.

1- Sienes aplanadas: son las del tipo equilibrado, que sabe canalizar de forma armónica o sensata sus pensamientos hacia el mundo real o cerebro reptil (mandíbulas). Buen discernimiento y equilibrio.

2- Sienes ahuecadas: el exceso de opresión de la sien o temporal, produce como un nudo que no permite "bajar" (realmente es así) las ideas hacia la mandíbula (mundo real), por tanto, producirán ideas tipo laberínticas, dando vueltas y vueltas a las cosas sin llegar jamás a una solución final. Suelen ser las sienes de personas con TOC, enfermos mentales, fanáticos y también de criminales (habría que ver más elementos del rostro). Personas maniáticas.

3- Sienes abombadas: así como la sien ahuecada da vueltas a sus pensamientos de forma compulsiva, la sien a abultada o curva es todo lo contrario, no pensando más que lo necesario. Si es muy abultada existe una dificultad en la canalización de las ideas, no sabiendo cómo poderlas realizar. Si además la frente no está diferenciada, estaremos delante de lo que se llama una "memoria cisterna" que aun pudiendo ser personas con mucha memoria, mezclan todos los conceptos. Personas desordenadas.

RECEPTOR CEREBRAL: EL OJO

Nuestro receptor sensorial cerebral son los ojos, y su apertura indicará el nivel de exteriorización o interiorización. Como siempre, nuestro objetivo como morfopsicólogos, será buscar un equilibrio en el conjunto.

1

2

1- Ojos grandes o “abiertos”:

Tienen más campo de visión y por tanto un concepto mejor de la realidad. Se abren al mundo exterior e interactúan con él. Si son muy grandes la persona tiende a ser dispersa o distraída, sintiéndose atraída por todo lo que ve. Son los ojos del pintor, que nada ni ningún detalle escapa a su vista.

2- Ojos pequeños o “cerrados”:

Su campo de visión se ve más reducido, incitando a desarrollar su mundo propio de ideas y conceptos. Si son muy pequeños , en la mente habitarán “fantasmas” y los pensamientos estarán lejos de la realidad, con tendencia a la corrupción o distorsión. La persona no escucha a nadie. Como contrapartida, otorga más poder de concentración y objetividad.

Los cabellos:

Son un indicador para descubrir matices de la personalidad. Por ejemplo si son abundantes es signo de vitalidad, buen funcionamiento tiroideo, pero también de menor utilización del pensamiento. Se dice que la calvicie es generada por la posibilidad de estar más tiempo ejercitando la mente; la sangre pasa a regar más el interior del cerebro que al cuero cabelludo. También cabe la posibilidad de un exceso de

Testosterona, y por tanto de virilidad, para una posible calvicie. En menor medida, la calvicie puede significar mala salud como el artritismo, la gota o la tuberculosis.

Otras características del cabello:

Grueso: Gran actividad. Carácter rudo.
Fino: Temperamento amable, adaptable y sensible.
Seco: Poca vitalidad.
Rizado y fino: Carácter manso o dúctil.
Rizado y áspero: Tozudez.

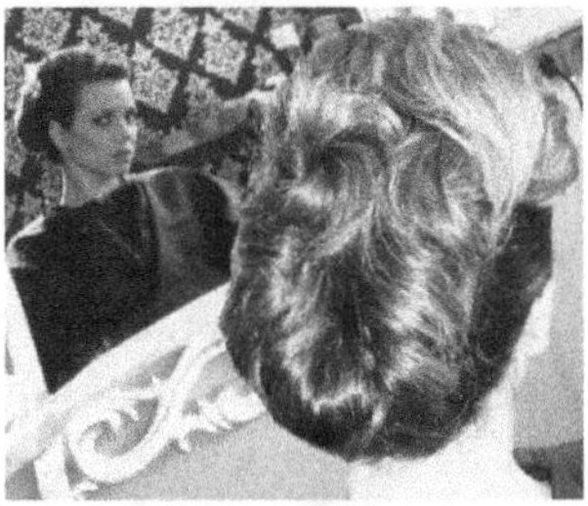

Cabello castaño-rubio: benevolencia y armonía.

Mate: Dudas, miedo.
Liso: Fragilidad.
En punta: Apertura.
Calvicie: Mucho trabajo intelectual, virilidad. Posible enfermedad.
Rubio: Temperamento linfático. Bondad y ensoñación.
Rojo: Susceptibilidad, irreflexión.
Castaño: Equilibrio, sosiego.
Negro: Pasión.
Blanco: Gran vida emocional. Si aparece a temprana edad, significa inestabilidad.

Espero haber explicado de manera sencilla y comprensible, las partes y funcionamiento de la zona superior o cerebral, con su receptor "el ojo". Esta es la parte más importante del ser humano o "carrero", ya que de no ser armonioso o estable, la persona estará sentenciada al fracaso continuo, de no ser que se haga consciente y corrija los errores.
Los mamíferos inferiores, tiene sólo el cerebro *Paleomamífero* (emocional) y el *cerebro Reptil* "R" (instintivo). Todos los demás vertebrados sólo poseen el *cerebro Reptil o complejo "R"*.

Único ejemplo de cerebro superior: El hombre.

2- ZONA MEDIA EMOCIONAL O SISTEMA LÍMBICO

El cerebro EMOCIONAL (Sistema Límbico):

Alrededor y sobre el *"complejo R"* (3ª zona inferior) está el complejo *"Sistema límbico emocional"* o "cerebro mamífero", el cual evolucionó hace miles de años atrás en antecesores que eran mamíferos, pero no primates como los monos o los simios. Su zona morfopsicológica, aunque comienza en el final de los ojos, inicia realmente en la raíz de la nariz hasta el final de la misma, haciendo un dibujo en zig-zag. Es el heredado de los mamíferos o *Paleomamífero*, que comprende el sistema cerebral Límbico. Añade la experiencia actual y reciente a los instintos básicos, mediados por el cerebro Reptil. El sistema límbico permite que los procesos de supervivencia básicos del Reptil, interactúen con elementos del mundo exterior, obteniendo una expresión de las emociones. Tiene una correspondencia directa con la respiración, los pulmones y el corazón. El instinto de reproducción, interactuaría con la presencia de un miembro atractivo, lo que genera sentimientos, emociones, y protección hacia los demás, así como por ejemplo la elección de un líder dentro de la manada (lobos). Este cerebro afectivo, es fuente fundamental de nuestros estados de ánimo, emociones, inquietudes, preocupación por nuestros hijos, familia o amigos.

**Cerebro Mamífero o Límbico.*

Esta es la zona que sufre más cambios morfológicos durante nuestra vida, y aunque la confianza o fuerza bruta se encuentra en la zona Instintiva o baja (reptil), la que otorga la verdadera voluntad a la persona, es la zona Emocional; una madre que ve a su hijo atrapado en un coche, sería capaz de arrastrarlo hasta liberarle, cosa que en su estado normal, aun teniendo mucha fuerza, jamás conseguiría.

RECEPTOR EMOCIONAL: LA NARIZ

La nariz es su receptor y es por donde se transmitirán esas emociones. Si los orificios de la nariz no son visibles de frente o están cerrados, indicará selectividad a la hora de elegir amigos o pareja, pero si los orificios son visibles con la cara de frente, o están muy abiertos, denota necesidad de afecto pero de menor selectividad que los que se encuentran más cerrados. Si los orificios son redondos y grandes, (como en la mayoría de los animales), la salida de las emociones puede ser algo bruta y la selección aun menor.

1

2

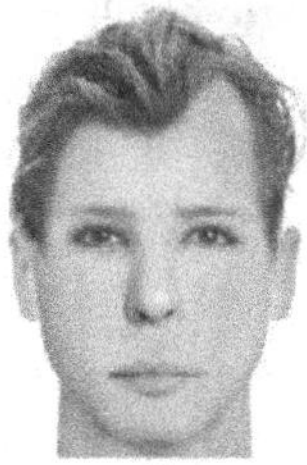
3

En el dibujo 1: observamos la necesidad o demanda de afecto, por los orificios visibles vistos de frente, por tanto se dirá que es una nariz o zona emocional "desprotegida" o abierta a recibir cariño. Poca selectividad.

En el dibujo 2: vemos que los orificios no están visibles, eso denota control y selección, no entregándose fácilmente. Es una nariz o zona emocional "protegida" o cerrada. Mucha selectividad.

En el dibujo 3: vemos una nariz con los orificios medianamente visibles. Ello denota un equilibrio, no entregándose fácilmente ni tampoco cerrándose en exceso. En este caso, vemos además que la nariz es muy corta y esto nos indica poca paciencia en las relaciones, al contrario de la larga, que es más paciente y estable.

Más adelante hablaremos en profundidad sobre las posibles tipologías de la nariz y su interpretación psicológica. La anchura de los Pómulos indica la necesidad y/o capacidad de amar y de representar a los demás, y la Nariz del modo o trato en que se llevará a cabo. Dicho esto, unos pómulos anchos indicarían afecto y necesidad de querer, pero si la nariz es fina, el "modus operandi" será de trato frío y seco, mientras que si la nariz es carnosa, el trato será más humano y cariñoso. Si queremos que nos traten bien por ejemplo en un banco, debemos elegir la mesa del operario con la nariz más grande y carnosa, ya que con total seguridad el trato será más cercano y humano. Volvemos a recordar que todo lo que va hacia fuera está para compartir y lo que se resguarda lo contrario. Si los pómulos del individuo van hacia dentro (retraídos), existe una inhibición emocional y la persona aun siendo cariñosa, será incapaz de representar ni tener personas a su cargo. Son los llamados “cara de guitarra” por similitud a la caja de una guitarra española. En este tipo de personas prevalece la mente, materia e instintos, pero no los sentimientos. Pueden padecer posible “*psicopatía*”, crueldad y “*Alexitimia*”. De ellos hablaremos más adelante detalladamente.

***Pómulos inexistentes.**

LOS PÓMULOS

Los pómulos son la necesidad de representar e indican si la persona posee o no sentimientos vivos, o contrariamente, están inhibidos (retracción). El sexo femenino posee más pómulos que el masculino, ya que mientras el hombre cazaba, la mujer cuidaba a la familia.

En el dibujo nº1:

Existe un equilibrio entre pómulos y nariz, por tanto el trato será normal, regulándose según requiera la ocasión.

En el dibujo nº2:

Vemos unos pómulos muy anchos y nariz seca. Estamos delante de una persona que todo gira en torno a ella, con posible egocentrismo o narcisismo, y necesidad de ser reconocido.

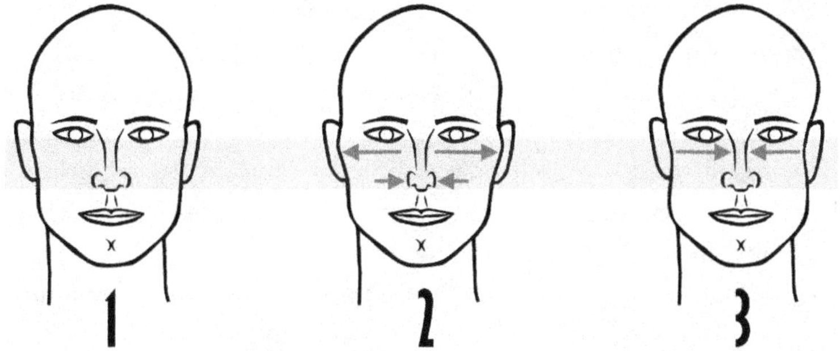

En el dibujo nº3:

Aunque la nariz es normal, los pómulos son inexistentes, encontrándose retraídos hacia dentro. Es un individuo frío y de poca o nula afectividad. Este tipo de personas sirven como verdugos, directores de banco o jefes de personal en grandes superficies, que no vacilen en despedir a quien sea cuando se les ordene. No sienten frío ni calor y poseen pocos escrúpulos.

Ejemplo de cerebro medio: Un perro, un ratón o un León.

3- ZONA INFERIOR O CEREBRO REPTIL

El cerebro INSTINTIVO (Tronco y Cerebelo):

Es el cerebro más primitivo o *"Arquicerebro"*. El Cerebelo está cubriendo el tronco cerebral y es el llamado *"complejo R"*, (R de

Reptil), donde se encuentran: la agresividad, la territorialidad, jerarquías sociales, el sistema reproductivo, los nervios, el equilibrio, la digestión, homeostasis, supervivencia y sexo. Es compulsivo y estereotipado. Este cerebro se desarrolló hace millones de años, en nuestros antecesores los reptiles o mamíferos marinos. De manera que en lo más profundo de nuestro cerebro, hay algo muy similar al seso de un cocodrilo.

***Cerebro reptil "Complejo R".**

Su ubicación morfopsicológica en el rostro, abarca desde el final de la nariz hasta la punta del mentón. La mandíbula indicará la estabilidad de la persona, ya que como la raíz de los árboles, cuanto más ancha sea más seguridad, fuerza y poder de realización ofrecerá. La estrechez de mandíbula pertenece a personas teóricas y de muchas ideas, pero que no acaban nunca de llevarlas a término, así como también ofrece agilidad de movimientos y suele ser mandíbula de grandes bailarines.

****Interpretación del tercer piso o complejo "R": Tronco y Cerebelo.***

RECEPTOR INSTINTIVO: LA BOCA

La boca es el receptor de la zona y nos hablará del modo en que nos comunicamos con el mundo exterior. Si es grande denota necesidad de hablar y si es pequeña controla esa ansia, aunque sus palabras serán más precisas. Todo lo que va hacia fuera va a buscar: una boca de labios gruesos indica siempre glotonería e inclinación hacia lo material, pero la si es de labios finos señala control y dominio sobre esos impulsos, con un comportamiento más calculador. La boca grande es derrochadora y la pequeña ahorrativa. La medida normal en la raza blanca es de 5.50cm en el hombre y de 4.70cm en la mujer. Un proverbio chino *dice "Mira de frente a un hombre para saber lo que será, y su boca en estado de reposo para saber lo que ha sido"*. Entre la boca y el labio superior se localiza el Filtrum, que hablaremos de el más adelante con detalle. Dicho pues que una boca de labios carnosos está hecha para besar, y la de labios finos para controlar ese beso, expongo 3 imágenes básicas de boca con su explicación psicológica:

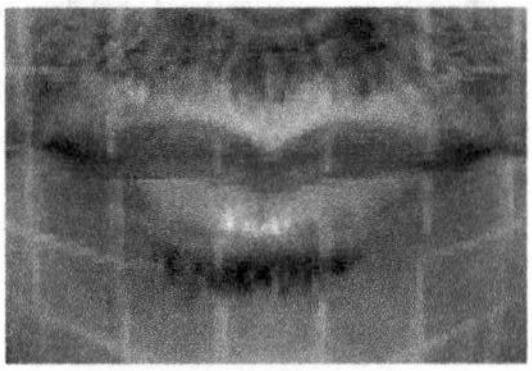

Receptor Instintivo.

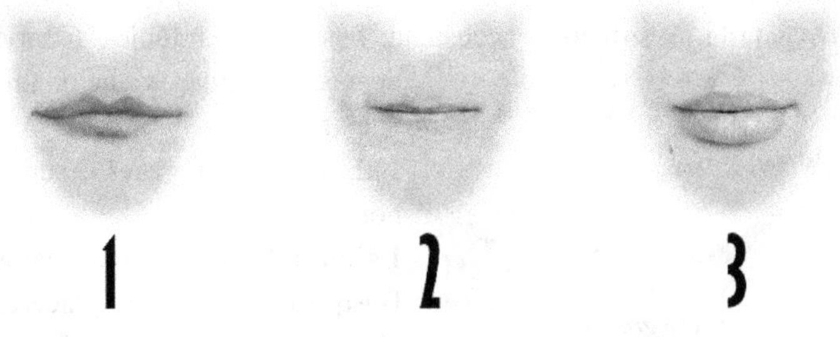

La boca es el receptor sensorial y emisor de nuestros instintos o zona baja reptil.

En la boca nº 1: observamos una boca grande, con necesidad de hablar y de intercambios físicos, con tendencia al derroche (habría que mirar los cánones de medidas del rostro para saber el tamaño real).

La boca nº 2: muestra todo lo contrario, es de labio fino, pequeña y bien cerrada, denotando poca palabra, ahorro y control sobre el gasto.

La boca nº3: es de labios muy gruesos, es la boca del contacto físico, le gusta besar y deleitarse comiendo, sobre todo cosas blandas o bollería. Muchos de nuestros abuelos, pasaron guerras y hambre durante largo período de tiempo. Este padecimiento puede observarse

en sus labios, ya que la gran mayoría los tiene finos, resultado de la precariedad y medio hostil que vivieron, y que les obligo a saber administrar lo poco de lo cual disponían.
Todo lo que está dilatado o hacia fuera, va a "buscar" y está para dar, y lo que se protege es lo retraído, que controlará esos impulsos (siempre dependiendo de la zona cerebral, que es la que determinará en la totalidad el control del individuo). Por eso haremos hincapié que en Morfopsicología, no trataremos de analizar los pequeños detalles, sino que sacaremos una síntesis o suma global, para la evaluación de todas las partes o rasgos faciales.

Otras formas de la boca y su significado:

Recta: equilibrio, rectitud. Suele ser boca masculina.
Comisuras caídas: amargura y tristeza "me esperaba más".
Comisuras elevadas: alegría y buen humor. Si con muy elevadas vanidad.
Proyectada o saliente: necesidad física. Si es tónica (sonriente) denota necesidad y facilidad para hablar.

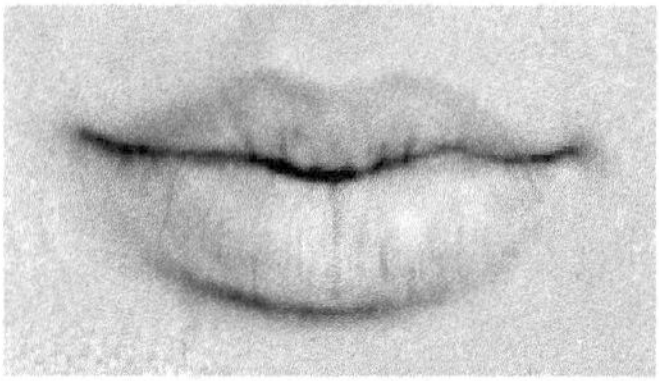

Boca gruesa:
nos indica necesidades físicas.

Labio superior grueso: sumisión, bondad.
Labio inferior grueso: egoísmo. Búsqueda de propios placeres. Si el superior es algo carnoso existirá bondad.
Entre abiertos: poca o nula combatividad. Tendencia a entregarse con facilidad a los vicios.
Muy gruesa: apetito sexual, materialismo. Morbo, vulgaridad y poco sentido moral.
Hacia el interior: generalmente por falta de dientes. Astucia y envidia.
Apretada: tensión, vanidad, rigidez y energía. Si es de labios finos, crueldad.
Blanda: debilidad.

Sin comisuras: orden y frialdad.
Mordisqueadas: inquietud, estrés, angustia.

MANDÍBULA Y MENTÓN

También hay otro detalle a considerar de la zona baja: *la Mandíbula y el Mentón.* La mandíbula representa la necesidad de realización de la persona y el mentón es su poder de afirmación (el modo). Por tanto, cuanto más ancha sea la mandíbula, más necesidad de trabajar tendrá la persona, mientras que una mandíbula estrecha, suele pertenecer a un grupo más teórico que práctico, dejando muchos de sus proyectos en el aire; estas personas necesitan trabajar en colaboración con otras de mandíbula ancha, para que lleven a cabo sus proyectos.
Puede existir el problema de un mentón muy fino, bloqueando la salida del individuo, o muy grande, donde la salida de acción sea exagerada, pudiendo agotar rápidamente a la persona:

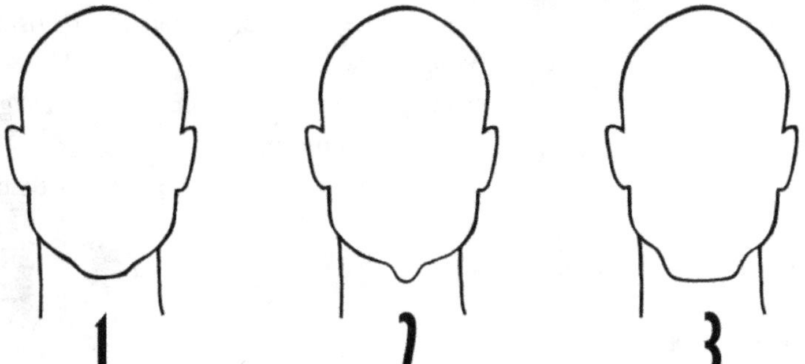

Imagen de mandíbula (realización) y del mentón (afirmación).

En el dibujo nº1: observamos lo que sería un equilibrio entre mandíbula y mentón.

En el dibujo nº2: aunque la necesidad de realización sea buena (mandíbula), vemos un bloqueo de la fuerza de salida por un mentón demasiado fino o estrangulado.

En el dibujo nº3: sucede lo contrario, donde la potencia de salida del mentón (afirmación) es demasiado grande, y deja al sujeto con pocas fuerzas y posibilidad de no llegar al final (realización).

Tipos de mandíbula:

La mandíbula nos habla de la necesidad de realización, siendo grande si es ancho, o escasa si es delgada. Las mandíbulas redondeadas son elemento femenino y más receptivo, adaptable o sumiso, mientras las angulosas o rectas son masculinas, emisivas y dominantes, con inferior adaptabilidad. Expongo algunas variantes:

Mandíbulas anchas: Máxima realización física.

Anchas: nivel alto de testosterona, fuerza. Alta constancia y realización de los proyectos. Laboriosidad. Alta libido, testosterona y nivel sexual.
Estrechas: fragilidad. Escasa libido. Muchas ideas y poca práctica.
Alargadas: pereza, vagancia, ociosidad, haraganería.
Con papada y mentón presente: gran sentido del oportunismo.
Redondas: adaptabilidad, elasticidad, fineza.
Acolchadas o difuminadas: poca actividad, comodidad.

Perfil de la mandíbula:

El perfil de la mandíbula nos habla de la combatividad ante la vida, y generalmente está formada en 2 trazos:

Ángulo recto 90º: máxima combatividad, actividad, reto.

Ángulo obtuso 120º: como el recto, pero menor constancia y valor.

En yugular: baja de un solo trazo, sin ángulo. Bajo la oreja hasta el mentón. Sumisión y poca combatividad. Pereza.

Tipos de mentón:

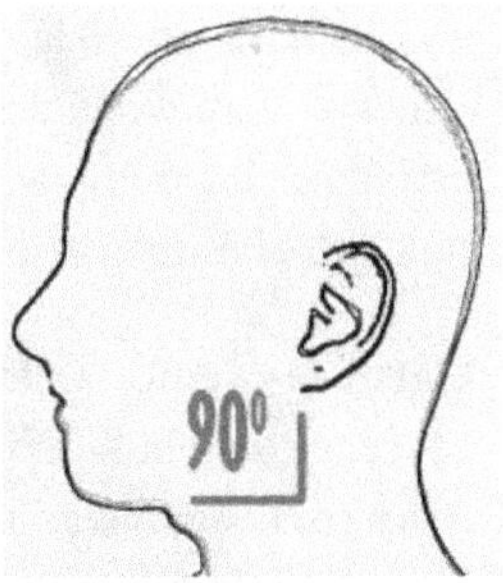

Mandíbula del "desafío".

En su necesidad de afirmación, la morfología, y por tanto, "modus operandi" del mentón, indicará la manera en que se llevarán los proyectos o formas de actuar físicas. A continuación expongo unos cuantos ejemplos:

Cuadrado y ancho: brutalidad y fuerza física. Constancia.
Cuadrado de contornos redondos: equilibrio y mesura.
Cuadrado y proyectado en medio: ambición, envidia.
Redondo: amabilidad, buen trato. Espíritu investigador.
Redondo y caído: indecisión.
Redondo y corto: perseverancia, actividad.
Con hoyuelo en medio: prudencia, dudas, timidez. Sentido de la propiedad. Inteligencia.
Pequeño: dificultad para afirmarse, sensibilidad.
Estrecho y corto: cobardía, vergüenza.
Doble o partido: como el mentón del hoyuelo, dudas y prudencia. Sensibilidad.

Mentón de perfil:

Huidizo: temor, prudencia, delicadeza.
Plano: frialdad y templanza.
Prominente: Osadía, valentía, firmeza. Carácter dominante.
Muy prominente: Puede agotar muy rápido su energética. Codicia.
Saliente y carnoso: materialismo.

LAS MEJILLAS O "MOFLETES"

La mejilla o conocida coloquialmente como moflete, es fácilmente confundible con el pómulo, cuando realmente distan de comparación alguna. El pómulo, del cual hablaremos detalladamente más adelante, nos hablará de si la "calidad" afectiva del individuo, es interesada material o realmente se trata de un afectos espiritual y genuino, sin embargo, las mejillas nos muestra impresiones más simples, como la bondad, el mimo recibido o la avaricia:

Carnosas: euforia, frivolidad. Gran afecto recibido en la infancia, sobre todo de la figura maternal.
Muy carnosas: avaricia y tendencia a la crueldad.
Equilibradas: carácter templado.
Hundidas: amargura, melancolía. Si se presentan junto a RLN (aplanamiento a los lados de la nariz), tensión y estrés.
Unidas: como si las aplastasen de los lados con ambas manos. Inmadurez y superficialidad.
Arrugadas: intoxicación. Excesos de alguna substancia o alimento.
Huesudas: independencia y frenesí. Carácter apasionado.
Onduladas: experiencia y adaptabilidad.
Poco carnosas: rigidez y misticismo.
Con hoyuelos: deseo de gustar a los demás. Elemento seductor.

EL CUELLO

Forma una parte importante del eje poligonal y caudal energético. Es uno de los responsables en unir el plano físico con el mental. Un cuello ancho nos hablará de más resistencia, necesidad física y mayor sexualidad. Un cuello delgado será más espiritual, intelectual y desapegado de la materia o realidad concreta.

Tipos de cuello y su significado psicológico:

Alargado y flexible: debilidad, blandura y timidez.
Alargado y delgado: serenidad, espiritualidad. Posibilidad de "castillos en el aire" si es muy largo.
Largo y nuez de Adán sobresalida: carácter analítico y salud media.
Corto y ancho: indica gran sexualidad, cólera, longevidad, fuerza. Temperamento sanguíneo.
Corto y flaco: tendencia a las disputas.

Corto y enterrado: temor, cobardía.
Proporcionado: temperamento estable, firme y seguro.
Redondeado: amabilidad y pacífico.
Tosco y delgado: intransigencia y obstinación.
Inclinado hacia delante: espíritu curioso y cotilla.
Inclinado izquierda: disipación y apego familiar.
Inclinación derecha: espíritu de aprender y apego social.
Inclinación alterna de ambos lados: falsedad y engaño.
Venoso: ataques súbitos de ira. Irritabilidad.
Nuca delgada: pasión y temperamento filosófico.
Nuca ancha: gran sexualidad y erotismo.

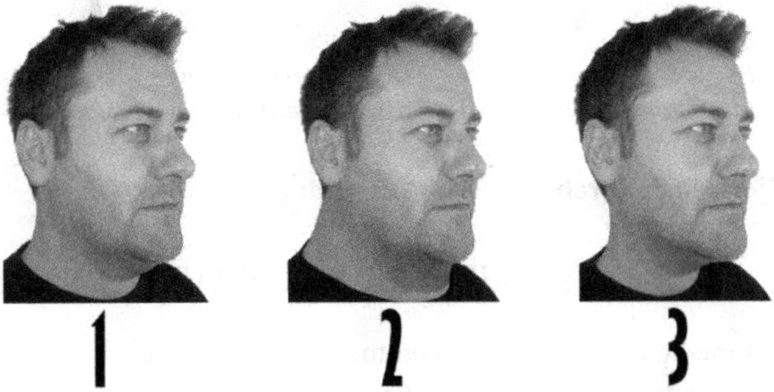

En la imagen nº2 observamos un cuello grueso, aportando a la persona vigor, seguridad, reserva, fuerza física y gran libido o potencia sexual. En la imagen nº3, el cuello delgado nos habla del desapego físico, debilidad, poco almacenamiento energético y escasa sexualidad. La imagen nº1 es la normalidad de la foto.

EL EJE POLIGONAL: RESERVA FÍSICA Y ENERGÉTICA

Además del perfil de la zona baja, que nos habla sin lugar a dudas de la reserva de energía disponible, existe lo que se llama "eje poligonal" general o vertical del rostro. Puede existir mucha reserva de energía, pero si el cuello es fino (dibujo 3), no será una provisión del todo fiable, ya que en un determinado derroche de fuerzas, existen muchas posibilidades de agotarse por completo. Por tanto tendremos que imaginar un tronco o cilindro interior transversal, partiendo del cuello hacia arriba. Si nuestro eje es sólido y ancho (dibujo 2), y nuestra zona instintiva es además profunda o alargada en su perfil, entonces sí estaremos delante de una persona de gran reserva física o corporal.

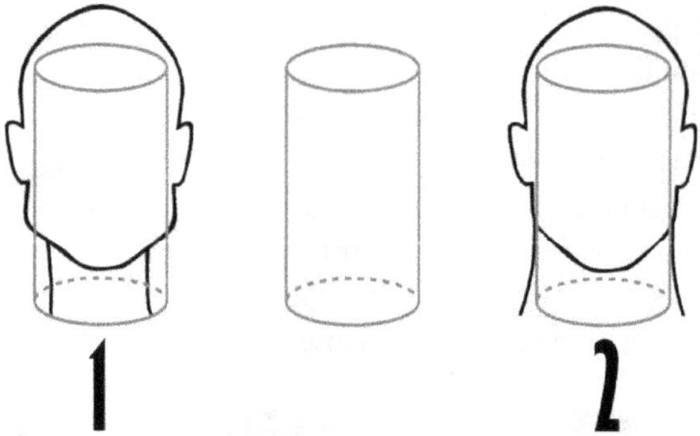

El eje poligonal del dibujo 1 posee reservas energéticas algo pobres, y el dibujo 2 de gran fortaleza o buena provisión física. El cuello es como el tronco de un árbol.

Ejemplo de cerebro inferior o reptil: Una tortuga.

ALTURA, ANCHURA Y PROFUNDIDAD DE LAS ZONAS

Las medidas, como ocurre con todo, pueden variar mucho y contener significados muy distintos. Estas diferencias, guardan importantes interpretaciones que debemos tener muy en cuenta, para sintetizar el conjunto del rostro o "de un todo". Recordemos que lo ancho se desarrolla generalmente en un ambiente favorable y lo retraído en uno hostil, desarrollando posteriormente un carácter abierto o más cerrado.

Figura 1 - ALTURA (pasividad-actividad):

Lo alto es más teórico, y lo corto más práctico. Por tanto lo alargado será un signo de atonía en las realizaciones concretas. Una frente alta será muy teórica, con muchas ideas pero menos objetiva, realizadora y pragmática. Una nariz larga, soñará más los amores que los vivirá, sin embargo, si es corta tendrá poca paciencia y querrá todo rápido. Una zona instintiva alargada, tendrá dificultad para empezar, pero si es corta, pasará rápidamente a la acción. Por tanto, lo alargado será más tranquilo, relajado o paciente, y lo corto más activo, actuando rápida e impacientemente.

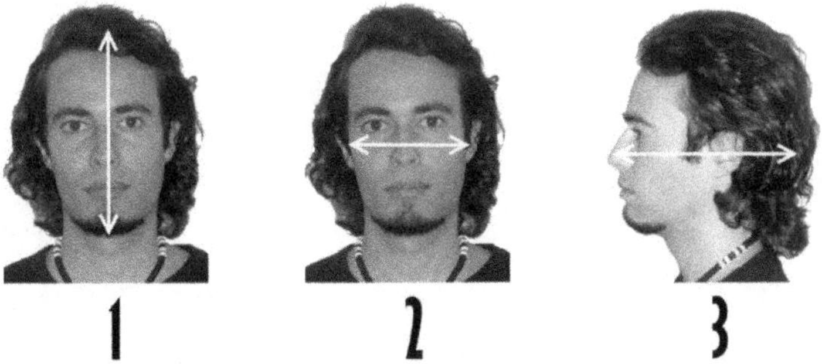

**(1) altura "actividad" (2) anchura "predilección" (3) profundidad "reservas".*

Figura 2 - ANCHURA (campo predilecto):

La expansión a lo ancho, determina donde uno se encuentra más a gusto y más dominio tiene. La anchura aporta seguridad y estabilidad. No obstante, al ser una zona no alertada, podría volverse un punto débil y ser más vulnerable. La estrechez nos habla de precariedad. Es donde la persona está más necesitada y efectuará los intercambios de modo irritable y susceptible. El lugar estrecho estará siempre a la defensiva.

Figura 3 - PROFUNDIDAD (reservas energéticas):

Nos habla de las reservas energéticas que posee el individuo, aunque habrá que considerar el eje poligonal del cual hablaremos en breve. La profundidad abarca las siguientes zonas:

La Zona Cerebral: desde el parietal, hasta los superciliares.
La Zona Emocional: va desde la punta de la nariz, hasta el occipital.
La Zona Instintiva: va desde la nuca, hasta el mentón.

De este modo podremos observar, la reserva de las zonas del individuo, siempre mirándolo de perfil (lado inconsciente), aunque la reserva también podemos observarla en la firmeza o solidez del *eje poligonal*, que estudiaremos más adelante.

CAPÍTULO 3
LA LEY DE LA DILATACIÓN Y LA RETRACCIÓN

Como citaba el Dr. Corman, todo ser vivo está en interacción con su medio. Si las condiciones son favorables, las estructuras físicas y fisiológicas tienden a relajarse o expandirse (dilatación), en el caso contrario, ellas se protegen y se resguardan (retracción).

Cuando el entorno es favorable el ser vivo se dilata (primer caracol), pero si el medio es hostil y poco beneficioso se retrae (segundo caracol). En un rostro ocurre lo mismo; dilatando y proyectando las zonas o elementos con necesidades, o retractando y resguardando las partes de poca o nula necesidad.

Tomemos como claro ejemplo los cuernos del caracol; si está relajado o el medio es favorable, salen hacia fuera dilatándose (dibujo nº1), pero si el entorno es hostil o existe peligro, se esconden retrayéndose (dibujo nº2). En el reino vegetal, también podremos observar la expansión de un árbol ante un medio favorable, y la retracción ante un medio negativo, mostrándose retorcido, maltrecho y más pequeño. No obstante no tenemos que subestimar jamás a ningún ser vivo, ya que el retraído puede estar más preparado para las contrariedades de la vida que el dilatado, que aun con fuerza inicial grande, no estará tan habituado a luchar. A continuación citaré las diferencias físicas y psicológicas entre el Dilatado y el Retraído. Todo lo ancho es más "de la tierra" que lo alargado, más espiritualidad o teórico. Un claro ejemplo sería "Don Quijote y Sancho Panza"; lo ancho y corto tiende a ser más relajado y práctico, en cambio lo alto y estrecho, es más nervioso e ideólogo. También existen los tipos Mixtos, que poseen aspectos de ambos, y de los cuales hablaremos tras los dos tipos jalón básicos (el dilatado y el retraído).

LOS DILATADOS

Por su abundante expansión, se adaptan fácilmente en la mayor parte de los ambientes. No son exigentes y están a gusto en la vida. Son optimistas y con buen humor. Se amoldan a las circunstancias. Están muy apegados a los bienes físicos de este mundo y son propietarios natos.

**Luciano Pavarotti.*

Tienen muchos amigos y aman la familia. Poseen una gran apertura de corazón. Son realistas y prácticos. Son hábiles en todos los campos y saben comportarse. Les gusta las artes manuales y hacer "chapuzas". Sobresalen en los negocios y son muy buenos comerciantes.
Son prácticos y sirven sobre todo como profesores. Son hipo sensibles, acudiendo al médico cuando la enfermedad suele estar ya avanzada. Son bonachones o demasiado blandos. Les cuesta llevar la iniciativa y su instinto de conservación y selectividad es inferior al de los retraídos. Tienen gran potencia de voz y podemos verlos en cantantes de ópera como Luciano Pavarotti, Montserrat Caballé o el gran cantaor de flamenco Rafael Farina.

Morfología de los dilatados:

Tienen como característica principal la de ser tipos anchos, pues la preponderancia de la expansión se traduce en una dilatación igual en todas direcciones. Se observará que todos los rostros se inscriben en círculo, en un ancho óvalo o en un cuadrado con los ángulos redondeados. Todas las partes de este rostro son bastante gruesas, "metidas en carnes". Su aspecto es rosado o rojo, pues la sangre aflora fácilmente a la piel. El Modelado tiende a la redondez: todas las líneas son curvas y los ángulos están difuminados. Los Receptores están muy abiertos al mundo exterior. La boca, de labios muy carnosos, es grande y se entreabre frecuentemente en una sonrisa. La nariz es gruesa y sus fosas, abiertas hacia delante. Los ojos son grandes, saltones y bastante separados. Todos estos rasgos señalan en suma una tendencia general, que expresa adecuadamente la frase corriente: un rostro abierto.

dibujos extraídos del libro del Dr. Corman

LOS RETRAÍDOS

Introvertidos y poco aptos para la adaptación del medio externo. Son tipos individuales y se desarrollan en su vida personal. Muy sensibles y les afecta todo. Se repliegan en sí mismos para escapar de las acciones nocivas.

Rosario Flores.

Son independientes y selectivos. Con buen gusto para la estética. Tienen 2 caras: una secreta y distante que muestran a las personas desconocidas y otra expansiva y sonriente que reservan para su medio de elección o familia. Les gusta especializarse. Son más reflexivos y precisos.

Construyen teorías y sistemas. Suelen vivir honradamente ya que no tienen apego a lo material. Se interesan más profundamente por los demás. Suelen ser técnicos y científicos. No les gustan las masas. Tímidos e inquietos. No saben apreciar el valor práctico de las cosas. Son hipersensibles y no suelen enfermar, ya que al mínimo síntoma acuden al médico. Tienen la voz poco potente y en caso de cantar necesitan un micrófono para amplificar su voz, como por ejemplo Julio Iglesias, Rod Stewart o Rosario Flores.

Morfología de los retraídos:

Tienen el rostro estrecho y con frecuencia encogido sobre sí mismo, a causa de la preponderancia de la conservación sobre la expansión. Estos rostros retraídos se inscriben en un triángulo, o bien en un óvalo y en un rectángulos alargados. Sus partes son todas huesudas, poco carnosas; la tez es pálida o aceitunada a causa de que la sangre se retira al interior.
El Modelado tiende a las líneas rectas y angulosas.
Los Receptores están poco abiertos al medio circundante. Los labios están apretados.
Las fosas nasales están semi cerradas. Los ojos parecen pequeños por estar hundidos en sus órbitas.
Hay que añadir que el aplastamiento lateral da lugar a una boca pequeña, una nariz afilada y unos ojos muy juntos. El conjunto da esa impresión que se define de ordinario como: un rostro cerrado.

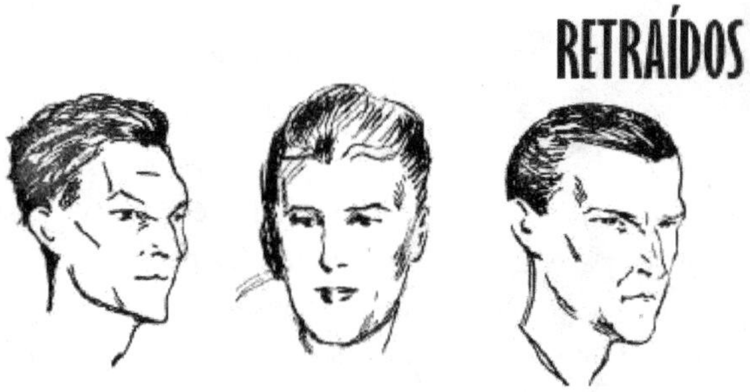

***dibujos extraídos del libro del Dr. Corman.**

LOS TIPOS MIXTOS

En psicología hay que evitar los esquemas, como en los polos opuestos y complementarios; "el Retraído y el Dilatado". Pues existen infinidad de intermedios que no podemos plasmar con imágenes, siendo imposible expresar la realidad viva. Por tanto nos podemos preguntar: ¿Cual es su grado de retracción? y ¿Cuál es el ámbito de elección de su expansión vital? Toda vida tiende a la dilatación, incluso en los retraídos (expansión electiva). La retracción completa significaría una expansión nula y eso no existe, ya que sería incompatible con la vida.

Morfología de tipos mixtos:

Nos apoyaremos ante todo en el modelado y la estructura de los receptores sensoriales. Deberemos fijarnos que el marco en los mixtos o "le gran visage" suele ser ovalado o rectangular y menos frecuente redondo o cuadrado (meramente del dilatado). Tendremos como referencia las tres zonas: el pensamiento, las emociones y los instintos. Podemos encontrar tipos mixtos de modelado ondulado tipo equilibrado, o retraído-abollado de los tipos más conflictivos (menos adaptables).

Robert de Niro.

Prácticamente, pueden describirse tres estructuras/tipo de los receptores en los mixtos: abierta de los dilatados, resguardada de los retraídos frontales y cerrados de los retraídos.

Ejemplo: Un individuo de marco medio, ondulado y con receptores unos proyectados (dilatación) como la nariz y labio superior, y otros resguardados (retracción) como podrían ser los ojos, con cara tipo triangulo Isósceles, denotaría que estamos delante de un tipo mixto.

Psicología de los mixtos:

La mayoría de personas pertenecen a los tipos mixtos y por tanto poseen una mayor flexibilidad, siendo capaces de expansión en un medio favorable y retracción en un medio nocivo.

La corta altura de la frente (retracción) es estrictamente selectiva, mientras que si es alta (dilatación) tal expansión se hará preferentemente en la imaginación y el ensueño.

TIPOS MÍXTOS

dibujos extraídos del libro del Dr. Corman.

Habrá que sacar una minuciosa síntesis entre el dilatado y el retraído en todas las zonas, ya que las combinaciones son infinitas y tener en cuenta: la dilatación y retracción, el modelado y el marco, la altura, anchura y profundidad, la tonicidad y la astenia, el grado de protección, RF y RL, la finura y la diferenciación, entre otras. Así sacaremos una buena síntesis global entre de las combinaciones del dilatado y el retraído, que difícilmente encontraremos en estado puro. Con una persona de nariz proyectada (búsqueda de la conquista), boca carnosa (necesidad de intercambios físicos) ojos resguardados (control sobre impresiones cerebrales), con modelado ondulado (adaptación) y marco mediano (energía disponible media), estaríamos delante de una tipología mixta, con más control que el dilatado puro, y menos problemático que el retraído puro (todo parece molestarle), que necesitaría forzosamente un *"medio de elección"* para desinhibirse y comportarse relajado.

EL RETRAÍDO EXTREMO

La retracción extrema es un fiel indicador de precariedad, Restricción y poca abundancia. Se produce cuando el entorno es muy desfavorable o en los casos que la energía vital se ve altamente afectada ya sea por falta de recursos vitales o avanzada edad. La retracción extrema podemos observarla en personas muy ancianas con la piel "pegada" al rostro, produciendo el hundimiento exagerado de entrantes y salientes, dando la apariencia de un Modelado abollado.

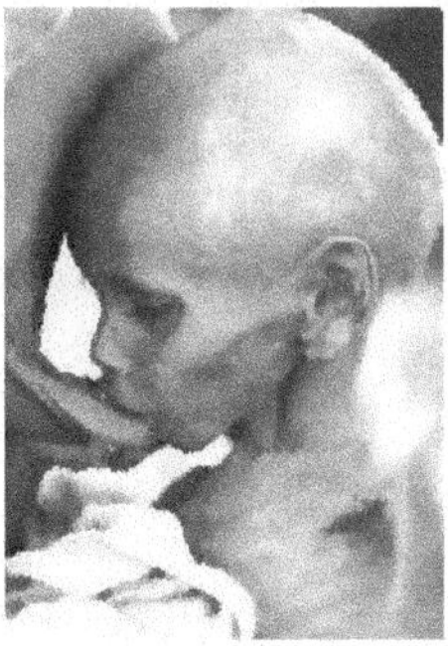

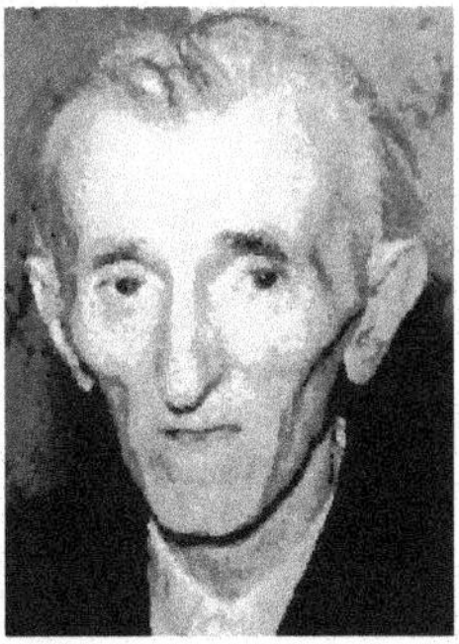

****Niño del tercer mundo - Científico Nikola Tesla en su ancianidad.***

La naturaleza es sabia y esto ocurre cuando el cuerpo vivo resguarda y ahorra su escasa o casi nula reserva de energía, para poder resistir y sobrevivir al máximo. Desgraciadamente también podemos observar la retracción extrema en niños del tercer mundo por falta de alimentos y recursos.

Psicología del retraído extremo:

En el caso de la retracción extrema, el predominio es el aislamiento y la introversión. Pueden existir comportamientos oscilatorios, prefiriendo la tranquilidad como también puntualmente el jolgorio. Disfrutan de cada momento casi como si fuese el último, pero al unísono da extraña sensación de que importa poco. Existen estados eufóricos y de decaimiento. El ser se mantiene al margen de las cosas, con tendencia o posibilidad de comportamientos infantiles momentáneos. Suelen ser personas generosas y despegadas de lo físico, pero también pueden mostrar interés por acumular cosas, incluso basura o desperdicios domésticos en casos extremos

"Síndrome de Diógenes", acompañado por la psicología del abandono personal y social. Son selectivos y no vacilan en decir lo que piensan a los demás, aunque no sea el lugar ni el momento oportuno.

CAPÍTULO 4

LA TONICIDAD-ESTÉNICA Y LA ATONÍA-ASTENIA

Ley cuantitativa y cualitativa nerviosa

La tonicidad y la atonía son distintas y complementarias a la misma vez. La tonicidad es activo-emisora y la atonía pasivo-receptora.
Todo lo que cae o tiene retenciones de lípidos en un rostro o cae, será signo de atonía, mientras que si sube o está tenso es tónico. La tonicidad nos indicará si la actitud es activa o pasiva. Comienza con la existencia del nuevo ser, el bebé átono o de temperamento hipocrático linfático, y por tanto pasivo-receptivo, hasta poco a poco, llegar al ser adulto y transformarse en tónico y activo/emisivo. Cuando vemos un adulto con excesiva atonía o pasividad, obviamente existe un grave problema de dejadez y falta de interés, que en muchos de los casos, el individuo termina por buscar excusas haciéndose el "mártir", para que los demás (tónicos), hagan lo que a ellos no les da la gana, o que desgraciadamente no son capaces de realizar. En esta simple ilustración, podemos ver algunos rasgos del tono:

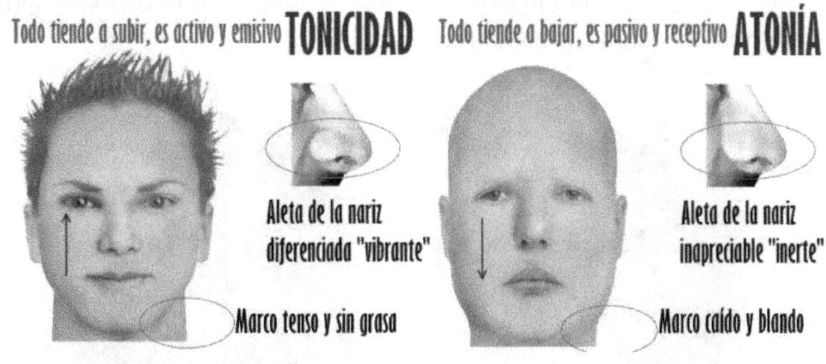

**La tonicidad es sinónimo de "actividad" y de fluida interacción con el exterior. La atonía es lo contrario, "pasividad" y poca o nula comunicación, no "vibra".*

LA TONICIDAD – ESTÉNICO "LA ACTIVIDAD"

Otorga una conducta con más voluntad y valentía. Es lo que da "vida" al rostro o zona donde se encuentre. La conexión con el mundo exterior es más fluida y rica, con buena toma de consciencia social y de sí mismo. Las personas tónicas siempre muestran más intereses e interactúan con el entorno, así como también tienden a una buena reserva para la actividad física. Indica que el sujeto tiene voluntad y espíritu de lucha, siendo más trabajador. También potencia la combatividad, precisión y claridad en las ideas.

La tonicidad se puede encontrar en todo el rostro como por ejemplo: en las zonas cortas de altura (un elemento corto siempre es más activo que uno largo), en las carnes tensas y firmes, en todo lo tendente a subir, la nariz vibrante o con aletas diferenciadas y presentes (semicírculo marcado), en la boca cuando parece que sonríe, en los ojos si son rasgados, en las cejas muy pobladas, en una zona baja sin papada, con la piel pegada al rostro, marcando mandíbula y contorno del armazón (Marco), también la piel está más rosada en lo tónico, rojo por consecuencia de una buena irrigación sanguínea, dejando a flote una vez más la actividad física del individuo. En definitiva, es una cara más tensa, jovial y vigorosa.

Está más ligada al hombre, ya que es el elemento emisivo-activo. Cuando alguien está intentando flirtear o conquistar, el rostro se torna más tónico y el individuo parece más joven.

1

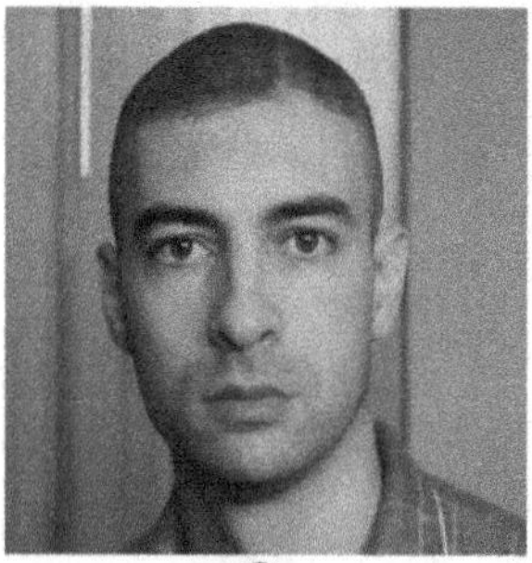

2

Podemos observar en estas dos fotografías, un claro ejemplo de tonicidad-atonía. La fotografía nº 1 con el rostro más corto, indica una mayor actividad (tonicidad) que la nº 2 más alargada, mostrando la existencia pasividad (atonía).

¿Qué psicología tiene la persona tónica?

Las personas tónicas son más dinámicas. No se acobardan fácilmente ni dejan que los percances les frenen. Tienen suficientemente energía como para además de su trabajo, por duro que este sea, dedicarse a cualquier tipo de deporte. La tonicidad permite llevar nuestros proyectos a la práctica, sin que se queden "en el aire", como también fomenta una participación más precisa, real y constante en los quehaceres.

La tonicidad fortalece el espíritu científico y el sentido común. Si el individuo es extremadamente tónico, querrá participar en todo y ser la estrella en todos los acontecimientos, con tendencia a la manipulación si es necesario. Son algo impacientes y muchas veces no permiten que la vida tome su curso natural. Suelen interesarse más por la cantidad que por la calidad, pero eso también lo veremos en un Marco estrecho (calidad) o dilatado (cantidad), además del tono.

LA ATONÍA - ASTENIA

Todo lo que es graso, adiposo, muy alargado o cae, será signo de atonía, que se puede traducir en astenia física o dejadez. Da la sensación de fatiga a las personas y generalmente nula comunicación. Es un síntoma de estancamiento y pasividad. La toma de consciencia es inferior, y se vive en un mundo de "libre albedrío", dejándose arrastrar hacia donde sopla el viento. Igual que la tonicidad, podemos encontrarla en todo el rostro y en los receptores sensoriales, como por ejemplo: los contornos de la cara están flácidos, siendo arrastrados por su propio peso, los ojos están caídos o tristes, la nariz sin aletas dibujadas y es pesada, la boca está abierta o las comisuras caen hacia abajo.

Si la atonía es grande, da la sensación de una cara apenada y sin voluntad. Son personas que andan arrastrando los pies, con brazos colgando y la espalda curvada, mostrando una gran falta de vitalidad física y también psíquica. Está más ligada a la mujer (en proporciones equilibradas) por ser el sexo receptivo-pasivo. Haremos hincapié en que no existe nada ideal o perfecto, sino la búsqueda del equilibrio y sólo tendencias, que podrán ser mejor o peor dependiendo del entorno donde se encuentren.

¿Qué psicología tiene la persona átona?

Siempre elegirán estar parados que en movimiento. Su sentido de la dinámica deja mucho que desear, y solo trabajarán si es necesario, cansándose más bien pronto. El deporte tampoco es su fuerte y prefieren hacer "zapping" mirando una película, excusándose de que se lo han ganado después de un día "duro" de trabajo. Son personas poco pragmáticas y que la gran mayoría de sus proyectos o ideas, se quedan por realizar, diciendo la famosa frase "ya lo haré mañana".

Rostro de tonicidad alta.

No obstante la atonía es un elemento de receptividad, y favorece el almacenaje pasivo de información, como el niño que está jugando y retiene lo que están diciendo los demás. Como es receptor, también existe una mayor conexión con la naturaleza y ciencias profundas o misteriosas como la parapsicología. También ofrece más creatividad e imaginación, intuyendo o captando que es lo que el momento requiere o que energía emana. Tienen débil consciencia de si mismos y son fáciles de manipular, es por ello que en las mayores maniobras de actos terroristas, se utilizan personas átonas, fáciles de convencer y que no son conscientes de lo que van a llevar a cabo, pensándose que es un bien para la humanidad.

Ejemplo del tono:

Las personas con ojos átonos son menos comunicativos y tienen débil consciencia de sí, pero poseen dotes extraordinarios para la interpretación (desconexión de lo real). De hecho, con este tipo de ojos han nacido los mejores actores y actrices del mundo, como también los mentirosos más grandes, que es más o menos el oficio del propio actor, tratándose de interpretar un papel ficticio. Por eso no podemos decir que algo es bueno o es malo, si no está destinado a una determinada finalidad, sino de otro modo nada sería equilibrado, bello ni armonioso.

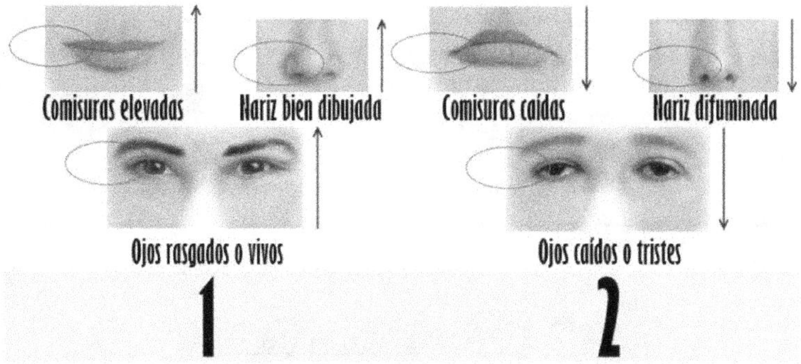

Lo tónico está tenso, subido o "alegre" (dibujo nº1), mientras que lo átono se desploma y no transmite ni interactúa con el entorno (dibujo nº2).

LA TONICIDAD EN EL BEBÉ

He podido observar en multitud de padres muy tónicos y activos, unos hijos muy átonos o lo que es lo mismo, pasivos. Esto tiene una simple explicación: La hiperactividad de los padres, muy protectores, ha impedido que el niño desarrolle su tonicidad (actitud activa ante la vida) al querer coger un objeto, comer solo, etc... ya que los padres se adelantaban realizando lo que el bebe quería, impidiéndolo todo "ipso facto".

Este lamentable, innecesario y lógicamente inconsciente error, incapacitaba al niño durante su crecimiento a desarrollar su facultad más importante "la lucha ante la vida", dejándole marcado para siempre con un carácter despreocupado y de difícil solución posterior. De igual modo, habría que evitar el uso del biberón (en la medida de lo posible), ya que es más fácil la salida de leche que en el pecho materno, teniendo que succionar con movimientos instintivos la salida de la misma. Por este motivo es de suma importancia, que desde la infancia el niño reciba estímulos que favorezcan su desarrollo físico y mental, enriqueciendo su tonicidad o "firmeza" ante los sucesos, incrementando su objetividad y metas sin dejarse llevar por el "libre albedrío" en un futuro.

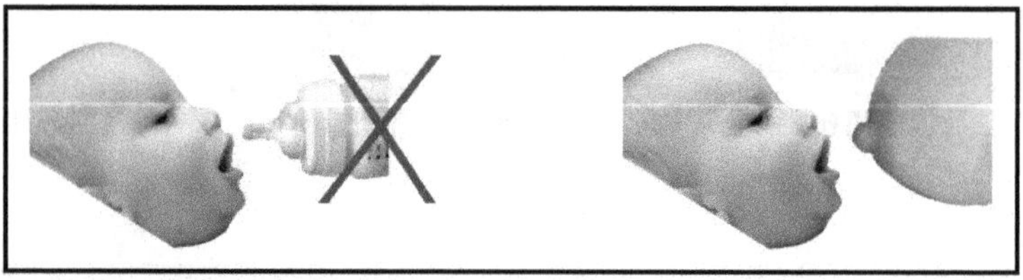

Hay que estimular la tonicidad del niño desde el seno materno

EL TONO DEL MARCO

Tonicidad – atonía en el Marco o "contorno del rostro":

El contorno, Marco o *"gran visage"* (la gran cara) como dicen los franceses, es una de las partes más importantes del rostro y que determinará la energía básica vital del individuo, aunque ello lo estudiaremos más adelante con precisión. Ahora hablaremos sólo del tono del mismo. Cuando el Marco está difuminado, sobre todo en sus partes bajas (mandíbula y cuello), existe papada o las carnes "caen" (no necesariamente obeso), entonces existirá atonía de Marco. Sin embargo, si el contorno del rostro está bien definido y dibujado, de carnes firmes y tersas, será síntoma indiscutible de tonicidad. Ello nos hablará básicamente de la predisposición activa (tónica) o pasiva (átona) del individuo hacia el medio o entorno inmediato, así como también si su voluntad es infatigable-productiva (tónica), o perezosa-vaga (átona). También tendremos que fijarnos como está presente el tono en cada zona del rostro, ya que puede variar y ser muy activo/a en el nivel superior (mental) y muy átono/a en el nivel inferior (físico). A continuación expongo con 2 ejemplos de tono en el Marco o contorno del rostro *"gran visage/la gran cara"*, sin considerar el interior, los ojos, nariz y boca *"petit visage/la pequeña cara"*.

En la fotografía nº1:

Descubrimos el Marco tónico y por tanto activo del famoso actor Sylvester Stallone, trabajador, emprendedor y con espíritu de lucha ante la vida o los sucesos, sobre todo en el nivel físico o de realidad concreta; la mandíbula bien diferenciada del resto de la cara, las carnes están tensas, fuertes y existe firmeza global. Es un hombre combativo y trabajador, participativo y dinámico, que no le importa realizar esfuerzos físicos, como nos ha ido demostrado durante toda su vida, y no solamente porque se dedique al tipo de películas bélicas o de acción, sino porque ya ha nacido con esa capacidad innata, y no podría estar sin entrenar mucho tiempo (su cuerpo se lo pide).

Figura nº1
Marco tónico o activo.

En el retrato nº2:

Observamos todo lo contrario; las carnes cuelgan, están fofas, se desploman hacia abajo, inertes y sin vida ni fortaleza. Es el contorno o Marco de personas poco luchadoras, que generalmente no les importa el físico, su imagen, ni la estética o su cuidado. En este tipo de personas la degeneración está "a la vuelta de la esquina", pudiendo pasar de "guapos" a "feos" en un período de tiempo extremadamente muy corto. Este tipo de individuos se dejan llevar por el *"libre albedrío"*, sin valor y sin espíritu de lucha, sin ganas de participar en

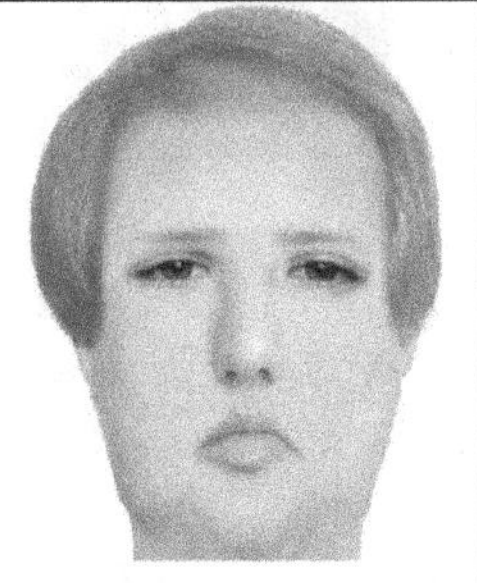

Figura nº2
Marco átono o pasivo.

deporte alguno. Repito que no necesariamente pertenece a personas obesas, ya que podemos ver flacos con Marco átono, y a gruesos muy tónicos. Y es que el rostro siempre será el resumen de la persona, siendo un lamentable error evaluar tan sólo el físico.

EL TONO DEL OJO

El ojo tónico tiene consciencia de lo que hace, capta las cosas rápidamente, esta "despierto" y tiene facilidad de transmitir lo que piensa y para el estudio o la lectura (dibujo 1). El ojo átono se cansa si lee durante mucho tiempo, y los estudiantes con este tipo de ojo no consiguen concentrarse en la materia, generalmente se dice que "no aprueban porque no les da la gana", y en cierta manera es así, pero habrá que considerar que es un receptor cansado de nacimiento, y por tanto, comprender que requiere más descansos que un ojo "despierto" o tónico. La atonía proporciona débil consciencia o desconexión de la realidad, pero al mismo tiempo ofrece creatividad; de ojos átonos receptivos o intuitivos, con frentes tipo "Luna", también receptivas, han nacido grandes genialidades como *Albert Einstein,* por eso no tenemos que subestimar a nadie, porque podemos llevarnos una grata sorpresa.

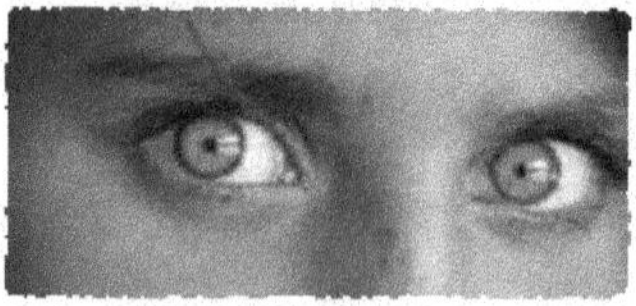

1

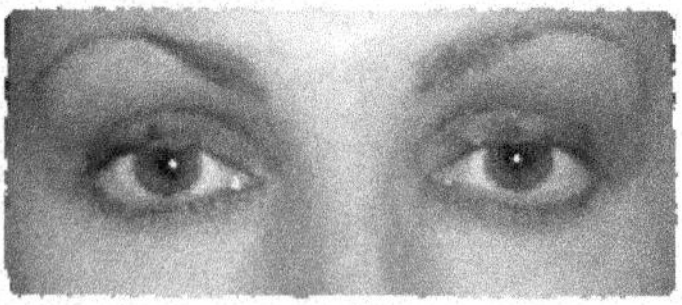

2

Ejemplo de ojo tónico activo o "rasgado" (1) y ojo átono pasivo o "caído" (2).

EL TONO DE LA NARIZ

Al igual que los ojos, la nariz tónica tendrá facilidad para transmitir lo que siente, en este caso las emociones. Este tipo de nariz se distingue fácilmente de la átona a través de sus aletas nasales "vibrantes" o diferenciadas; el contorno o dibujo de las aletas muestra perfectamente un semicírculo hacia el interior "en caracol". Es la nariz de personas alegres, divertidas y que saben expresar lo que sienten en todo momento, como decir "que guapa estás" o "te quiero mucho". La nariz átona es justamente lo contrario, y pertenece al grupo de personas generalmente con tendencia al aburrimiento. Es una nariz inhábil para comunicar el sentimiento y con mucha dificultad de acercamiento hacia los demás o el lado íntimo; *una señora me dijo una vez que no sabía si su marido la quería, ya que nunca había tenido una sola palabra de amor hacia ella, y mucho menos un "te quiero", el marido se limitaba a decir "¡Por qué te voy a decir que te quiero, si ya lo sabes que así es!"... pero sólo con eso no es suficiente. Las personas necesitamos el estímulo afectivo y escuchar "¡Qué guapa estás hoy!", con más motivo aun si comparten la vida con nosotros. Después de hablar con el marido y hacerle consciente de su inconsciente error, el tema paulatinamente fue superándose.* Milagrosamente su nariz se había vuelto tónica en unos meses! Y es que el tono, sobre todo a nivel afectivo, es extremadamente vital para el estado anímico y alegría de todo el mundo. A continuación expongo un ejemplo de nariz tónica y átona:

1

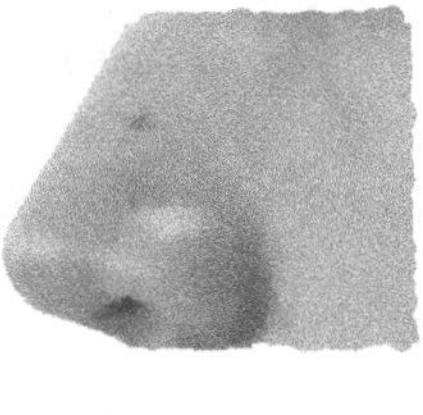

2

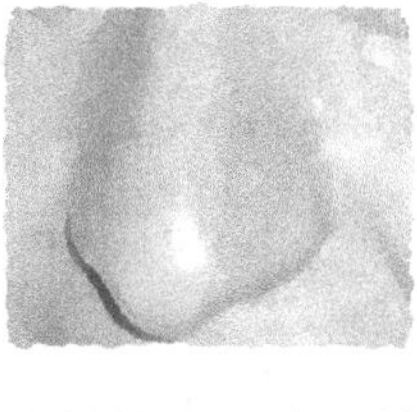

Ejemplo de nariz tónica activa o "vibrante" (1) y nariz átona pasiva o "inerte" (2).

EL TONO EN LA BOCA

De igual modo, el tono de la boca determinará el grado o capacidad de interactuación en el ámbito instintivo o de la zona baja material. Nos hablará si la persona tiene fluidez de comunicación y por tanto boca tónica, o por contrariamente existe dificultad del habla, ya sea por consecuencia de alguna disfunción patológica, o exceso de introversión/timidez, dibujando una boca átona, con las comisuras laterales apuntando hacia abajo. De igual modo y por regla general, la boca tónica indica el grado de satisfacción de la persona, sobre todo en el terreno físico, encontrándose hacia arriba si está contenta, o la boca átona "triste" de comisuras caídas, decepcionada ante la vida como diciendo "me esperaba más". Es imposible encontrar a ningún político activo con una boca átona, ya que es absolutamente incompatible con la capacidad oratoria. A continuación expongo los 2 ejemplos de boca, con el dibujo (1) tónica y dibujo (2) átona:

1

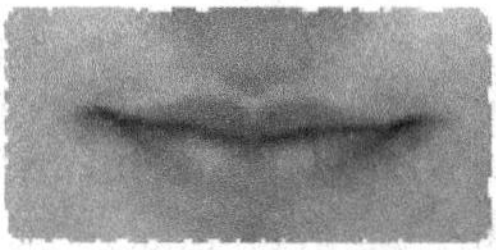

2

**Ejemplo de boca tónica activa o "alegre" (1) y boca átona pasiva o "triste" (2).*

NECESIDAD DE LOS DESEOS Y SUS ZONAS: "APERTURA O CIERRE"

Cada zona del rostro nos habla de las necesidades o deseos de realización, exteriorización o introversión. A continuación expongo un esquema contrastando dichos puntos estratégicos del rostro.

CRÁNEO:

Es la apertura a lo espiritual y la intuición. La parte de la frente redondeada y creativa que conservamos del niño. Si la implantación del cabello está "en punta" indica que existe buena apertura. Si la bóveda termina en arco, es señal de personas más trabajadoras, por contribuir en el refuerzo mandibular (arco). En definitiva, es donde se engendran las primeras ideas y donde reside la consciencia universal *"Súper Yo"*.

FRENTE:

Zona de meditación o donde se reflexión antes de la toma de decisiones. Es también la zona que indicará si la persona es más práctica (frente más ancha que alta) o más teórica (frente más alta que ancha). Un claro ejemplo tenemos con *"Don Quijote y Sancho Panza"*; lo alto es lo teórico y la ancho lo práctico. Obviamente habrá que buscar un equilibrio, ya que ambos extremos son contraproducentes.

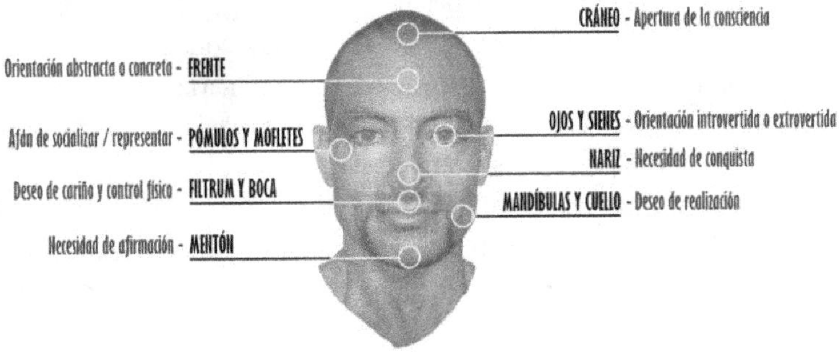

La necesidad del ser humano y sus zonas morfológicas. A través de los receptores o elementos del rostro humano, podemos observar las necesidades y su modo de actuación: introvertido o extrovertido.

OJOS Y SIENES:

El ojo es el receptor cerebral y por el cual recibimos la máxima información. Por tanto, si los ojos son grandes significa "apertura" (extroversión) y predisposición para captar la información exterior, ofreciendo más realismo al individuo. Si son pequeños, el campo de visión se reduce o se "cierra" (introversión), por tanto existe inferior predisposición para captar información, con tendencia a crear un mundo propio apartado de la realidad. Las sienes muy apretadas aprisionan y dificultan la fluidez de pensamientos, dando "vueltas y vueltas" a las cosas sin llegar a nada, con tendencia a ideas laberínticas. Si además de muy ahuecadas, los ojos están muy hundidos y existe profunda línea de paro frontal, será signo de inminente TOC (Trastorno Obsesivo Compulsivo). Si la sien está abombada, la persona tendrá dificultad en canalizar las ideas. Como siempre, habrá que buscar un equilibrio o armonía en las estructuras.

PÓMULOS Y MOFLETES:

Si el pómulo es muy ancho y la nariz muy estrecha, la persona tenderá al egocentrismo o narcisismo, dando "codazos" allá donde vaya, para ser el centro de atención. De todos modos, los pómulos anchos es señal de afecto y existencia de sentimiento profundos. Capacita a la persona a llevar grupos de personas a su cargo. Las personas sin pómulos no pueden delegar, ya que si no hay corazón, difícilmente conectaremos en nuestro ámbito social. La nariz es el receptor emocional y nos dirá si la persona posee necesidad de conquista, yendo en su búsqueda si está proyectada de perfil (RL), ofreciendo un espíritu algo "cotilla" al individuo, o reservado si contrariamente está retraída (RF) o "aplanada" (como los orientales); entonces la persona esperará a que vayan en su búsqueda. Si la nariz es carnosa brinda más cariño, afecto y diplomacia, pero si es "seca" o muy fina, ofrecerá un carácter algo frívolo, de trato tajante o radical hacia con los demás, sin soportar que les toquen o den "palmadas" en la espalda.

FILTRUM Y BOCA:

El *Filtrum* es también llamado *"la poción del amor"*, precisamente por ser la división o vínculo físico / afectivo. Cuanto más corto es el *Filtrum* o espacio "naso-labial", más necesidad de cariño y afecto necesitará la persona, mientras que cuanto más largo sea, brindará un carácter más independiente y de menor paciencia.
La boca es el receptor instintivo, el *"Ello"*, o como decía Jung, la parte esencial de la función "sensación". Si la boca es de labios carnosos, informa del deseo de besar, y si son finos del control de ese mismo beso, lo cual no significa que no guste de besar. Obviamente existe más control en una boca de labio medio, que no excesivamente carnosa, pidiendo satisfacción terrenal a toda costa. Como

contrapartida, los labios gruesos ofrecen más sensualidad y cariño, pero también menor selectividad y/o facilidad para hablar.

MANDÍBULAS Y CUELLO:

La mandíbula representa la necesidad de realizar los proyectos, ya que cuanto más ancha sea esta, más trabajadora será la persona. Si es muy estrecha ofrece un comportamiento más teórico que práctico. La anchura mandibular y del cuello también se asocia con la necesidad sexual o fuerte libido, mientras que si es fino resta necesidad sexual otorgando un carácter más espiritual.

MENTÓN:

Así como la mandíbula nos habla de la necesidad de realizar ideas y proyectos, el mentón indica el modo en que lo llevaremos a cabo. Si está proyectado (RL) dará espíritu de lucha y valentía, pero si está inhibido (hacia atrás) o retraído (RF), brinda a la persona un temperamento temeroso, pero prudente. Si el mentón está partido o tiene hoyuelo, significa dudas en el último momento, por muy convencida que parezca la persona.

CAPÍTULO 5
RETRACCIÓN LATERAL Y FRONTAL
(Primario y Secundario)

Diremos que lo inclinado es de Retracción Lateral (primario), y lo vertical de Retracción Frontal (secundario).
La RL es una ley más activa, pero tiende a precipitación y por eso quizás se cometen más errores, pero permite hacer más cosas.
La RF es menos activa, pero como analiza más todo, tiende a errar menos aunque sus realizaciones serán inferiores.
Como siempre buscaremos el equilibrio, ya que estos dos tipos jalón en su estado puro, casi no existen, pues todas las personas poseen combinaciones de ambos (RF+RL).
Tomaremos como base la osamenta justo por encima del ojo, *los Superciliares*, para determinar el grupo en el cual se encuentra cada una de las 3 zonas o pisos del rostro.

RETRACCIÓN FRONTAL/LATERAL EN ZONA CEREBRAL (PISO 1º O SUPERIOR)

ZONA CEREBRAL. El Retraído Frontal (RF):

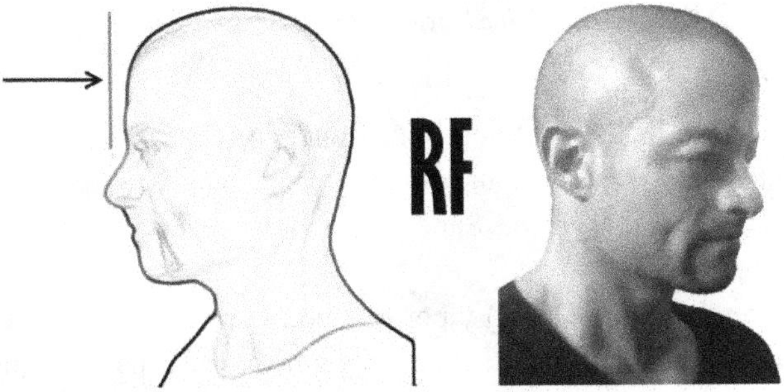

Retraído frontal (verticalidad): primero piensa y después actúa.

Es de frente vertical, reflexivo y piensa antes de actuar. Es de ideas propias y conservadoras. No le gusta la improvisación, el cambio ni la novedad. Es estable y mantiene su palabra o compromiso de forma fiel. Un ser que no le importa lo que piensen los demás sobre él y es metódico a la hora de hacer las cosas.

No se deja influenciar y cuando dice que no, suele ser bastante testarudo. Si existe RF superior en el niño, denota gran madurez para su edad. Es el típico niño que dice a todo "NO" aunque esté muriéndose de ganas. Son personas con estrategia que analizan sus ideas antes de actuar. Por ese motivo quizá efectúan menos cosas, pero también su margen de error es inferior. Le gusta estar quieto y no andar de un lado a otro. Son personas más de letras que de números.

ZONA CEREBRAL. El Retraído Lateral (RL):

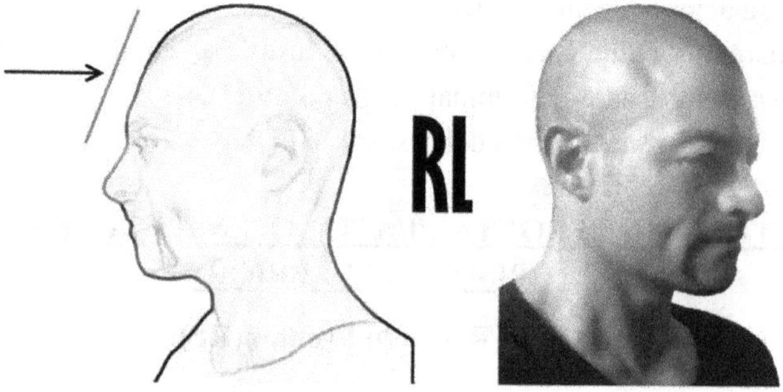

Retraído lateral (inclinación): primero actúa y después piensa.

Es de frente inclinada. Suele actuar antes de pensar y es de respuesta inmediata. Es una persona de ideas innovadoras, que mira por el futuro y/o el progreso. Sabe improvisar y sus ideas suelen ser preconcebidas.

Tiene tendencia al cambio y por ese motivo a veces son menos fieles. Es un ser espontaneo, influenciable y que le preocupa la opinión de la gente sobre él. Lleva rápidamente a la práctica todo lo que piensa, lo que le hace cometer errores, pero esto también le permite realizar muchos proyectos. Prefiere moverse a quedarse quieto, ya que no soporta estar mucho tiempo en el mismo lugar. Son personas más de números que letras.

LA PROTECCIÓN DE LOS OJOS:

Además de la frente y su inclinación, nuestros ojos también juegan un factor importantísimo para la determinación de RF-Retracción Frontal (secundario) o RL-Retracción Lateral (primario) en la zona superior o cerebral. Entenderemos como "espacio equilibrado" el que permita, siempre de perfil, ver la raíz de la nariz desde el ojo hasta la misma, indicando la existencia de RF (resguardo). Si contrariamente este espacio se ve reducido o no existe, el ojo estará desprotegido o "a flor de piel" RL. Pueden existir múltiples combinaciones, pero me limitaré a 2 posiciones básicas (protección/desprotección) para no complicar el asunto con los tipos jalón, tonicidad, modelado, línea de paro u otros elementos. Ejemplo: Si una frente inclinada (RL) "actúa y después piensa", posee ojos protegidos (RF), aportarán una dosis de "control" a esa frente "desbordada". Si por el contrario los ojos están salidos RL, la situación empeoraría sumando impulsividad y escasa reflexión.
Observamos en la figura 1 los "ojos equilibrados" (RF) y en la figura 2 "a flor de piel" o proyectados (RL). Terminaremos por remarcar que los ojos "salidos o saltones" pertenecen a personas más coléricas y los "abrigados o resguardados" a individuos más serenos.
Como siempre, haré hincapié en que no existe nada mejor o peor, sino el equilibrio o lugar de movilidad o desarrollo adecuado para cada individuo.

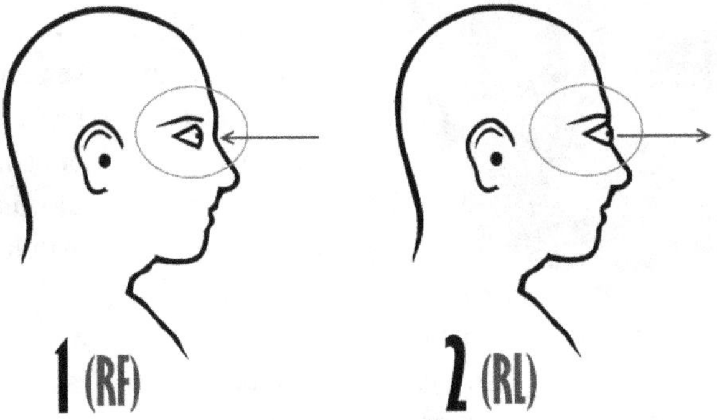

Protección y resguardo del receptor cerebral: el ojo. RF-RL.

¿CÓMO DETERMINAR LA INCLINACIÓN DE LA FRENTE?

Averiguar la inclinación/verticalidad de la frente, es de suma importancia para determinar si la persona es primaria (inclinación) o secundaria (verticalidad) en su forma de pensar y actuar. De igual modo, la frente es la zona más importante del rostro, y la que determinará casi en su totalidad, el comportamiento y control del individuo, con preferencia y delante de todas las otras partes o zonas del rostro. Puede parecer sencillo a simple vista, no obstante hay que reflexionar otros varios puntos antes de la determinación del grado del ángulo.

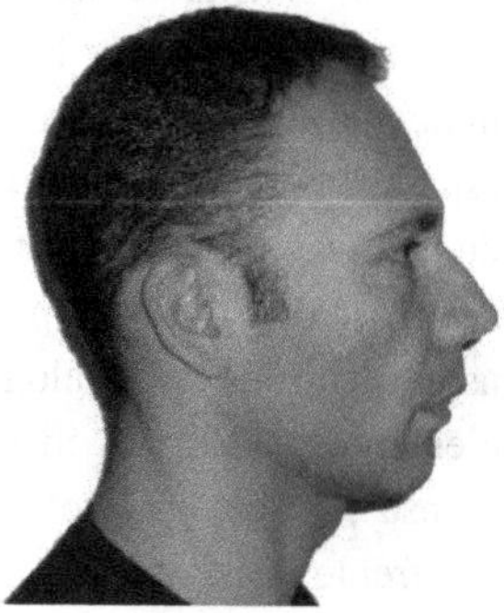

***Retracción Lateral**

Lo más importante en una frente, además de otros detalles, es su Retracción Frontal (RF o verticalidad), o Retracción Lateral (RL inclinación).

El receptor cerebral (el ojo), también será un fiel indicador de existencia de RF si está hundido o protegido, o de RL si está a flor de piel o proyectado.

***Retracción Frontal**

Lo ideal es que en el perfil se pueda ver la raíz del tabique nasal, sin que el ojo tape la misma, pero si el receptor es excesivamente hundido, la persona tiene menos campo de visión e interacción con el medio externo, produciendo un campo de consciencia imaginativo o mundo propio irreal.

Si la frente es extremadamente vertical con línea de paro media visible, la persona vivirá un mundo de fantasías sin escuchar a nadie y su información será distorsionada o corrupta, lejos de la realidad.

Es de necesidad imperiosa distinguir estos 2 tipos de retracción, tan distintos pero complementarios a la vez, ya que uno actúa y luego piensa y el otro piensa y luego actúa.

Como siempre no existe nada mejor ni peor, sino el equilibrio entre ambos comportamientos.

Una frente muy inclinada puede llegar a la estupidez, sin pensar nada de lo que hace (acelerador), y una frente muy vertical puede no hacer nada de tanto pensar (freno), por tanto tan negativo será una extremo como otro.

A continuación explicaremos cómo se encara el rostro para determinar la inclinación correcta frontal:

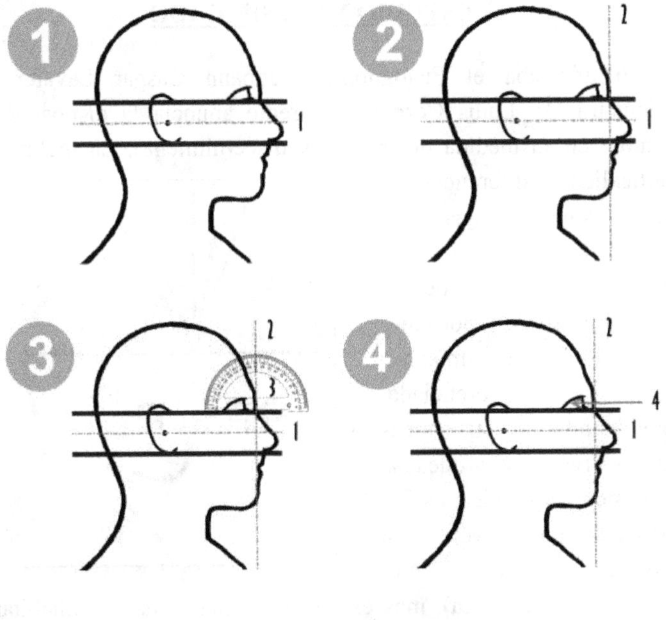

1- Con la cara de perfil y partiendo del orificio de la oreja, trazaremos una línea horizontal imaginaria, que desemboque en la mitad de la zona emocional. Esta será la posición inicial correcta para la determinación del grado del ángulo (RF o RL).

2- Una vez tenemos encarado el rostro, trazamos una línea vertical y en ángulo perpendicular al suelo (90°) desde los superciliares (osamenta sobre los ojos). Los superciliares son sumamente importantes ya que son la guía para la RL o RF de todas las partes del rostro.

3- con un transportador de ángulos y sobre la fotografía, tomaremos el ángulo de la frente. En este caso se trata de RL-73° (inclinada).

4- Por último y como antes expliqué, el ojo servirá para contrarrestar la RF o RL total de la zona, otorgándole más RL si está a flor de piel o sobresalido, y RF si está protegido y hundido.

INCLINACIONES DE LA FRENTE: ESTUDIO Y SIGNIFICADO

Como afirmaba el Fisiognomista Johann Caspar Lavater o el psiquiatra Dr. Louis Corman, la frente anuncia la disposición del hombre en su medida de control y discernimiento. La inclinación / verticalidad, diferenciación de las zonas, arrugas, piel, tonicidad, armonía... todo ello, nos hablará de la riqueza cerebral, y por tanto de la psiquis o pensamiento. La frente bien diferenciada, combinando así sus líneas curvas, rectas y arqueadas en posición armónica, es fiel indicador de la verdadera sabiduría. Cuanto más alta es la frente (abstracta), más expresión mental y teoría cohabitará en ella, pero también mayor dispersión de energía, mientras que si es compacta o ancha (concreta), será más pragmática, especialista y realizadora. El contorno arqueado o curvo (femenino), indica adaptabilidad, intuición y creatividad, mientras que si es plano o abollado (masculino) denota dureza, inflexibilidad y firmeza.

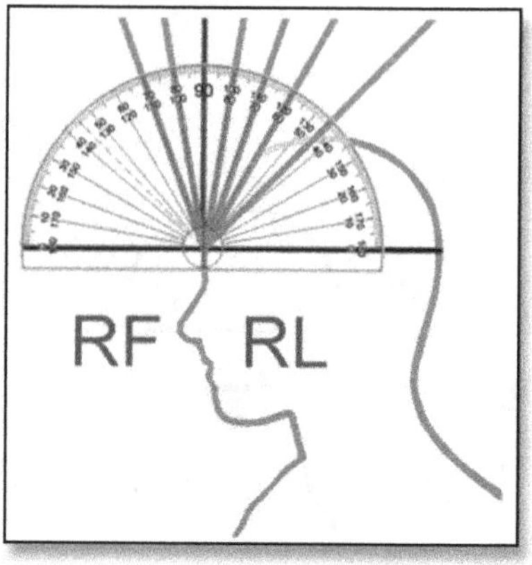

Si es muy vertical razonará demasiado las cosas, mientras que si es muy inclinada, no pensará nada de lo que hace, llegando a la insensatez absoluta (sobre 45°).

Cabe señalar que si la frente posee "*espiga de Saturno*", tipo "el conde Drácula" en la zona superior o inicio del cabello, la persona será muy rigurosa en su modo de obrar. La "*espiga de Saturno*" es siempre un elemento de retracción, y por tanto de concreción en las ideas.

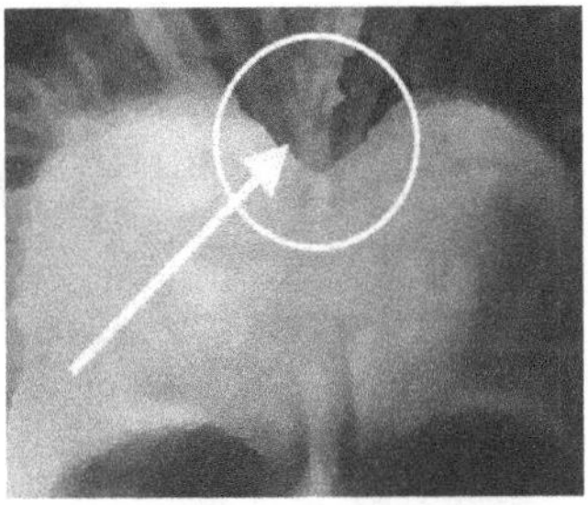

Espiga de Saturno.

Volvemos a insistir que no hay nada mejor ni peor, sino la suma y combinación de los elementos, que serán los portadores de la síntesis y riqueza final del individuo. En Morfopsicología, como en la vida, todo lo excesivo es negativo. Por tanto, una frente "en balcón" que sobrepase la verticalidad hacia delante provocando un ángulo obtuso, será un signo de bloqueo, que generalmente suelen compartir disminuidos psíquicos. Si la frente es extremadamente inclinada, también será un elemento adverso, sin pensar nada de lo que hace. A continuación muestro una breve guía de las inclinaciones de la frente y el comportamiento psicológico:

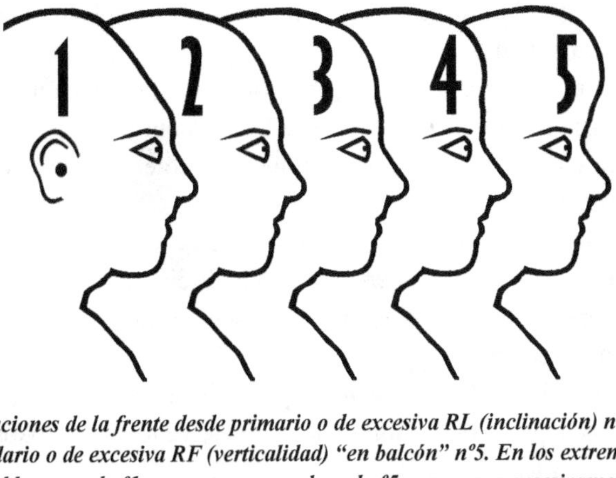

Inclinaciones de la frente desde primario o de excesiva RL (inclinación) nº1, hasta el secundario o de excesiva RF (verticalidad) "en balcón" nº5. En los extremos existe un bloqueo; el nº1 por no pensar nada y el nº5 por pensar excesivamente.

Dibujo nº1: es una inclinación excesiva, que puede ir sobre los 45° o incluso más. La persona no medita nada de lo que hace. Cuanto le viene a la mente lo lleva a cabo de inmediato.
Dibujo nº2: existe una enriquecedora inclinación, con más reflexión ante los actos.
Dibujo nº3: es una frente rica en combinación con la RL (inclinación) y RF (verticalidad). Existe control, rapidez y meditación. Equilibrio.
Dibujo nº4: observamos una frente totalmente vertical. Prudente y muy reflexiva, llevando a cabo sus proyectos solo cuando los tiene muy claros.
Dibujo nº5: es una frente tipo "en balcón". Es un exceso y un bloqueo inminente. Desgraciadamente la suelen compartir individuos con disminuciones psíquicas o trastornos mentales.

También debo añadir, que las frentes inclinadas son más de números por su rapidez de pensamiento (RL), y las frentes verticales más de letras (RF).

Otros detalles de la frente:

Frente ancha: más práctica que teórica. Capacidad grande de llevar a cabo todos los proyectos. Memoria grande.
Frente estrecha: carencia de orden, método y habilidad manual. Espíritu analítico.
Frente alta: más teórica que práctica. Idealización y teórica. Dificultad en plasmar los proyectos. Dispersión.
Frente corta: obstinación, terquedad, cólera. Rechazo de los pensamientos ajenos.
Ovalada: es la frente del niño. Inmadurez e intuición. Ensoñación y originalidad. Amor a la libertad y odia la disciplina.
Cuadrada: cálculo y reflexión. Gran sentido del deber. Severidad y poca imaginación.
Trapezoidal ancha superior: gran imaginación y creatividad desbordada, pero con posibles confusiones. Tendencia al cinismo.

Trapezoidal ancha inferior: gran habilidad en las manualidades. Buena memoria y gran sentido de la observación. Si la frente no es muy alta, necesitará una sólida educación, sino podrán ser groseros y de poca moralidad.

Varios tipos de frente "de perfil" según Lavater (Fisiognomía S. IX):

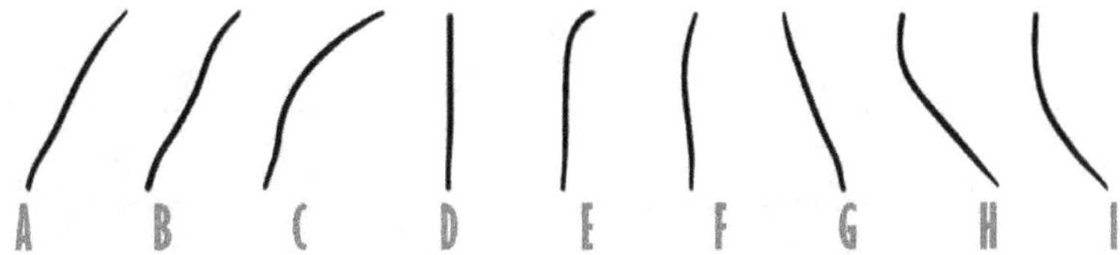

A-B-C: En general anuncian creatividad y refinamiento.
D-E: Fría reflexión, intensa y secreta.
F: El más frío. Inteligencia, agilidad, susceptibilidad y violencia.
G-H: Imbecilidad y falta de madurez.
I: Expresión de la estupidez.

Otros tipos de frente "de perfil" actuales según mi experiencia:

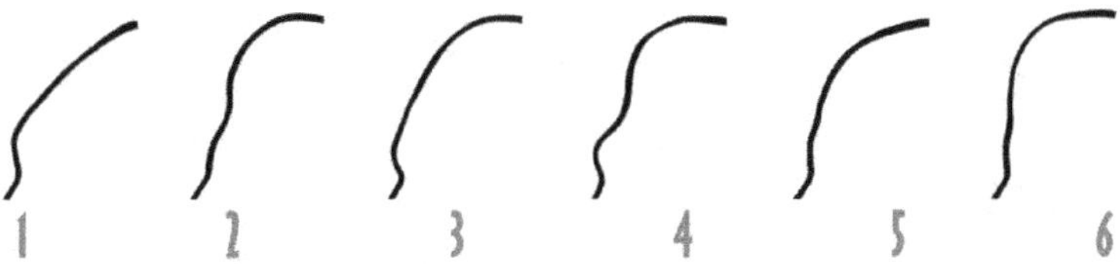

1- Retracción Lateral (RL) bastante huidiza, sin línea de paro, curva y con buenos superciliares. Modelado plano.
Psicología: Denota impulsividad, innovación, falta de abstracción y reflexión, y buena receptividad y observación. Es algo susceptible.

2- Retracción Frontal y Lateral (RF-RL), con zona alta grande y redonda, línea de paro visible, con los superciliares pobres. Modelado ondulado.
Psicología: Razonamiento brillante, imaginación, teoría, buen análisis y reflexión, pero poco sentido visual. Es adaptable.

3- Retracción Lateral (RL), buena zona superior e inferior, pero línea de paro inexistente. Modelado plano.
Psicología: Buen poder de abstracción y sentido de realización, pero impulsividad y reflexión casi nula. Es rígido.

4- Retracción Frontal y Lateral (RF-RL), diferenciada. Modelado abollado.
Psicología: Fluidez de pensamientos, con buena introspección y creación, pero pasión y obstinación desbordados. Es fanático.

5- Retracción Frontal y Lateral equilibrados (RF-RL), con línea de paro visible y superciliar presentes. Modelado ondulado.
Psicología: Armonía entre la meditación, los estímulos y la ejecución de proyectos. Acelera o frena según requiere la ocasión. Es flexible.

6- Retracción Frontal (RF) profunda, de frente diferenciada. Modelado ondulado.
Psicología: Buen razonamiento, prudencia y reflexión, con poco margen de error, pero con pobre actividad. Negación sistemática. Es tozudo.

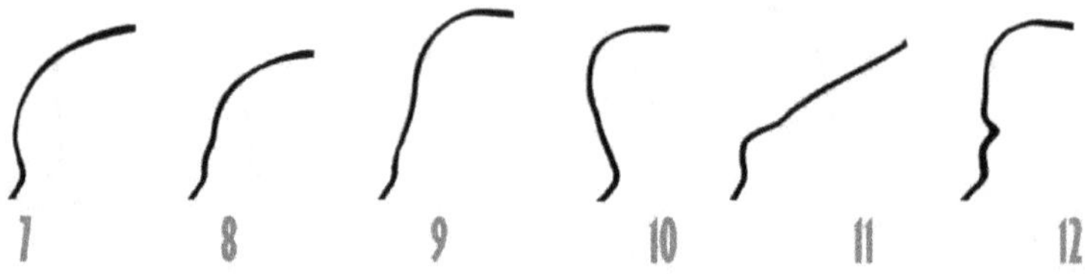

7- Redondeada y no diferenciada. Sin superciliares. Modelado redondo.
Psicología: Es la frente del niño. Buena asimilación y receptividad, pero denota desorden e inmadurez. Es amoldable.

8- Retracción Frontal y Lateral (RF-RL), diferenciada, corta en altura y ancha.
Psicología: Equilibrio entre pensamientos, razonamiento y modo de obrar. Más práctico que teórico. Es objetivo.

9- Retracción Frontal y Lateral (RF-RL), diferenciada, larga en altura y estrecha.
Psicología: Estabilidad de los pensamientos, sensatez y buena productividad. Más teórico que práctico. Es ideólogo.

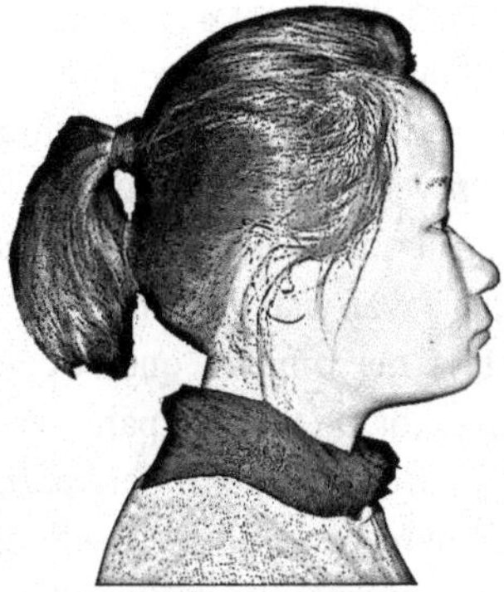
Frente "en balcón".

10- Retracción Frontal (RF) profunda "en balcón" o de ángulo obtuso.
No diferenciada. Modelado plano.
Psicología: Existe gran bloqueo, falta de razonamiento y actividad equilibrada. Suele ser la frente de disminuidos psíquicos. Es rebelde.

11- Retracción Lateral (RL) profunda "aerodinámica" o de ángulo 45°. Modelado ondulado.
Psicología: Primero actúa y después piensa de modo automático. Sin razonamiento alguno. Sentido de observación bueno. Es sociable.

12- Retracción Frontal (RF) profunda, con línea de paro acusada. Modelado abollado.
Psicología: Buen razonamiento, creatividad y prudencia, pero su excesivo sentido de reflexión, bloquea la ejecución de sus proyectos. Es neurótico.

RETRACCIÓN FRONTAL/LATERAL EN ZONA EMOCIONAL (PISO 2° O MEDIO)

La zona emocional es la que más cambios sufre a lo largo de la vida, y la que determinará, si la persona posee o no buen corazón. Habrá que tener en cuenta la Retracción Lateral o Frontal que posee esta zona, y ello lo indicará su receptor (la nariz).

Explicaremos como descifrar la retracción, cosa que hasta el momento no ha explicado ningún otro manual ni libro sobre el tema. Si es lateral o proyectada irá a la búsqueda de la conquista y sentirá necesidad de comunicarse con los demás, cosa que si es frontal (RF) o inhibida, será introvertida o se involucrará menos socialmente, esperando normalmente que vayan a su encuentro.

Nariz en Retracción Frontal.

Hay que mirar que espacio gana (interior o exterior) para ver a cual de los dos grupos pertenece. Como siempre, tomaremos la referencia de la verticalidad de la zona superciliar, dividiendo el perfil de la nariz en dos partes iguales. Si el espacio interior es más grande (Dibujo nº2) será de R. Frontal, mientras que si es más pequeño (Dibujo nº 1) indicará la existencia de R. Lateral o proyección.

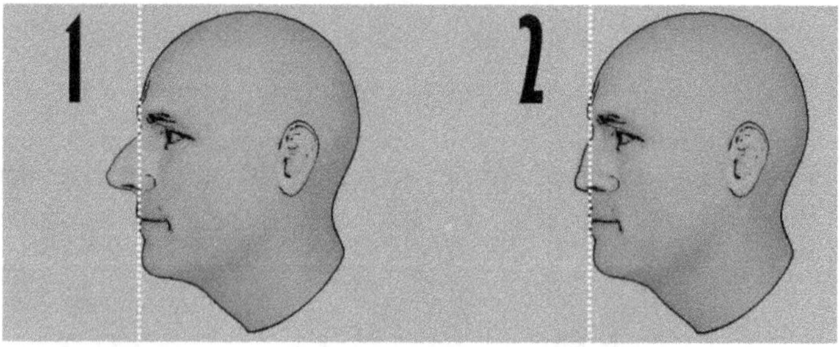

***Ilustración de RL nª1 y RF nº2 del receptor afectivo.**

La zona emocional es la que más cambios sufre a lo largo de la vida, y la que determinará si la persona posee o no buen corazón, mostrando más calor humano cuando la nariz es carnosa y frialdad si es más seca y/o pequeña.

En este caso no hablaremos del calor o frialdad, sino de la Retracción Frontal, Lateral o tipo Mixto, que nos habla del ánimo de búsqueda de la conquista y contacto social.
Primeramente explicaré como descifrar la retracción que posee la nariz (receptor de zona afectiva), cosa que hasta el momento no ha explicado ningún manual sobre temas fisionómicos.
Para ello, mediremos la nariz en posición horizontal desde la aleta hasta la punta, y trazaremos una línea imaginaria perpendicular al suelo partiendo de la zona superciliar (osamenta sobre el ojo o zona de observación) que pasará aproximadamente por el centro del perfil de la nariz.
Una vez trazada la línea hacia abajo y partiendo la nariz en dos, hay que mirar que espacio de esta es más grande (interior o exterior) para ver a cuál de los tres grupos pertenece.
Si el espacio interior vence (Dibujo nº1) será de R. Frontal, mientras que si es más grande el exterior (Dibujo nº 3) indicará la existencia de R. Lateral o proyección. El Dibujo número 2 nos muestra un equilibrio entre R. Frontal y R. Lateral, por tanto habrá una ponderación en el comportamiento, unas veces yendo hacia los demás y otras no, a la espera que vayan en su búsqueda.

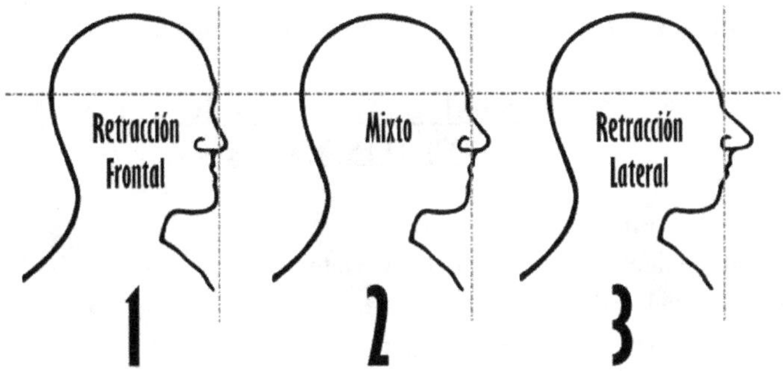

Nariz en Retracción Frontal o retraída:

Será una persona introvertida o se involucrará menos socialmente, esperando generalmente a que vayan a su búsqueda o encuentro. Será extremadamente prudente o reservado en el terreno social o afectivo, no siendo nada chismoso y sin importarle si la vecina del quinto sale por las noches, o si su marido toma cada día una cerveza en el bar de enfrente. Los de R. Frontal muy exagerada, pueden tener problemas para relacionarse con los demás, mostrándose excesivamente tímidos o vergonzosos. Para vencer este "miedo", muchas veces recurrirán al estado alterado de consciencia, y tomarán por ejemplo 2 copas de vino para desinhibirse.

Nariz en Retracción Lateral o proyectada:

Irá a relacionarse y a la búsqueda de afecto, sintiendo necesidad de comunicarse con los demás. Si la persona posee la nariz muy proyectada o sobresalida, le dará un espíritu tendente al cotilleo, interesándose en conocer todo el entorno inmediato o la vida íntima de los demás compulsivamente. Por norma general el que posee la nariz en R. Lateral tiene más facilidad para relacionarse con la gente.

Nariz Mixta (línea imaginaria justo en el centro):

El individuo estará "equilibrado" en cuanto al contacto social, íntimo o del saber ajeno, regulándose según requiera la situación. Unas veces irá a buscar a la gente o persona que le enamore o le guste, y otras se quedará quieto para que sea lo ajeno que se acerque a él.

RETRACCIÓN FRONTAL/LATERAL EN ZONA INSTINTIVA (PISO 3º O INFERIOR)

En esta zona existen 3 retracciones; frontal, lateral aerodinámica y lateral retraída "en piñón" (por la forma del perfil). Cuanto más por delante de la verticalidad superciliar esté el mentón, más reserva o profundidad de los instintos poseerá el individuo, como también mayor será su valentía o impulsividad ante la

R.L: baja aerodinámica.

vida. Una zona instintiva excesivamente proyectada, ofrece una impulsividad algo descontrolada al individuo, lanzándose al vacío rápidamente, pero si existe Retracción Frontal RF (verticalidad) en el piso superior, existirá una mejor integración del "Yo unificador" con más control y cautela ante los actos. La anchura de la mandíbula nos habla de la necesidad de realización de los proyectos, y el mentón de la forma en que va a realizarlos. A continuación voy a explicar las 3 posiciones del perfil de la zona baja:

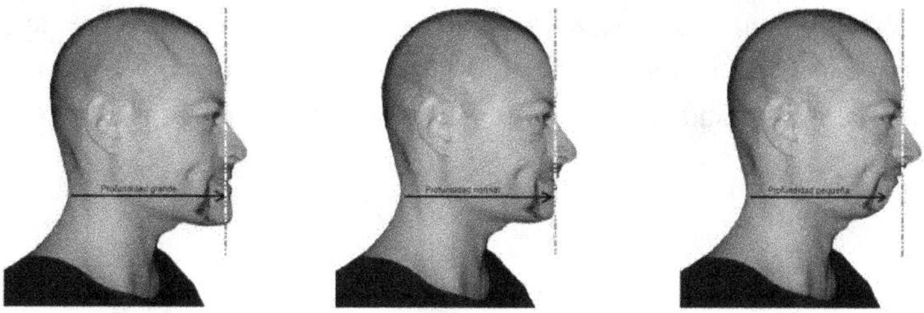

1 2 3

**R.L: 1-Aerodinámica, 2-Retracción Frontal, 3-En piñón o inhibida.*
(1) impulso y valor (2) equilibrio (3) prudencia y temor.

Aerodinámica (Dibujo nº1):

La persona es luchadora y pasa rápido a la acción, valiente, no se acobarda delante de los obstáculos que puedan sobrevenir. Es el perfil de los valientes, los atrevidos y los osados.

No hay que subestimar ni provocar nunca a personas con el mentón hacia delante, por débiles que parezcan, porque podemos llevarnos una desagradable sorpresa en cuanto a su respuesta inmediata.

Retracción Frontal (Dibujo nº2):

Cuando el mentón está en la línea imaginaria vertical de los superciliares, la persona actuará prudentemente y de forma secundaria. Por tanto, según la ocasión, actuará o reflexionará cuando sea debido, regulándose a la hora de enfrentar sus actos que reflexionará antes realizar. Es un perfil equilibrado y compensado. Ni atrevido ni cobarde.

Retracción Inhibida o "en piñón" (Dibujo nº3):

Cuando el mentón está por detrás de la verticalidad de los superciliares, significa que el individuo tiene poca reserva instintiva. La persona es tímida y normalmente cobarde ante los hechos. No se atreverá a dar el primer paso, de no ser que se encuentre en un estado alterado de consciencia o en su *medio electivo.* Esta cobardía, según cómo lo enfoquemos, será un elemento enriquecedor que aporte prudencia en la forma de obrar, sobre todo a la hora de tomar de decisiones. Si además el mentón está partido, la persona aun dudará más.

CAPÍTULO 6
MARCO Y MODELADO

EL MARCO

Es el perímetro o carcasa de hueso del rostro y la base donde todas las partes; ojos, nariz, boca, orejas e incluso cerebro se sujetan y unen. Su anchura nos habla de la energía inmediata que posee la persona y de su resistencia al medio ambiente. Sobre todo de la fuerza física y el poder de realización, a la hora de plasmar los proyectos.

**Marco ancho y tónico.*

Los receptores (ojos, nariz y boca) nos hablan de la forma en que se gastará esa energía.

El tono determina si la energía o actitud es activa o pasiva, ya que se puede tener mucha potencia y no gastarla o viceversa. Terminaremos por remarcar que las formas altas son más teóricas y las anchas más prácticas, así como también que lo alto es sinónimo de calidad y lo ancho de cantidad. Lo redondeado o curvo será siempre un elemento femenino, mientras que lo angular y puntiagudo más masculino.

Marco ancho y tónico "dilatado activo" (Dibujo nº1):

El contorno está bien dibujado o "tenso". Tienen muchas reservas vitales o energéticas, con voluntad para realizar trabajos duros durante largo tiempo. Son activos y necesitan llevar a cabo sus ideas. Aportan seguridad a su entorno. Buenos vendedores de objetos grandes como coches o casas.

Marco estrecho y tónico "retraído activo" (Dibujo nº2):

El contorno está bien dibujado o "tenso". Aunque menos que el dilatado, son personas activas pero poseen menor energía. Por consecuencia de ello, deberán administrarse y hacer descansos, ya que pueden quedarse rendidos con más facilidad. Son activos y buenos vendedores de cosas pequeñas como objetos de joyería.

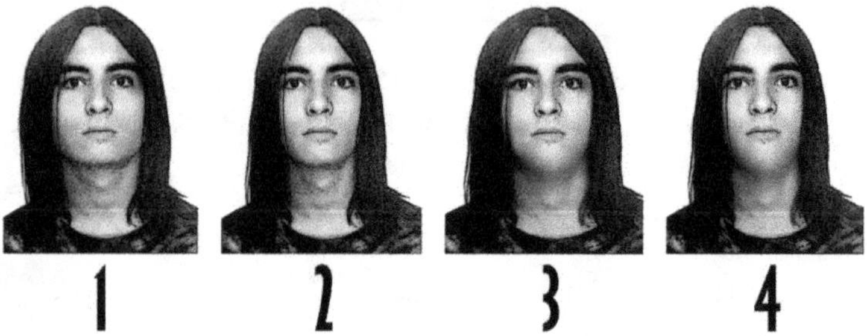

Marco ancho átono "dilatado pasivo" (Dibujo nº3):

El contorno está caído o "acolchado", sobre todo a nivel inferior instintivo. Muchas reservas energéticas pero muy poco activos. Se involucran poco. Buscan la comodidad y su desgaste es mínimo. Suelen dejar para mañana lo que pueden hacer hoy. Aunque necesitan realizar sus proyectos, buscan a otras personas para que los lleven a término. Como dilatados que son, les gustan las cosas grandes.

Marco estrecho átono "retraído pasivo" (Dibujo nº4):

El contorno está caído o "acolchado", sobre todo a nivel inferior instintivo. Tienen poca reserva de energía, pero como no existe apenas actividad, no la terminan nunca. Suelen ser poco trabajadores y poco predispuestos para ello. Prefieren dejar siempre para otro día lo que pueden hacer hoy. Como retraídos que son, les gustan las cosas pequeñas.

LAS FORMAS GEOMÉTRICAS DEL MARCO: SU SIGNIFICADO PSICOLÓGICO

DILATADOS:

Cuadrados, Redondos, Trapezoides.

Tienen muchas reservas vitales o energéticas, con voluntad para realizar trabajos duros durante largo tiempo. Necesitan llevar a cabo sus ideas y aportan seguridad a su entorno. Son los que se involucran más en todo, mostrándose siempre los más incansables. Son buenos vendedores de objetos grandes como coches o casas. Una persona con el Marco dilatado venderá antes un Trailer que un retraído, ya que su imagen compacta y robusta de cara, aportará la suficiente confianza al comprador para convencerle. Prefieren la cantidad a la calidad. Extrovertidos.

**Marco cuadrado.*

MEDIOS:

Triángulos equiláteros, Hexagonales, Romboides.
Su energía y resistencia es media. En esta tipología se encuentran las personas más emocionales, siendo generalmente la zona media más ancha, creando formas romboides o hexágonos. Son individuos con predominio afectivo que necesitan dar y recibir emoción y afecto. El trabajo más idóneo para ellos, serían todos aquellos en los que el cariño y la atención estén presentes.

RETRAÍDOS:

Triángulos Isósceles, formas alargadas, Rectangulares u Ovaladas. Es la forma de menor energía e indica menor vitalidad, aunque no hay que subestimarlos, ya que son conscientes y saben regularse bien.
Volvemos a hacer hincapié, en que no importa el grosor del Marco, sino el conjunto y síntesis global entre este, Receptores, Retracción Lateral o Frontal, armonía y tonicidad, que determinarán la

**Marco Retraído triangular.*

administración, energía real y la capacidad global. Los retraídos, deben administrarse y hacer descansos, ya que pueden quedarse rendidos con cierta facilidad.

Deben intentar ser selectivos y alejarse de estímulos externos, para no malgastar su débil energía. Son buenos vendedores de cosas pequeñas o detalladas, como los objetos de joyería. Prefieren la calidad a la cantidad. Son introvertidos.

En los dibujos de a continuación, hemos supuesto las tres zonas iguales en altura. Es importante señalar, que no existe una forma peor ni mejor, ya que cabría comprobar la riqueza de dichas zonas por separado, con todas sus partes. No obstante, hablaremos de las formas en su sentido más primario, que en todo caso no habrá que tener en cuenta sin ver el resto del rostro:

DILATADOS - POTENCIALES:

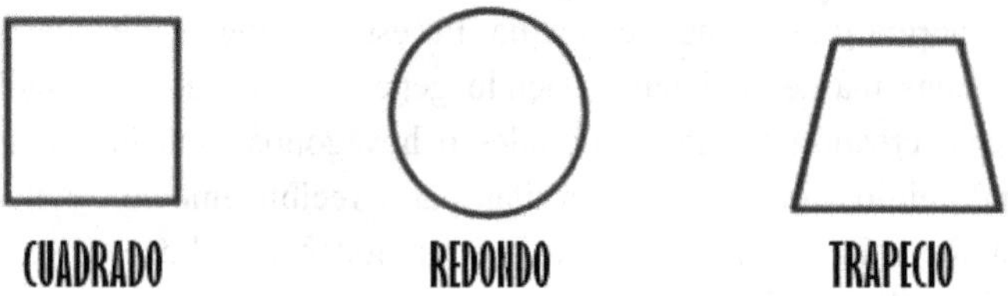

Formas geométricas del contorno o armazón facial (Marco).

Cuadrado:

Es masculino y la libido es fuerte. Estabilidad. La anchura es la misma en las 3 zonas, por tanto, mente, emoción y acción están equilibrados. Es una persona voluntariosa y enérgica, con predominio en lo práctico. Denota testarudez.

Redondo:

Es femenino. Existe un equilibrio con ligero predominio emocional. Es un Marco potente, de gran energía y máxima adaptabilidad al entorno (rebota como una pelota).

Trapecio:

Masculino y de máxima libido. Son extremadamente "de la tierra", trabajadores incansables, apegados a lo físico. Aportan mucha estabilidad y seguridad. A nivel de emociones algo justo, y cerebralmente débil y con pocas ideas.

MEDIOS - EQUILIBRADOS:

****Formas geométricas del contorno o armazón facial (Marco).***

Triángulo Equilátero:

Es masculino. En el triángulo existe inarmonía de las zonas, ya sea derecho (zona instintiva más ancha); será una persona práctica y materialista, creyendo sólo en lo que ve, de zona mental casi nula y potente libido, o si es invertido (zona cerebral más ancha); será todo lo contrario, con muchas ideas y de espíritu animista, pero nada práctico, quedando todo en el aire sin plasmarse y de libido débil. Tomaremos nota de la importancia de la posición de dicho triángulo.

****Cara Hexagonal.***

Hexágono:

Es un tipo mixto con predominio femenino. Existe un equilibrio de todas las zonas con predominio sobre las emociones. Son personas muy afectivas, estables y con los pies en la tierra.

Rombo:

Mixto de predominio femenino. Como en el hexágono, existe predilección emocional por de la zona media ancha, pero más acusado por estrechez de zona superior e inferior. Las emociones están a flor de piel, pero con más ensoñación y falta de realidad. Pasión y "amor u odio".

<u>RETRAÍDOS - DÉBILES:</u>

Formas geométricas del contorno o armazón facial (Marco).

Triángulo Isósceles:

Masculino. Igual que la forma triangular, existe desequilibrio y será más cerebral o material según su posición (derecho o invertido). Su energía es débil, y deberá seleccionar para no quedarse sin fuerzas.

Rectángulo:

Es masculino y de libido equilibrada. Como ocurre con el cuadrado (dilatado), la anchura es la misma en las tres zonas e indica un equilibrio, pero indica menos actividad, prevaleciendo el idealismo o teoría a lo práctico. Dentro de los Marcos retraídos, es el de más fuerza, tesón y equilibrio.

Óvalo:

Lo curvo simboliza lo femenino. El óvalo muestra un equilibrio entre zonas como el redondo, de predominio emotivo y armónico. Si es muy alargado, será poco práctico, sin saber nunca por donde saldrá (como un balón de rugby).

OTROS DETALLES COMPLEMENTARIOS:

La forma triangular se asocia con:

Elemento: fuego
Color: rojo
Tonalidad: rojiza
Energía: positiva
La actividad, la aventura

La forma cuadrada se asocia con:

Elemento: tierra
Color: amarillo
Tonalidad: cetrina
Energía: calma
La seguridad y la industria.

La forma romboidal se asocia con:

Elemento: aire
Color: magenta
Tonalidad: rosada
Energía: apasionada
Sentimientos y artes escénicas

La forma circular se asocia con:

Elemento: agua
Color: negro
Tonalidad: oscura
Energía: flexible
La abundancia, la economía

La forma de triángulo invertido se asocia con:

Elemento: madera
Color: verde
Tonalidad: oliva

Energía: contemplativa
La sabiduría, la filosofía y las ciencias

La forma rectangular se asocia con:

Elemento: metal
Color: blanco
Tonalidad: pálida
Energía: armónica
Las altas posiciones sociales, el liderazgo.

EL TRIPLE RETRACTADO

El triple retractado es el rostro más selectivo de todos, ya que coexisten 3 fuerzas distintas en él. Eso le aporta, entre más cosas, pasión, inflexibilidad, rigurosidad, control, introversión, susceptibilidad e instinto de conservación o conservadurismo. Por tanto, para desinhibirse o sentirse totalmente relajado, deberá encontrarse forzosamente en su "*MEDIO DE ELECCIÓN*", ya que de no cumplirse este factor, el individuo no actuará con naturalidad y se mostrará reservado y tímido.

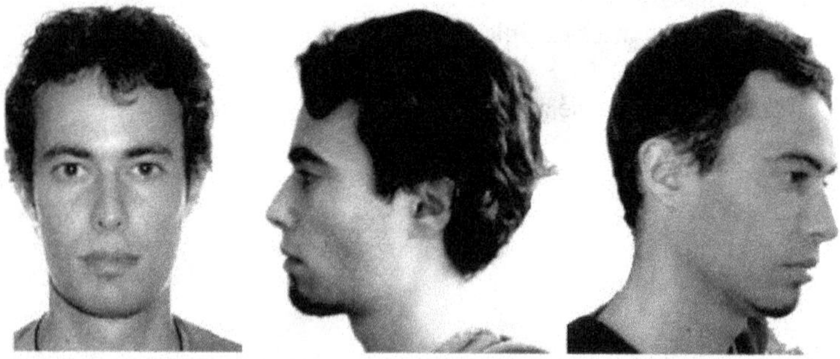

Morfología del triple retractado: RL + RF + Retracción de Marco.

Contrariamente a los Dilatados, donde todo es siempre una fiesta y jolgorio, los Retraídos o los Triple Retractados, necesitarán este medio electivo para comportarse de forma abierta. Muchas veces, en una fiesta, vemos aquella persona tímida y prudente, que nunca hablaba con nadie, que sorprendentemente está saltando, riendo y bailando al máximo... entonces nos decimos "¿Cómo puede ser? Si parecía tan reservado... quien lo ha visto y quien lo ve!", este comportamiento será debido ha que encontró su medio de elección, entonces se comportará igual o más extrovertidamente que el dilatado, ya que desinhibe todo lo que llevaba guardado en su interior seguramente desde hace tiempo.

Morfología:

Deben coexistir 3 retracciones:
Retracción Lateral, Frontal y Retracción de Marco.
En el caso de Daniel (foto) vemos que existe Retracción Frontal y Lateral en todos los niveles, así como también la retracción del Marco que es alargado. Particularmente, en este caso, podemos observar que además el modelado es tendente al abollado y esto le hará ser más apasionado.

EL MODELADO: ADAPTACIÓN Y RESPUESTA AL MEDIO EXTERIOR

Es la forma que tiene el contorno del rostro, y nos indica el grado de adaptabilidad o socialización que posee la persona; si es adaptable, fanático, inflexible, tierna... También cabría decir que el tipo de piel puede afectar el modo de obrar; por ejemplo, una zona emocional con los poros abiertos, imperfecta, vulgar o tosca, podría presentar un trato algo agreste o rudo con los demás, mientras que si es fina o delicada, indica suavidad. Como siempre, buscaremos una síntesis global del rostro, y no nos centraremos solamente en meros detalles, que aun siendo de ayuda en la síntesis, no tienen valor por si solos, sino que nos centraremos "en un todo". Citamos a continuación, las 4 tipologías o variantes del Marco. En un mismo rostro, pueden coexistir 2, o incluso más variantes en sus zonas.

1- Ondulado:

Como dice el mismo nombre, es un contorno en serpentina, indicando un alto grado de sociabilidad y adaptabilidad según requiera la ocasión. Dependiendo del momento, regulará su forma de interactuar con el entorno. Está considerado como el Modelado más equilibrado, con mezcla de ternura y predisposición de lucha cuando es preciso. Está compuesto por un contorno dibujado con entrantes y salientes elaborados con sutilmente, con finura.

**Modelado Ondulado.*

2- Plano:

Es un contorno plano o liso, como tirado con regla. Ofrece a las personas que lo poseen, carácter un tanto hipersensible y/o susceptible. Es un perfil de rebeldía, irritabilidad y tensión. El individuo está generalmente a la defensiva. Dificultad de socialización y de relación con los demás.
Suele estar ligado al "cólera blanco", en el cual el sujeto acumula poco a poco tensión, para más tarde explotar fuertemente. Tienden a ser tajantes en el trato y pueden ser algo violentos.

Modelado Plano.

3- Abollado:

Modelado Abollado.

Es el perfil de los apasionados. Un contorno con entrantes y salientes muy huesudos.
En estas personas hay un gran entusiasmo y tensión, generado por la coexistencia fuerte de los dos movimientos más antagónicos, la expansión o dilatación, y la protección o retracción. Su adaptación es muy difícil, y no existen las "medias tintas" para ellos. Son personas que "aman u odian", siendo

casi incapaces de llegar a un término medio o pensamiento ponderado. Suelen llevar la contraria de forma compulsiva, y más si poseen excesiva RF (verticalidad frontal). Son frenéticos y apasionados, llevándolo todo al extremo.
Cuando este modelado es muy acusado, tienden a padecer neurosis, pudiendo ser violentos si poseen su zona emocional grande y dilatada (imposición de su voluntad).

4- Redondo:

Está considerado el perfil más adaptable y flexible de todos. Es un perfil como el de un niño, redondeado o curvo.

Modelado Redondo.

Pertenece a personas muy sociables y de buen carácter. Adaptabilidad máxima pero con poca selección, ya que todo les viene bien. Su forma redonda actúa igual que un balón, que lances donde lo lances siempre rebota, retrocediendo de la superficie donde entra en contacto. Suele darse más en los dilatados, aunque también podemos encontrarlo en retraídos o mixtos. Son individuos que suelen caer bien a todo el mundo y no son conflictivos. No crean ningún problema en el grupo donde se encuentren, ya sea en el trabajo, aula de estudio o a nivel deportivo.

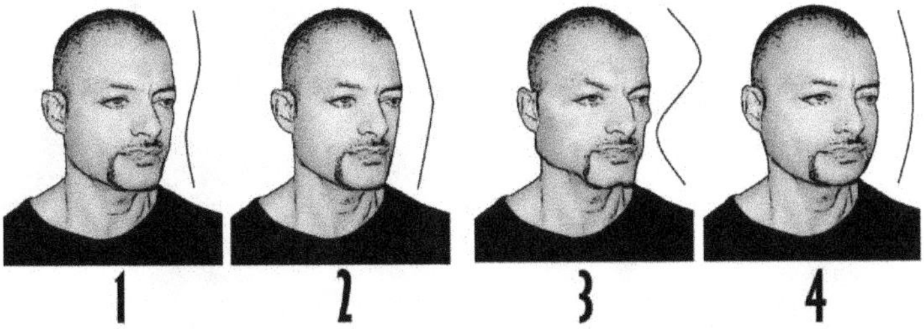

Los 4 tipos de Modelado: Ondulado, Plano, Abollado y Redondo.
(1) equilibrado (2)susceptible (3) fanático (4) flexible.

CAPÍTULO 7
LOS RECEPTORES SENSORIALES: OJOS, NARIZ Y BOCA

Los receptores sensoriales, es por donde el ser vivo, en este caso humano, captará la información exterior y transmitirá sus propias necesidades. Nos indican el modo en que interactuará con el medio, acercándose o protegiéndose, según la forma, proyección, tonicidad, carnosidad y armonía del mismo. Cada zona tiene su propio receptor:

Zona cerebral: los ojos
Zona emocional: la nariz
Zona instintiva: la boca

En todo caso, **la oreja**, aun siendo un receptor, en este caso auditivo, quedará exenta de cualquier zona, ya que ella misma posee las 3 (cerebral, emocional e instintiva), y de la cual hablaremos más adelante con detalle.

RECEPTOR SENSORIAL CEREBRAL: LOS OJOS

El ojo es el emisor-receptor de la zona superior o del cerebro, y con el cual el ser vivo recibe casi toda la información.
Ante todo observaremos su Tonicidad o atonía, que es lo que determinará la participación y modo de conectar con su medio exterior. El espacio normal entre ojos es 3.1cm o de otro ojo. Cuando están más separados, aportan tranquilidad pero también dispersión o falta de concentración, y se dice que *"tienen un tercer ojo"* para ver más allá de lo visible. Habría que ver la zona en la que se encuentre mejor, ya que probablemente es allí donde tenga puesto el tercer ojo. Si están muy juntos dan reducido campo visual y la persona no ve más que lo que tiene en frente, no percatándose de muchas cosas del exterior.

Tipos de mirada:

Directa: franqueza, atención, legalidad.

Vaga: distracción.
Húmeda: Sensibilidad, emotividad, pasión.
Seca: espíritu fuerte y positivo.
Fija: enfermedad, nervios.
Hacia arriba: espiritualidad, musicalidad, espíritu vivo.
Inquieta: Miedo, intranquilidad.
Huidiza: Mentira.
Ansiosa: cardiopatías.

EL OJO TÓNICO ESTÁ O RASGADO:

Son ojos activos o "despiertos" y con buena predisposición para la asimilación de lo que les rodea.

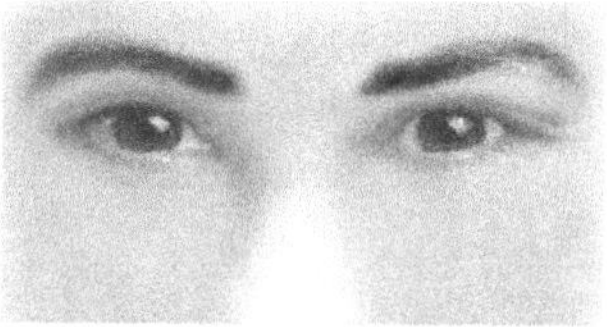

Ojos tónicos o rasgados.

Generalmente con facilidad para la lectura y los estudios. Están atentos a todo y observan todo lo que ocurre en el exterior. Son los ojos que necesitan participar e interactuar con el medio. Saben canalizar lo que ven y también transmitir lo que piensan. Pertenece al grupo de los comunicativos. Tienen control y son conscientes de lo que hacen así como de quien son, por tanto no se dejan influir por los demás. Se les pillan las mentiras con facilidad, porque no saben actuar ni tienen mucha creatividad para ello, con menos acceso al subconsciente.

EL OJO ÁTONO O CAÍDO:

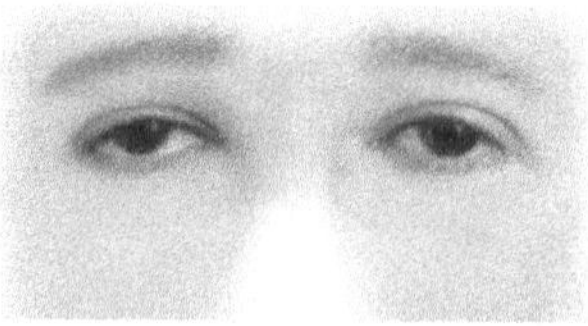

Ojos átonos o caídos.

Son ojos "apagados" o que apuntan hacia abajo. La mirada suele parecer triste. Muestran desinterés por su entorno externo. Suelen ser los ojos de alumnos que suspenden en clase, ya que se cansan de leer y estudiar, como de prestar atención al profesor. No les gusta participar ni decir lo que piensan.

Pertenece al grupo de no comunicativos. Sólo hablan cuando quieren y dicen lo que les interesa, guardándose un as bajo la manga. Tienen débil consciencia de sí mismos. Saben mentir y actuar, pero también pueden dejarse llevar por los demás con facilidad, ya que al ser pasivos (receptivos) son siempre más influenciables. Se dan más en personas con tendencia al suicidio. Las personas con ojos átonos, no comunican ni tienen consciencia de sí mismos, pero poseen unas dotes extraordinarias para el arte dramático (desconexión de lo real).

Ojos átonos o caídos.

De hecho, con este tipo de ojos han nacido los mejores actores y actrices del mundo, como también los mentirosos, ya que es más o menos el oficio del propio actor y ceñirse a un papel.

EL OJO SEMI TÓNICO:

También existen los ojos "semi tónicos o mesotónicos" que no están ni pertenecen a un grupo ni a otro, situados en la posición del plano horizontal o de posición llana.

Por tanto, este tipo de ojos tendrán comportamientos oscilatorios entre ambos tipos. En caso de dudar y no saber delante del tipo de ojo que estamos, la ceja nos ayudará a determinar la tonicidad del mismo, ya que si es muy esta es muy espesa, otorgará más "vida" y por tanto tonicidad al mismo, mientras que si es pobre o sin pelo, se la restará vitalidad (atonía).

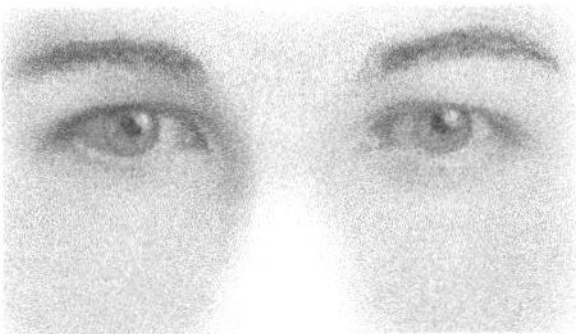

Ojos semi-tónico o rectos.

TIPOS DE OJO Y SU SIGNIFICADO

1- Vivencia de mundo propio:

Cuando ojos son extremadamente pequeños "no escuchan" y si además son muy tónicos todavía menos, ya que son extremadamente emisivos queriendo hablar solo ellos.
Si están hundidos y la frente muy vertical, la persona será absolutamente irreal en cuanto conceptos de la vida, viviendo en su propio mundo de sueños y fantasías, con tendencia a la corrupción o distorsión.

2- Dificultad de estudio:

Los ojos átonos (pasivos) o "caídos", no son buenos para la lectura o estudio continuado, no obstante sí sirven para el arte dramático (los ojos del mentiroso), ya que saben desconectar fácilmente de la realidad y poseen poca consciencia de si mismos. Si además el iris es claro, será otro elemento de atonía que añadir.

3- Depresión inminente:

Las ojeras, sobre todo si aparecen a temprana edad, con el párpado superior en "media luna", son siempre signo de depresiones. La mirada tiende a estar perdida con la esclerótica rojiza. El individuo depresivo también tiende a la nariz taponada, indicando bloqueo o protección de los golpes afectivos recibidos.

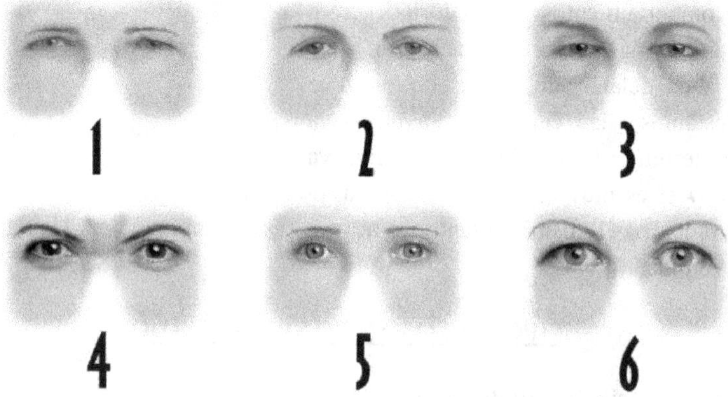

4- Crispación:

Denotan tensión latente. Se observan cejas encrespadas con posible o futura formación de *"anillo del león"*, arruga horizontal del Plano de Marte o raíz del tabique nasal, así como arrugas verticales superciliares entre los ojos. El iris suele brillar por consecuencia de ira bullente interna. La persona está siempre a la defensiva. Denota irritación, angustia, nerviosismo, rabia e incluso odio.

5- Inseguridad:

Cuanto más redondos sean los ojos y pequeños, más insegura será la persona, dejando denotar este sentimiento, con una mirada de temor.

Ojos femeninos de bellas artes.

6- Facilidad para el arte:

Casi siempre tienden a ser ojos grandes, con el iris de gran tamaño *(Dalí, Picasso...),* son los ojos que "lo ven todo". Si además observamos que el párpado superior "cuelga", aportará creatividad y la persona "verá" todo lo que piensa con imágenes. Las cejas suelen estar bien perfiladas o dibujadas (buen sentido de la estética). Generalmente está a flor de piel, elemento femenino y que ofrece creatividad al sexo masculino *"La Bisexualité créatrice Grancher 1994"* del libro del psiquiatra Dr. Lois Corman.

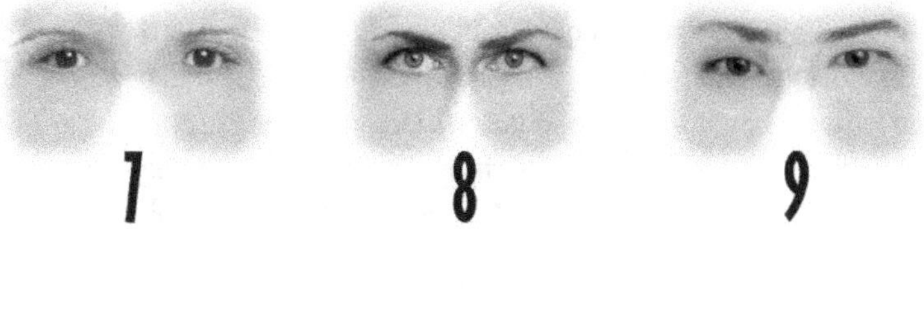

7- Dispersión ocular y clarividencia:

Si dicha longitud es superior, la persona tenderá a ser algo dispersa o distraída, pero con facilidad para la percepción especial o “extrasensorial” en la captación de las cosas (existe suficiente espacio para “el tercer ojo"). Entonces tendremos que averiguar hacia dónde va enfocada esa "capacidad" especial, observando así la zona dominante/expansiva y tonicidad del rostro.

8- Extrema concentración:

Si contrariamente están muy juntos (yuxtapuestos), ofrecen a la persona gran capacidad para la concentración, pero al mismo tiempo no se da cuenta de las cosas que están a su alrededor hasta que se echan encima. Son individuos ofuscados cuando hacen algo y se pueden quedar temporalmente "ciegos".

9- Dificultad de elección:

Cuando existe un desnivel o disimetría leve, es un elemento enriquecedor que ofrece "movimiento" en la captación de ideas, aportando una chispa de creatividad e ingenio extra. Si esta asimetría es excesiva o existe ojo tónico (rasgado) y otro átono (caído), termina bloqueando a la persona, obstruyendo la predilección de las cosas, sin terminar de decidirse nunca por nada. Por ejemplo; no llegar a determinar qué color de jersey se prefiere, o hallar gran conflicto en la elección de un primer plato del restaurante.

Otros datos del ojo:

Muy separados: aptitud para captar a las personas. Clarividencia o “tercer ojo”. Dispersión ocular. Posibles migrañas.
Muy juntos: ofuscación ocular. Pesimismo, inestabilidad y tendencia a la depresión. Solo se ve lo que se tiene delante.
Saltones: vivencia exterior. Cansancio intelectual. Buena memoria para las fechas y acontecimientos. Posible problema tiroideo.

Hundidos: diminución de la vitalidad (retracción). Nerviosismo. El individuo está a la defensiva. Introversión y terquedad. Melancolía y vivencia de un mundo propio.
Pequeños: concentración y actividad cerebral. Voluntad. Si están algo hundidos habitan "fantasmas" en la cabeza.
Grandes: espiritualidad, poesía y proyectos idealistas. Ojos para las bellas artes. Realismo.
Excesivamente grandes: temor y excitación.
Redondos: inseguridad.
Armoniosos: refinamiento y pensamiento ponderado.
Malformados: vulgaridad y grosería. Mal gusto.

LOS PÁRPADOS

Con pequeño relieve alrededor, otorga predisposición para ayudar a los demás. Los párpados caídos siempre denotan desinterés y más agotamiento, que los párpados más tensos, y suelen terminar creando bolsas. Estas son algunas variantes:

Párpado superior caído: "ve" lo que piensa.

Inferior elevado: indica amabilidad, sinceridad, sensibilidad. Es la "risa del ojo" que sube con el reír sincero.
Inferior bajo: depresión y debilidad.
Inferior deteriorado o despegado: despilfarro sexual o problema del sistema nervioso.
Superior caído: la persona "ve" lo que imagina. Receptividad e imaginación. Coquetería. Muchos actores comparten este tipo de párpados. En algunos casos puede significar presunción.
Superior elevado: miedo, sobresalto.
Superior recto: astucia, cálculo o avaricia.
Superior hinchado: sangre fría. Personas influenciables.

Ojeras: si son a temprana edad, problemas de hígado, riñones o sistema nervioso.

LAS PESTAÑAS

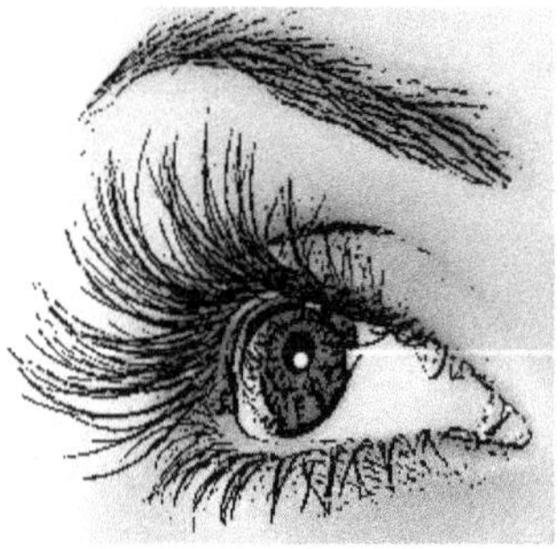

**Pestaña curva femenina.*

Las pestañas rectas son masculinas y las curvas estéticas y femeninas; en este caso podrían ser elementos del otro sexo, que aporten dosis de creatividad a considerar. Lo femenino es siempre más receptivo que lo masculino, más emisivo e inflexible.

LAS CEJAS

Como forman parte del receptor de la Zona cerebral superior o piso alto, complementan a su receptor el ojo, e intervienen en la canalización de la información externa. También como cité anteriormente, determinan la tonicidad del ojo; si son muy pilosas o pobladas, ofrecen más tonicidad (actividad cerebral), mientras que si son débiles o pobres, es un elemento de atonía (pasividad). Las cejas próximas al ojo ofrecen mayor concentración y modo de ser más profundo, mientras que si se alejan, es signo de distracción y carácter más móvil, pero aumenta la calma y la receptividad (atonía). *Lavater* también afirmaba, que si la diferencia de color varía mucho con el cabello, induce a que la persona a la desconfiada (Fisiognomía).
También cabe decir, que si las pestañas son más femeninas indican flexibilidad, en cambio de ser rectas son masculinas, expresando más fortaleza y rigidez. Explico 20 tipologías de ceja distintas:

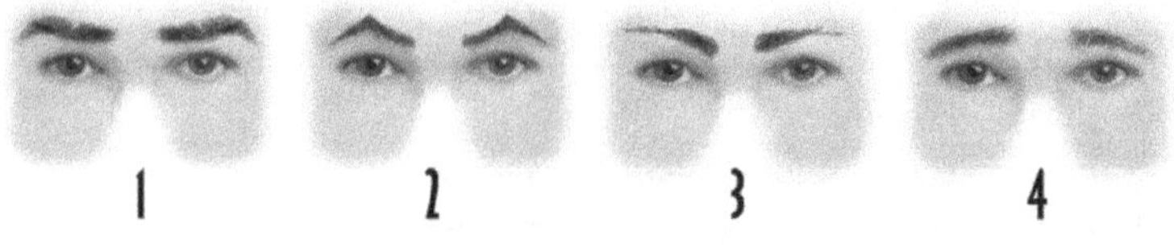

Distintos tipos y detalles de las cejas y su significado.

1- TUPIDAS O PILOSAS:

Aportan más tonicidad al ojo, y por tanto, más energía, participación en las ideas y más "vida".

**Gran observación.*

2- MARCIANAS O EN ARCO CIRCUNFLEJO:

Son típicamente masculinas, y denotan gran poder de observación, así como una excelente memoria fotográfica.

3- ASCENDENTES:

Optimismo, energía positiva, actividad.

4- DESCENDENTES:

Tristeza, pesimismo, melancolía, pasividad.

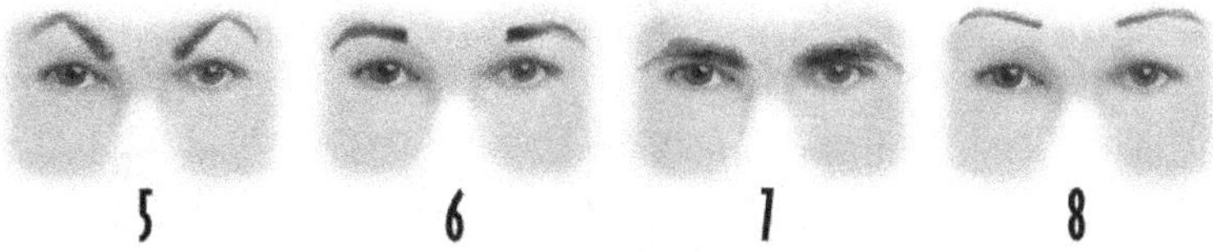

5- ENCRESPADAS:

Indican irritabilidad, crispación, negatividad.

6- MUY SEPARADAS:

Amplitud en el campo de la consciencia. Emotividad sana. Nos hablan de un "tercer ojo" que aportará intuición a la zona con más demanda. Ejemplo: si es la instintiva, intuición para el dinero.

7- CERCANAS AL OJO:

Indican buena capacidad de concentración, atención sostenida. Son masculinas.

8- LEJANAS AL OJO:

Distracción, dispersión, ensueño. Son cejas más receptivas y femeninas.

9

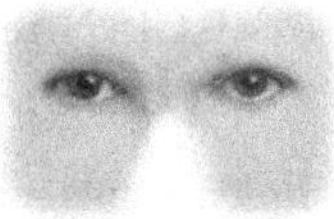

10

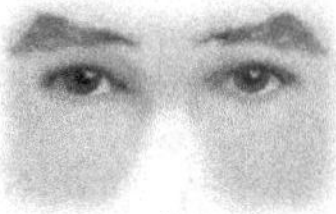

11

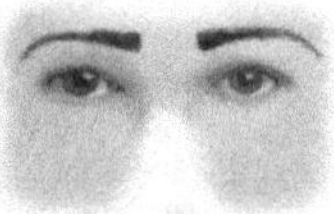

12

9- ESCASAS:

Falta de energía, enfermedad o salud débil, signo de atonía y por tanto, falta de receptividad o emisión.

10- SIN CEJAS:

Desajuste en el Sistema nervioso. Intranquilidad. Ideas laberínticas. Sufrimiento.

11- DE FINAS A GRUESAS:

Si en el inicio son finas y al final gruesas, indican finura en la entrada, pero brutalidad final para conseguir los medios.

12- DE GRUESAS A FINAS:

Contrariamente a la anterior, denotan finura y estabilidad en el trato.

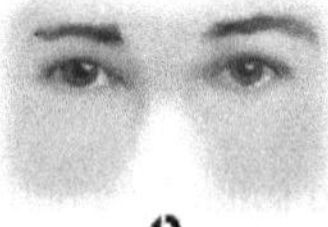

13

14

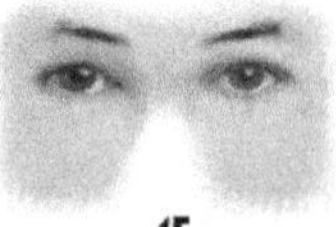

15

16

13- ASIMÉTRICAS:

Dan creatividad a la persona. Si la disimetría es grande, ideas cambiantes.

14- LARGAS:

Secundario, reflexión, pero lentitud en la acción o comunicación.

15- CORTAS:

Indican primario, son más típicas en la RL, rapidez de acción, precipitación.

16: BAJA Y ALTA:

Generalmente más baja la ceja del ojo en uso. Significa duda en los pensamientos y observación meticulosa.

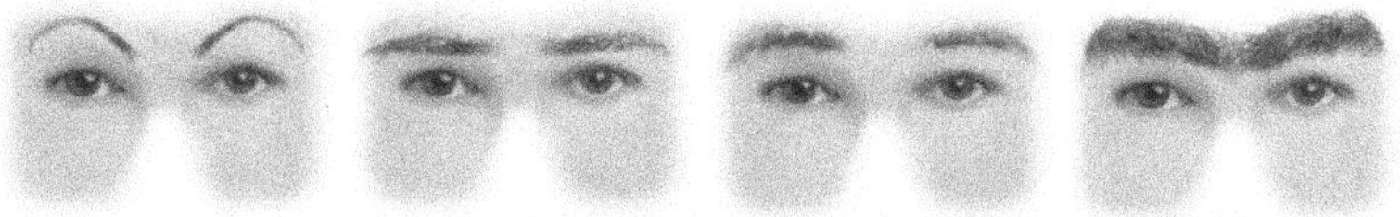

17 18 19 20

17- ARQUEADAS:

Típicamente femeninas, indicando más capacidad de reacción que acción. Capacidad para la estética o decoración.

18- RECTAS:

Típicamente masculinas, indicando más emisión que receptividad. Concentración y estabilidad.

19- DESORDENADAS:

Falta de armonía en la expresión de las ideas.

20- SIN SEPARACIÓN O JUNTAS:

Indican que la persona puede ser ruda en el trato.
Exceso de pasión, terquedad, inestabilidad, obsesión.

Otros datos sobre las cejas:

Escasas: naturaleza débil. Dificultad en la memoria y ejercicio físico.

Espesas: juicio sano, comunicación.
Muy espesas: obstinación, susceptibilidad. Miras estrechas.
Largas: vitalidad y paciencia.
Cortas: necesidad de rapidez.
Finas en extremo exterior: estética, capricho.
Desordenadas: arrebatos.
Cercanas al ojo: concentración y energía.
Lejanas al ojo: dispersión de energía, timidez.
Rectas: rigidez, virilidad.
Arqueadas: amabilidad e indulgencia.
Angulosas: observación, misticismo y actividad.
Bajas en el extremo interior: facilidad de palabra.
Bajas en el extremo exterior: carácter reservado. Miedo o temor.

Colores de las cejas:

Rubias: debilidad.
Rojas: felicidad y pasión.
Negras: valor y energía. Combate.
Trazo prolongado: equilibrio de energía.
Trazo ancho: energía intensa.
Trazo fino: energía algo escueta.
Pelos gruesos: brutalidad y vulgaridad.
Pelos finos: energía templada o suave.
Pelos tiesos: temperamento rudo y severo.
Pelos flexibles: amabilidad y paz.

IRIDIOLOGÍA - EL ESTUDIO DEL IRIS

Introducción:

Los ojos son los órganos más expresivos y más dotados para ver el estado de los demás. El iris es de suma importancia, ya que regula la entrada de luz al cerebro y el modo en que captamos las imágenes e información. El iris también ayudará a determinar la tonicidad del receptor cerebral. El iris oscuro es tónico y más extrovertido. El claro más átono e introvertido, menos comunicativo y con más acceso al subconsciente y la interiorización.

Colores del iris:

Los colores van relacionados con los temperamentos y según la *Antropometría* existen 54 pigmentaciones distintas catalogadas, que van desde el negro (pasión) hasta el claro o albino (frialdad). Tienen que guardar armonía con cabellos y color de la piel, ya que en caso contrario fallará el equilibrio. A continuación expongo algunos colores básicos y su significado:

Negro: tonicidad y fluidez de comunicación. Temperamento nervioso. Pasión, ardor, expansión, constancia.
Castaño: tonicidad y buena comunicación. Temperamento bilioso. Vitalidad, fuerza, sensibilidad, resistencia a las enfermedades.
Azul: atonía y comunicación débil. Temperamento sanguíneo. Meditación, introversión, falsía, delicadeza.
Gris: atonía y comunicación poco fluida. Temperamento linfático. Existen 2 variantes: tendentes al verde, que denotan valor y perseverancia, y verde-amarillentos algo perversos. Es un color que comparten muchos maestros y sabios. Observación, realismo, espiritualidad, comprensión y pensamiento.

En Morfopsicología un iris claro, ya sea azul, verde o albino, tiene mayor facilidad para conectar con el subconsciente, y es el color de ojo que suelen tener las "brujas". Esto tiene una explicación fisiológica sencilla; los ojos claros, al tener menor melanina o pigmentación, son más sensibles a la luz y los rayos solares, y por tanto, poseen una mayor necesidad de resguardo, cerrando el ojo. Este hecho físico, hace que el receptor cerebral (ojo) por el cual captamos la información exterior, mire más hacia el interior del ser, desarrollando un mundo interior más grande e introvertido que el ojo oscuro o negro, que no le molesta tanto la luz (exterior). El ojo claro es un elemento de atonía, y por tanto, de receptividad. A continuación vamos a explicar brevemente las zonas corporales localizadas en el iris, siendo una base sólida en la medicina funcional:

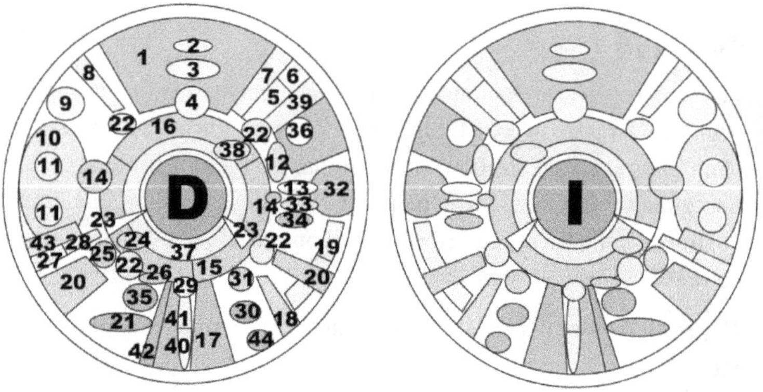

1-cerebro 2-tálamo 3-hipotálamo 4-pituitaria 5-retina 6-ojo 7-seno frontal 8-oído interno medio 9-columna vertebral 10-pulmón 11-pecho 12-bronquios 13-paratiroides 14-corazón 15-intestino ciego-yeyuno 16-colón ascendente-transverso-ilion 17-riñón 18-vegija 19- columna lumbar sacro-dorsal 20-hígado 21-ovarios-testículos 22-páncreas 23-píloro 24-duodeno 25-vesícula biliar 26-apéndice 27-mano 28-brazo 29-glándula adrenal 30-útero 31-próstata 32-tiroides 33-esófago 34-timo 35-tubo de Falopio 36-amígdala 37-estómago 38-parches de Peyer 39-nariz 40-pie 41-pierna 42-zona pélvica 43-diafragma 44-pene-vagina.

LA ENFERMEDAD EN EL IRIS:

En el examen del iris, podemos observar cuatro 20grados patológicos: predisposición heredada, inflamación aguda, estado crónico y estado destructivo.

A - Predisposición heredada:

Se oscurecen las zonas de los órganos, separación de fibras o pérdida de sustancia en forma algodones o viruta.

B - Inflamación aguda:

Son líneas o bandas blancas o amarillas, comprimidas o agrupadas por la compresión de las fibras musculares.

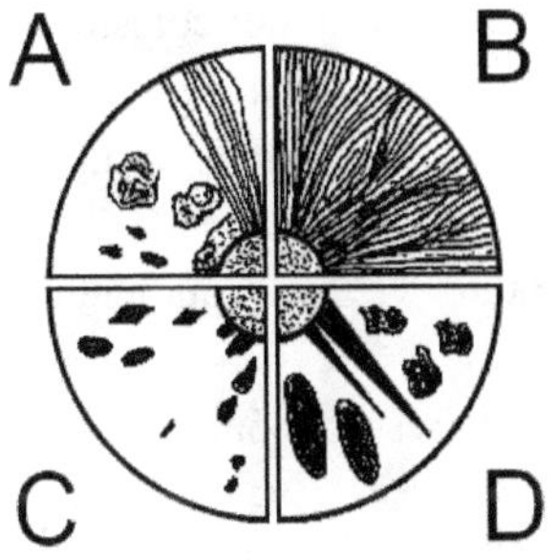

*Manchas en el iris

C - Estado destructivo:

Se localizan puntos negros por la destrucción de las fibras.

D - Estado crónico:

Por medio de líneas y manchas negras en las zonas de órganos afectados.
En muchos casos se trata del iris azul que no puede formar el pigmento, manifestándose entonces como un oscurecimiento general, semejante a la intoxicación alimenticia.

Manchas tóxicas:

Causadas por "*Exotoxenia*". Estas manchas aparecen al ingerir varios drogas o medicinas que no se pueden eliminar. Suelen tener colores parecidos al fármaco, ubicadas cerca de la corona nerviosa que rodea la pupila.

Relación entre el fármaco y la pigmentación:

Antipiréticos y analgésicos: el pigmento aparecido es de color amarillo pálido. Normalmente lo localizamos en la corona nerviosa y puede desplazarse afectando la zona digestiva.
Antianémicos: de color pardo rojizo.
Tónicos digestivos (azufre): color amarillo-verdoso en el área intestinal.
Yodo: pardo-rojiza, en la zona de cuello.
Quinina, antipalúdicos para la malaria y tónicos para el cabello: oscila entre el amarillo al rojo, y verdoso en zona del hígado o bazo.
Opio y derivados de la cocaína: trazos blancos parecidos a una estrella, con mayor número en la zona cerebral.
Plomo: color gris metálico o azulado en zona digestiva.
Hierro: violácea-marrón en área digestiva.
Cobre: naranjada-rojo en zona cerebral.
Aluminio: gris-azulado en zona cerebral.

Sodio: Se crea el anillo de sodio, confundido con el del colesterol. El anillo de sodio es más rugoso.

Ácido salicílico: como anillo del sodio, pero en zona cerebral, como una nube.

Alcohol: tonos malva-violáceos en cualquier zona, pudiendo ser hereditarios.

Tabaco: manchas color caqui en el área de la respiración.

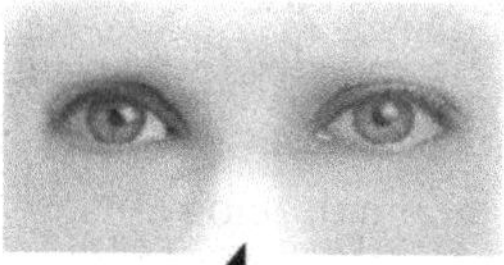

1

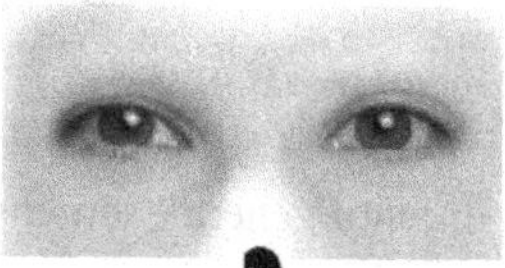

2

El iris claro (1) es un elemento de atonía, y por tanto, de receptividad y acceso al subconsciente. El ojo oscuro (2) es más tónico y exteriorizado (emisivo).

RECEPTOR SENSORIAL EMOCIONAL: LA NARIZ

La nariz es el emisor-receptor de la zona media o emocional y nos habla en que forma la persona va a comunicarse con su entorno social e íntimo, así como el modo en que va a comportar en este ámbito.

Siguiendo las leyes de la dilatación-retracción, cuando la nariz es dilatada existe una mayor demanda emocional y por tanto social, que si la nariz seca o sin carnosidad, que es signo de sequedad o frialdad. Independientemente de la forma que tenga, es básico saber distinguir una nariz tónica de una átona. La nariz tónica está activa y "vibra".

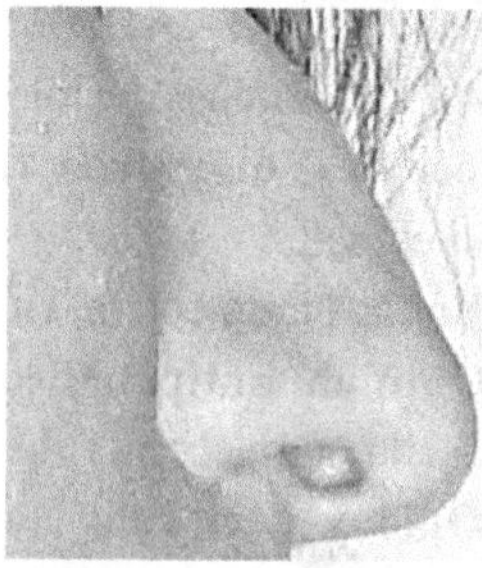

Receptor emocional.

Tiene bien diferenciadas las aletas laterales (forma de caracol), por tanto sabrá transmitir sin problema sus emociones. Es la nariz que mantiene "vivo" el sentimiento. Sabe decir "te quiero" o "que guapa/o estás". La nariz átona es totalmente lo contrario, la diferenciación de las aletas es inapreciable o no existe, siendo pasiva y sin "vibrar", no sabe transmitir lo que siente y por mucho que ame, pertenece a personas aburridas, sin saber decir algo cariñoso en toda una vida entera. Si la nariz mira al lado izquierdo es apego al pasado (en un diestro).

El tabique nasal:

Largo nos hablará de la madurez afectiva y de la paciencia. Si es largo la persona es tranquila y si es corto impaciente. Si es ancho da generosidad, madurez y un buen sentido de la estética, pero si es fino denota algo de inmadurez y más frialdad.

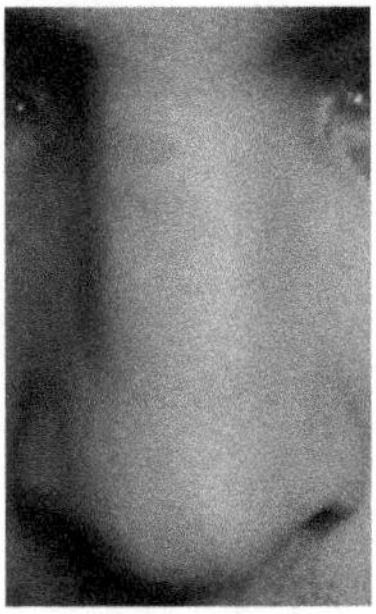

Tabique ancho.

Si en la raíz de la nariz existe Gollete de estrangulamiento o *"Plano de Marte"*, existe una separación entre pensamientos y sentimientos, por tanto la persona separa perfectamente las ideas de sus emociones, siendo incapaces de hablar con su pareja por ejemplo cuando están en el trabajo.

TIPOS DE NARIZ

Aunque existen múltiples combinaciones, exponemos a continuación los 12 ejemplos más comunes o significativos:

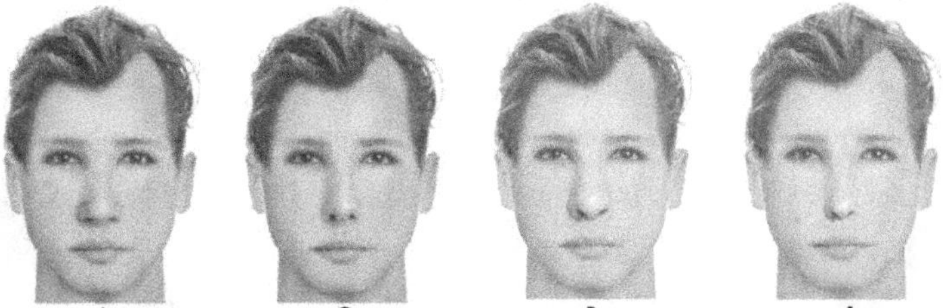

1 2 3 4

1-TÓNICA O ESTÉNICA

Físicamente: tiene bien diferenciadas y dibujadas las aletas laterales en forma de caracol o espiral.
Psicológicamente: saben transmitir sin problema sus emociones.
Es la nariz que mantiene "vivo" el sentimiento. Sabe decir "te quiero" o "que guapa/o estás".

2-ÁTONA O ASTÉNICA

Físicamente: la diferenciación de las aletas es inapreciable o no existe. No "vibra".
Es una nariz "inerte".
Psicológicamente: no saben transmitir lo que sienten y por mucho que amen, suelen ser personas aburridas, sin saber decir "te quiero" o algo cariñoso en una vida entera.

3-CARNOSA

Físicamente: tiene volumen y carnosidad.
Psicológicamente: son amables, diplomáticos y "humanos". Les gusta dar abrazos, besos y el contacto físico en general. Buen trato hacia los demás.

4-SECA

Físicamente: la nariz posee muy poca carne. Nariz seca y fina.
Psicológicamente: Son gente fría emocionalmente. Se dice que tienen sentimientos pero no corazón. No les gusta que les toquen. Gente distante.

5

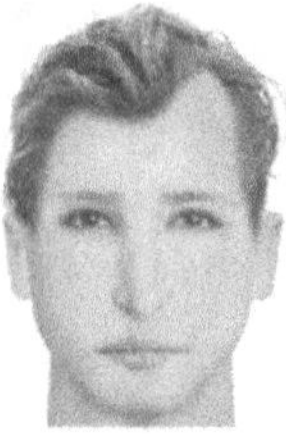
6

7

8

5-ORIFICIOS VISIBLES

Físicamente: de frente, puede apreciarse la cavidad de los orificios.
Psicológicamente: la persona está abierta sentimentalmente para conocer a personas o pareja.

6-ORIFICIOS PROTEGIDOS

Físicamente: de frente, los orificios no pueden verse. Están ocultos.
Psicológicamente: la persona está cerrada en el plano emocional o es demasiado selectiva. No se da a conocer fácilmente.

7-ANCHA DE ORIFICIOS REDONDOS

Físicamente: carnosa, ancha y de orificios redondos abiertos y grandes, como la gran mayoría de los animales.
Psicológicamente: con mucha demanda emocional. Poca selectividad. Brutalidad y rudeza en el trato. Demanda de contacto físico.

8-CÓNCAVA O DEL NIÑO

Físicamente: la nariz es cóncava o "respingona". Hacia arriba.
Psicológicamente: falta de madurez. Necesidad de afecto. La persona es autoritaria.

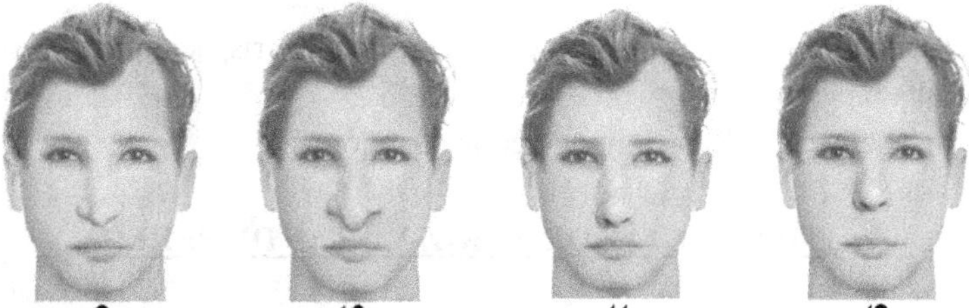

9 10 11 12

9-CONVEXA NORMAL

Físicamente: la nariz es aguileña, con tabique nasal proyectado y curvo.

Psicológicamente: don de mando. Carácter. Pasión en los sentimientos. "Ama u odia".

10-CONVEXA INSTINTIVA

Físicamente: igual que la convexa normal, pero apunta hacia abajo, adentrándose en una zona que no es suya, la zona inferior (instintos). Nariz "de bruja".
Psicológicamente: las emociones están materializadas. Carácter y pasión. Extremistas. Personas interesadas y materialistas. "Huelen" el dinero.

11-ALARGADA O DE PALLIUM CORTO

Físicamente: el tabique nasal es largo, haciendo menguar normalmente el espacio naso-labial (Filtrum).
Psicológicamente: la persona sueña más las emociones que las vive. Aporta paciencia en el terreno de las amistades o pareja. Relaciones largas. El Filtrum o la *"poción del amor"* corto, nos indica siempre dependencia afectiva y emocional.

12-CORTA O DE PALLIUM LARGO

Físicamente: tabique nasal corto, haciendo prolongar el espacio inter labial.
Psicológicamente: poca paciencia emocional. Crispación. La persona salta rápidamente.
Independencia. Relaciones de corta duración.

TIPOLOGÍAS DE NARIZ VISTAS DE PERFIL

1- Carácter:

Por Modelado abollado o *"bossue"*. Son personas apasionadas y extremistas "odian o aman", además en este caso la nariz es convexa, eso le otorga autoridad e imposición. No obstante, denota madurez. Es una autoridad muy distinta a la nariz del niño, que quiere las cosas "porque sí".

2- Materialista:

Cuando la nariz entra en la zona de la materia (no le pertenece), desde espacio naso-labial hasta mentón, los sentimientos suelen ser "materializados" o interesados (tanto tienes, tanto te quiero). En este caso, como también es convexa y abollada, lo mismo que en el número 1.

3- Inmadura:

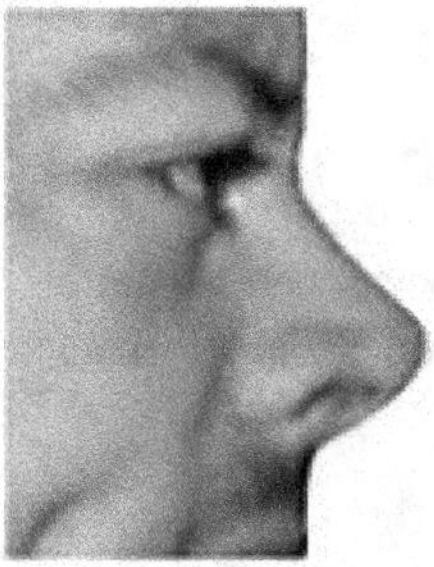

**Nariz cóncava "del niño": denota inmadurez afectiva.*

Es cóncava o "chata", apuntando hacia arriba, dejando ver claramente los orificios nasales (necesidad de afecto sin selección). Es la nariz de los niños, que requieren muchísima atención emocional. Es nariz de caprichosos y mandones, aunque de forma no madura "quiero esto porque sí". En un niño (edad Linfática) es normal, pero si vemos esta nariz en un adulto, significa inmadurez emocional, y por tanto la persona será caprichosa, comportándose como un niño grande, y cansándose rápido de las relaciones íntimas, sobre todo si es corta.

4- Prudente:

Observamos una nariz, que está dentro de la línea de los superciliares sobre los ojos (Retracción Frontal y secundario), por tanto esperará a que vayan en su búsqueda. Será prudente y reservada en el plano sentimental y relacional.

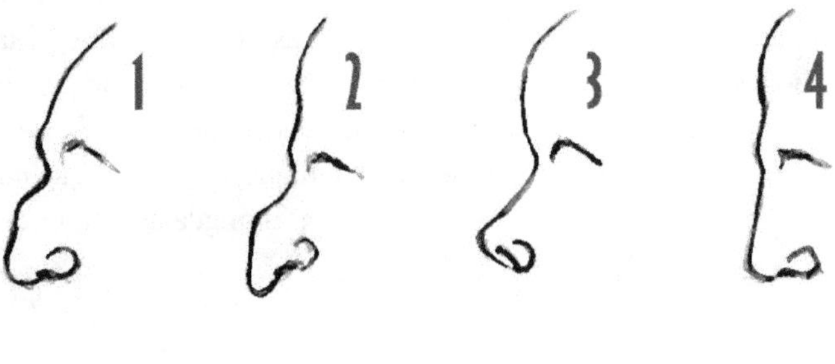

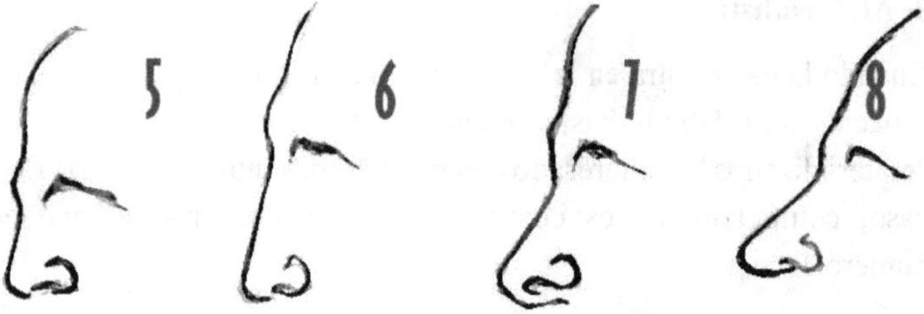

5- Relaciones cortas:

La nariz corta denota poca paciencia e intolerancia, sobre todo en el temperamento emocional. Se cansan rápido, con poco aguante para soportar aspectos fuera de su agrado, tanto en pareja, familia o amistades. Lo quieren todo "YA" (sí o sí). En seguida saltan a la defensiva.

6- Relaciones largas:

Lo contrario a la nariz anterior (corta), son personas que lo aguantan todo, capaces de estar años con la misma pareja, aunque no sean felices y sin saber el por qué. Si la nariz es muy larga, soñarán más los amores que los vivirán, ya que al tener tanta paciencia, se suelen quedar en meros "amores platónicos". Son muy tranquilos. Este tipo de personas tardan en saltar a la defensiva.

7- Susceptibilidad:

Con esta tipología de nariz hay que tener mucha cautela al decirl las cosas, ya que suelen tomárselo todo a mal, sobre todo las bromas pesadas. Físicamente, de perfil deja al descubierto el tabique nasal, señal de posible Amigdalitis. Cuando el tabique se deja entrever, las Amígdalas generalmente están inflamadas (los nervios van a desembocar allí). Esto ocasiona dolor de cabeza, malestar general e incluso fiebre, de ahí su fácil irritabilidad y sensibilidad.
Si está muy acentuado el descubierto del tabique, es posible que hayan intervenido a la persona, extirpando sus Amígdalas, entonces y

paulatinamente, el individuo irá perdiendo su susceptibilidad, poco a poco con el tiempo.

1

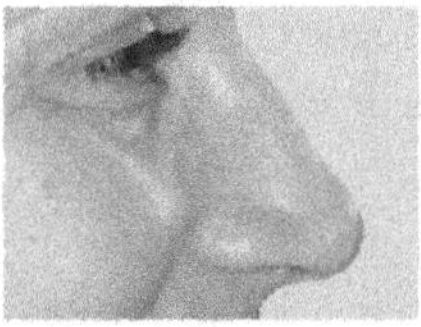

2

Observamos mayor susceptibilidad en el dibujo nº1 por tabique nasal descubierto o también llamada nariz "a lo Chopin" por la semejanza al compositor.

8- Cotilla:

Sobrepasa con creces la línea vertical de los superciliares (osamenta de la observación, sobre el ojo). Como la nariz es el receptor emocional, al estar proyectada hacia delante (Retracción Lateral), necesita saber de todos, y averiguar lo que ocurre a su alrededor, de forma compulsiva y recurrente. De ahí que digan "mete la nariz en todos los sitios". Es la nariz del chismoso, curioso, fisgón y murmurador. Contrariamente a la nariz del prudente o reservado (RF), la nariz proyectada va en búsqueda de la conquista (RL).

Terminaciones o punta de la nariz:

Puntiaguda: Imaginación, astucia, arte. Si es ancha fisgoneo.
Redondeada: Sencillez, sentido común, bondad.
Cuadrada: Originalidad, cultura, sensatez, humanidad.
En bola: Violencia, lascivia.
Cóncava o respingona: Despreocupación, abandono, frialdad.

LOS ORIFICIOS NASALES

Indican la selectividad y el modo en que la persona transmite sus emociones. Si son pequeños y la nariz es carnosa, existe demanda emocional pero el individuo se involucra poco y es muy selectivo, por

el contrario si los orificios son grandes, la persona es menos selectiva y estará más abierta en el plano afectivo.
Si son redondos aportan algo de brutalidad en el trato (si nos fijamos los animales los suelen tener redondos).
La nariz es el receptor emocional y sus orificios nos hablan de su "apertura" o "cierre" en este plano, así como también de la selección, siendo alta cuando son pequeños y poca si son grandes. Si los orificios están visibles de frente, la persona estará "abierta" emocionalmente, sino el individuo estará algo "cerrado" en el plano afectivo o será excesivamente selectivo. Por tanto, los orificios son como una especie de "filtro" que nos hablan del intercambio afectivo del individuo.

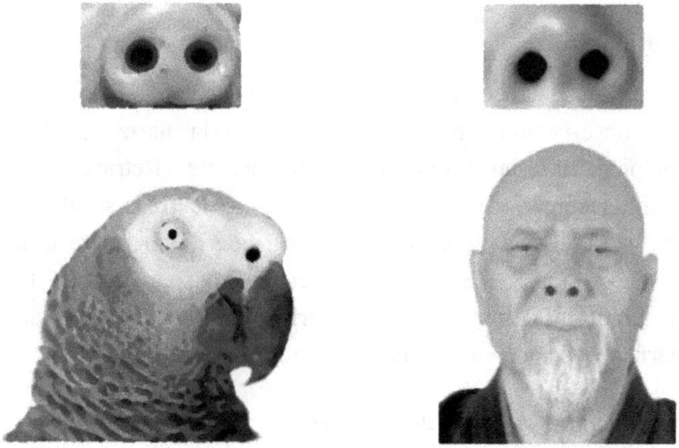

Orificios nasales redondos con tendencia a la rudeza. Brutalidad y salida animal.

Orificios redondos:

Como en la Retracción Lateral, el orificio circular nasal está ligado a lo primario. Por tanto la persona tenderá a ser brusca en las relaciones afectivas. La salida o "emisión" emocional será algo salvaje o irracional. Por ejemplo lo vemos en los perros cuando meten el hocico en el interior de la falda de una señora. El can retrocede inmediatamente y agacha la cabeza en signo de remordimiento cuando la señora grita, consciente de haber obrado mal, pero el hecho ya ha sido consumado. El signo de primario se distingue básicamente en "actuar y después pensar" que en Morfopsicología lo vemos en Retracción Lateral (RL) con todo su esplendor (inclinación). Aunque generalmente el elemento genético es de difícil modificación, podremos atenuar esta tendencia innata mediante una correcta educación. Los orificios redondos otorgan a las personas que los poseen, acciones rudas o descorteses en cuando se les irrita o se les hace enfadar. Prueba de ello lo vemos en la cultura oriental, donde fueron expertos en aplicación de torturas tales como el bambú cortado bajo las uñas, el cepo y el método de la gota de agua sobre la cabeza.

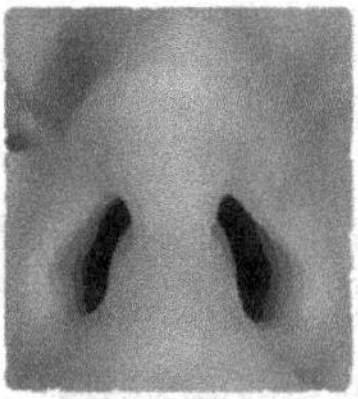
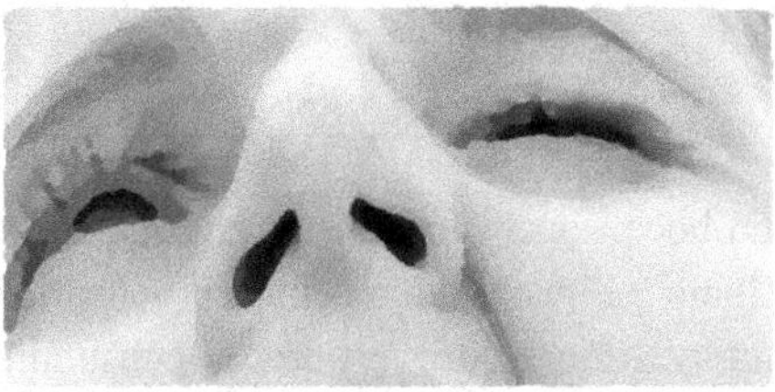

Orificios en forma de pisada de pie. Indican equilibrio y madurez afectiva.

Orificios en "pisada de pie":

El orificio con forma de pisada de pie o alargado, nos habla Retracción Frontal (RF) o secundario. El intercambio afectivo exterior (emisión-recepción), está regulado generalmente por comportamientos maduros y equilibrados.

La persona se abre o cierra según la necesidad y/o circunstancias del momento. Suele pertenecer al grupo de personas que "saben lo que quieren" sentimentalmente; hacia la pareja, familia y/o amistades. Indica más selección a la hora de elegir a personas allegadas o de confianza, indicando también suavidad en el trato, diplomacia y educación.

Habría que considerar más detalles como la carnosidad de la nariz, medidas (sobre todo del tabique), tonicidad, tipo de piel... pero para el caso estudiamos solamente el significado psicológico del orificio.

Otros detalles a considerar:

Si la nariz es carnosa el trato es más humano y cariñoso que si esta es seca o muy pequeña, que nos habla de más frialdad y posible egocentrismo. La persona de nariz carnosa gusta del contacto físico como besos y abrazos, pero la de nariz seca o pequeña no soporta que le toquen, siendo más tajante y distante en el trato. Si queremos que nos atiendan bien en un banco, deberemos buscar al operario que posea la nariz más grande y carnosa (con chicha), ya que sin lugar a dudas el trato será más cercano, diplomático y afectuoso. El tabique nasal también nos habla de madurez, siendo poca si es corto y grande si es largo, así como de la estabilidad, generosidad y estética.

RECEPTOR SENSORIAL INSTINTIVO: LA BOCA

La boca, es el receptor de la zona Instintiva Reptil o Complejo "R". Como el resto de receptores sensoriales, nos dice si somos tipos introvertidos, extrovertidos, si consumimos poca o mucha energía, así como la finura o brutalidad de actuación. La boca indica la facilidad o dificultad de palabra, la relación con el mundo material, la buena administración o el derroche, y nos habla también del ámbito del plano físico y sexual. También hay que considerar la forma del "Arco de Cupido" (línea que dibuja la cima del labio superior) o del "Filtrum" o espacio naso-labial (par de líneas verticales sobre el labio superior), ya que cuanto más diferenciados estén, mayor será la asimilación en el plano físico, otorgando más sensibilidad y sensualidad en el trato. Si la boca está entreabierta (de no ser por estructura ósea o dientes), será un síntoma de dejadez física y de posible dependencia a los vicios. Las personas con la boca abierta, suelen estar siempre fatigados,

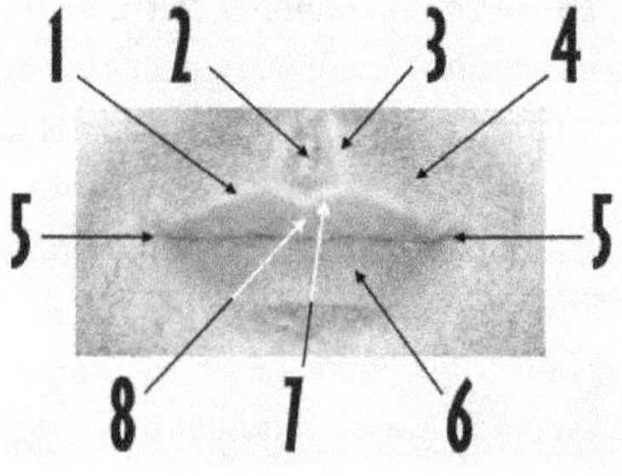

**Partes de la boca.*

arrastrando los pies al caminar; pierden energía por ella y "se desinflan" como un balón. Si cerrasen la boca ganarían mucha salud. También hay que tener en cuenta, que los labios apretados es síntoma de control, prudencia y buena administración o ahorro, pero si están extremadamente presionados denota cierta frialdad o crueldad. A continuación cito las 8 partes significativas de la boca:

1. Línea blanca del labio superior
2. Surco del Filtrum
3. Columna del Filtrum
4. Labio superior: porción cutánea
5. Comisuras labiales
6. Labio inferior: porción mucosa o bermellón
7. Tubérculo central de la porción mucosa del labio superior
8. Arco de Cupido Labio inferior

Vamos a mostrar 8 tipologías básicas o más comunes entre la población, contando también la boca tónica (activa) y la átona (pasiva) como un ejemplo más.

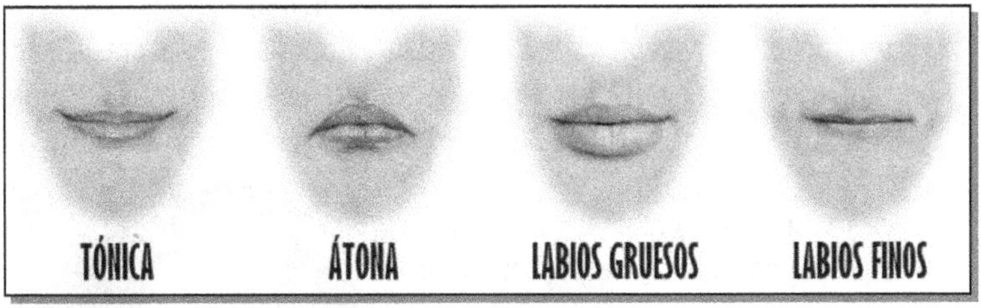

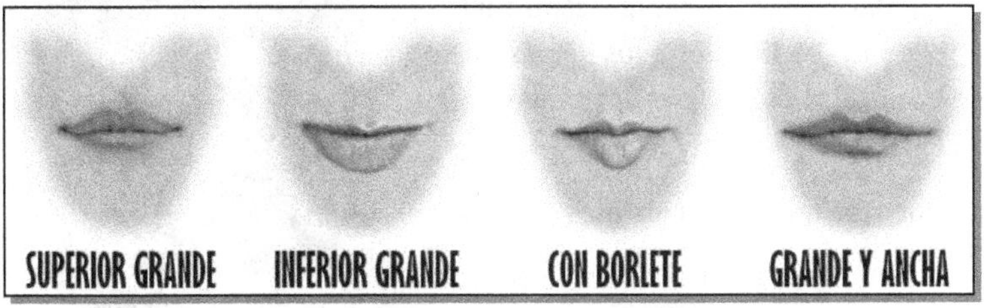

Boca tónica:

Activa la zona Instintiva, es emisiva y con facilidad de palabra y/o comunicación ("feed-back"). Apertura y conexión con el mundo exterior. Emana alegría, control e inteligencia.

Boca átona:

Es receptiva y no participa en las conversaciones. Dificulta la expresión. Indica decepción ante la vida, amargura, falta de actividad, y se deja llevar. Si además, está entreabierta, tendrá dependencia a los vicios y drogas, falta de control, y derroche.

Boca labios carnosos:

Lo que va hacia fuera "está para dar". La boca carnosa está hecha para besar, con generosa sensualidad y sexualidad. Goza de los grandes y pequeños placeres de la vida, como saborear un plato de comida.

Boca labios finos:

Si los labios carnosos están hechos para besar, los finos están para controlar ese beso. Capacidad de adaptación en las realidades materiales. Si además, es pequeña, indica avaricia. Buena administración. Detallista, desapego de lo terrenal, ahorro, pudor, discreción. Suele ser la boca de los buenos contables.

Boca de labio superior más grueso:
Si predomina el labio superior sobre el inferior, indica la búsqueda de satisfacciones siempre espirituales, complaciendo antes a los demás que a ellos mismos. Si existe tabique nasal es ancho, es generosidad.

Boca tónica con facilidad para la oración y el diálogo.

Boca de labio inferior más grueso:

Si predomina el inferior sobre el superior, se busca lo material y su satisfacción propia, antes que la de otros. Apego a lo físico y realidades concretas. Primero son ellos.

Boca con "borlete":

Indica facilidad de palabra. Si además es tónica, de labio superior fino, y frente inclinada, será espontáneo, con enorme capacidad para improvisar y orar. Suele ser la boca de los políticos.

Boca grande y ancha:

Gran apetito por las cosas de la tierra. Falta de control sobre el gasto. Si además está entre abierta, y tiene el labio superior ofrecido, indica derroche inminente. Si es tónica, indica facilidad y necesidad de hablar.

BOCA "ALEGRE" Y BOCA "TRISTE"

1- ALEGRE O TÓNICA:

La boca alegre o tónica tal y como se la conoce en Morfopsicología, pertenece a un grupo de personas más optimistas o que hayan experimentado más situaciones o momentos agradables de la vida, ya sea porque el entorno les ha tratado bien por su "belleza" física, ya que todos sabemos que es la mejor "carta de presentación" o por consecuencia de su temperamento optimista innato. Son individuos más comunicativos y con facilidad de palabra. Indica alegría y satisfacción, sobre todo en el terreno físico o de realidades concretas. También puede indicar fuerte sexualidad. Con el paso del tiempo suele formar pliegues en semicírculo sobre las comisuras.

**Boca "alegre" o tónica (nº1) y boca "triste" o átona (nº2): indican la satisfacción.*

2- TRISTE O ÁTONA:

La boca triste o átona en Morfopsicología, corresponde a sujetos con carácter más pesimista o decepcionado; "me esperaba más". Han padecido constante rechazo exterior y eso a marcado de modo perenne su receptor instintivo, dibujando la boca hacia abajo. Es una señal de dolor y amargura. Son individuos menos comunicativos y de poca facilidad para hablar (casi imposible ver un político con esta boca). La pueden compartir personas con incapacidad como mudos o tartamudos. Indica ante todo insatisfacción en el terreno físico, aunque también puede indicar sufrimiento afectivo, sexual o decepción.
Si el sentimiento de dolor se prolonga, termina por crear arrugas verticales bajo las comisuras de la boca.

LA LENGUA:

La lengua forma parte del interior del piso instintivo o cerebro reptil. Suele ir en concordancia con la zona, siendo grande de ser dilatada o pequeña si es retraída. Pasar la lengua por los labios es signo de necesidades que se intentan satisfacer. Estas son 3 variantes de tipos de lengua:

Puntiaguda: apetito moderado y espíritu económico.
Pequeña y corta: predomina vida espiritual, vida excitada.
Larga y ancha: tendencia a la mentira. Voracidad.

Apariencia de la lengua y su correspondencia física:

La lectura de la lengua es un método significativo para obtener datos, sobre todo a nivel instintivo o de vísceras, así como también del estado de nuestra sangre. Diversos estudios indican la correspondencia entre las áreas de la lengua y el estado de nuestros órganos internos:

1-corazón, 2-pulmones, 3-hígado, 4-vesícula, 5-estómago, 6-bazo, 7-intestino delgado, 8-intestino grueso, 9-vejiga/riñón/útero.

La raíz de la lengua está ligada con los riñones, el centro con el estomago y el bazo, la punta con el corazón, y desde la punta al centro con los pulmones. El lado derecho indica la vesícula, el lado izquierdo el hígado. El color de la lengua indica nuestro estado de la sangre, siendo el color normal de la lengua un rojo pálido. Un color muy pálido indica deficiencia en sangre y en los costados, del hígado y vesícula. Si la punta es de color rojo carmesí, indica excesivo trabajo del corazón y si son los bordes, en el hígado o la vesícula biliar. En casos severos se pueden presentar inflamaciones con manchas rojas oscuras. El centro color carmesí indica excesivo trabajo del estomago. La lengua azul indica que la sangre está estancada. Un color púrpura oscuro indica un bloqueo en la sangre severo y posibles problemas graves de hígado y corazón.

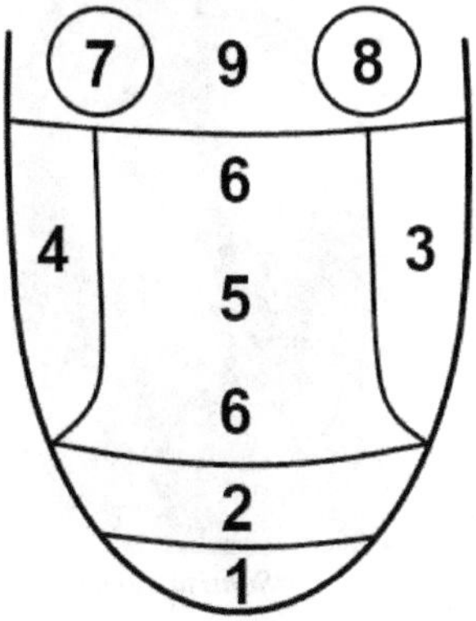

**Partes de la lengua.*

¿Dónde se detectan los sabores?

Amargo: interior.
Dulce y salado: principio o punta.
Ácido: laterales y zona intermedia.

DATOS SOBRE LA SONRISA:

Dícese que las personas con mayor valor intelectual, menos ríen de forma sonora, limitándose en el caso extremo solamente a sonreír. A continuación expongo algunas curiosas sonrisas y su significado:

Sonrisa graciosa: bondad y amabilidad.
Sonrisa con hoyuelos en mejillas: generosidad, delicadeza.
Risa sonora: sinceridad, entusiasmo.
Risa franca: vergüenza, optimismo.
Risa grave: tristeza, aflicción.

*Sonrisa tierna.

Risa tierna: carácter cordial y cariñoso.
Risa maligna: burla, sarcasmo.
Risa apretando dientes: Ocultar, disimular.
Descubriendo encía superior: Poca discreción.
Risa sin sentido ni razón: astucia y habilidad.

LA VOZ:

Como cite anteriormente, las personas con Marco dilatado, sobre todo a nivel instintivo, tendrán más potencia de voz, que las personas retraídas y de Marco más alargado, que aun pudiendo tener un timbre hermoso, poseerán inferior potencia o salida de resonancia. A continuación expongo tipos de voces y su interesante significado:

Suave: temperamento ponderado y claridad de ideas.
Baja y profunda: poder, autoridad.
Ronca: Ira, susceptibilidad.
Ronca y rápida: desánimo, intransigencia.
Viva: imposición.
Lenta: pocos reflejos.
Enérgica: optimismo, coraje.
Mesurada: espíritu investigador.
Aguda: irritabilidad, desagrado.
Fría: codicia, avaricia.
Indignada: arrogancia, soberbia, desdén.
Ardiente: temperamento emprendedor. Lucha.
Cantarina: derroche.
Agria: habladuría, difamación.
Metálica: Precisión, sinceridad.
Chillona: envidia escondida.
Murmurante: Debilidad, cobardía, vergüenza.

LOS DIENTES

Cada vez que yo soñaba que mis dientes se caían, mi abuela me hablaba que en unos días iba a tener noticias de muertos o presagio de pérdidas, en definitiva era un mal augurio. Yo era niño y eso me daba un miedo terrible (a quien no). Casualmente, algunas veces sucedía así y ocurrían cosas malas.

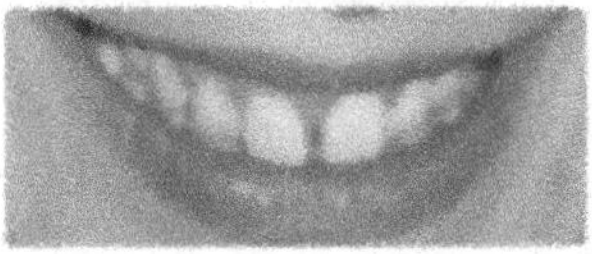

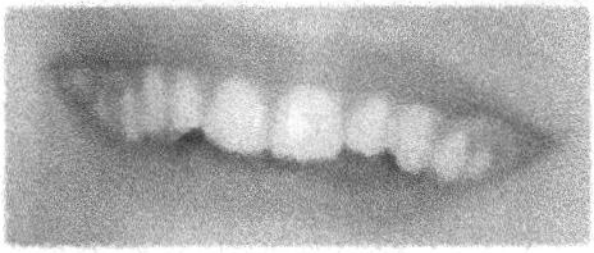

Han pasado ya muchos años, y lo que parecía cosa de brujería, ha encontrado algunas explicaciones. Los psicoanalistas emplean esta simbología de nuestros dientes para interpretar así los sueños, hallando problemas escondidos en nuestro subconsciente. Algunas de estas interpretaciones coinciden con las famosas leyendas urbanas, de las que seguro se había alimentado mi querida abuela.

En Fisiognomía y Morfopsicología, los dientes son un órgano duro y prolongación del Marco y por tanto guarda su respectivo significado:

Dientes pequeños:

Tendencia del retraído. Suelen ser los dientes de personas de cara alargada o estrecha. Introversión y débil reserva de energía. Selectividad.

Dientes encimados:

Tendencia de la retracción o del Abollado.

Montados uno encima de otro, por falta de espacio bucal en anchura. Pertenecen a la retracción, perteneciendo generalmente a personas de mandíbula estrecha, y por tanto con problemática para llevar a cabo sus proyectos. Recordemos que la realización se encuentra en la anchura y la teoría en la altura. También son tendentes del "Retraído-Abollado", y al estar encontrarse en la zona baja (reptil), actuarán con "obstinación" en los planteamientos o realidades concretas; comiendo siempre lo mismo, no variando los procedimientos, haciendo las cosas siempre a su modo, etc.

Dientes grandes o separados:

Tendencia del Dilatado.
Son indicadores de expansión y en caso de duda sobre la zona inferior o instintiva, ayudarán a descifrar si realmente existe dilatación. Extroversión y resistencia sobre todo al medio. Adaptabilidad.

Dientes hacia el interior:

Tendencia del Retraído-Abollado. Aunque en el niño es difícil ver el Modelado "bossue" o con bollo, unos dientes con la punta hacia el interior, suelen indicar este tipo de Marco y de su posterior desarrollo. Por tanto de un posible futuro "fanatismo" o extremista.

Dientes sifilíticos o deformados:

Por continuidad del Marco, indica tendencia al desequilibrio negativo, ya que la deformación moderada o severa, siempre es un indicador malicioso debido al desequilibrio morfológico.

Otros datos de interés de los dientes:

Dilatados y puntiagudos: longevidad y buena salud.
Dilatados y anchos: amor hacia una buena mesa.
Muy pequeños: timidez o cobardía.
Largos: desconfianza y realismo.
Largos y separados: debilidad muscular o física.
Relucientes: gustos refinados.
Mate: falta de cal.
Cuidados: orden y meticulosidad.
Estropeados: desorden y desprecio al cuerpo.
Encías pálidas: poca vitalidad.
Encías sangrantes: infecciones gástricas, viscerales o hemorroides.

Para expertos en medicina psicosomática, los dientes transmiten nuestra vitalidad y combatividad. Con los dientes realizamos el primer proceso de digestión con la masticación y reflejan nuestro modo de actuar delante de los conflictos, mostrando el espíritu de lucha o tolerancia. Las funciones principales de los dientes son: Masticatoria, Expresión facial, Estética y Fonética.

Para los orientales, los dientes son el sistema mecánico que permite digerir adecuadamente los nutrientes y evitar el catabolismo. Ellos realizan hasta 100 masticaciones antes de la ingesta, señal de actitud más paciente que la de Occidente.

Varios estudios han demostrado que una mala dentadura, es indicio de dificultad para mostrar la agresividad o *"bilis amarilla"*.

La agresividad nos hace apretar la mandíbula, con riesgo de mellar nuestra dentadura. Esta disfunción termina aquejando a los dientes, y a veces degenera en la necesidad de masticar durante la noche *"bruxismo"*. En estos casos, sería necesaria la práctica de algún deporte como alivio de tensión, ya que la "agresividad controlada" siempre será muchísimo menos dañina que la escondida tras los dientes.

Aunque difícil de controlar, el PH de la saliva debería estar 6.2 y 6.5, ya que si está por debajo será causa de la bilis amarilla motivada por el cólera, y por tanto ayudando al deterioro lento pero constante de los dientes. Una observación problemática infantil, podrá evitar futuras intervenciones ortodoncias largas y dolorosas.

No cabe duda que los dientes guardan su interpretación emocional, ya que nuestros primeros dolores dentales, tuvieron como resultado mal carácter, llantos y enfermedades en la dificultad de adecuación de los mismos.

Los dientes se dividen en:

2 cuadrantes superiores de 8 dientes (derecho 1 e izquierdo 2)
2 cuadrantes inferiores de 8 dientes (derecho 3 e izquierdo 4)

Los números corresponden a un tipo de dientes repetidos en los cuadrantes y en cada lateral:

SUPERIOR

	1	2	
DERECHO	18 17 16 15 14 13 12 11	21 22 23 24 25 26 27 28	IZQUIERDO
	48 47 46 45 44 43 42 41	31 32 33 34 35 36 37 38	
	4	3	

INFERIOR

1 - Incisivo central: 11, 21, 31, y 41
2 - Incisivo lateral: 12, 22, 32 y 42
3 - Canino: 13, 23, 33 y 43
4 - Primer premolar: 14, 24, 34 y 44
5 - Segundo premolar: 15, 25, 35 y 45
6 - Primer molar: 16, 26, 36 y 46
7 - Segundo molar: 17, 27, 37 y 47
8 - Tercer molar (muela del juicio): 18, 28, 38 y 48

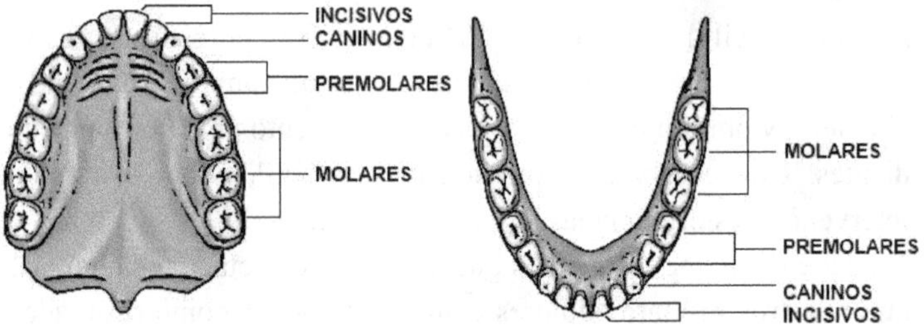

Hasta los 6-7 años de edad (Dibujo A) sólo se poseen 20 piezas o “dientes de leche” (dentición decidua), y ya en edad adulta (Dibujo B) se llegan a tener hasta 32 (dentición permanente), contando con las terceras molares o *“muelas del juicio”*. Los primeros dientes que aparecen son **los incisivos** (11, 12, 21, 22, 31, 32, 41 y 42), y según los orientales están regados por los meridianos del Riñón y la Vejiga. Para odontólogos holísticos están relacionados con el Riñón, la Vejiga y terreno Urogenital.

El Riñón es el órgano de la convivencia, y cuando se caen los dientes de leche, los incisivos suelen vivir un proceso de malformación estética, indicando así una deficiente relación en el seno familiar.

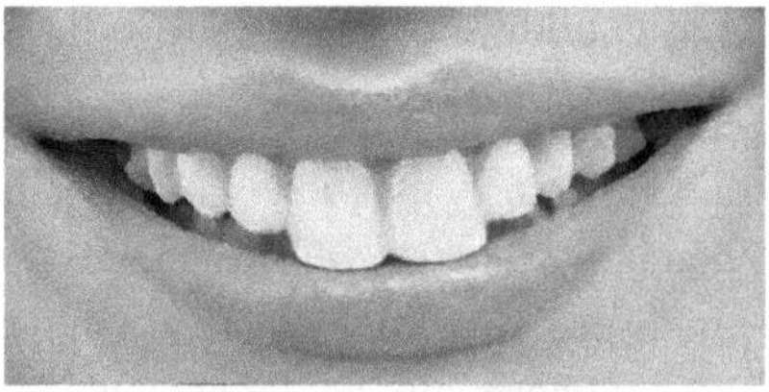

***Los incisivos excesivamente desarrollados pueden significar "Sinusitis larvada".**

A veces los dientes incisivos centrales son mayores que el resto, significando el deseo de ganar terreno con alguno de los hermanos o con los padres. También podría indicar posible inflamación de los *"senos frontales" o "Sinusitis larvada"*. Esto puede empeorar si el niño se encierra en su mundo lleno de miedos, bloqueando la *"glándula Epífisis"* (generadora de Melatonina a partir de la Serotonina). Este síntoma es visible en niños con pesadillas y dificultades para dormir, que son miedosos a relacionarse con el mundo exterior. Son 4 superiores y 4 inferiores, y significan la valentía hacia el exterior.

Los animales enseñan sus incisivos para mostrar su fuerza. Las personas con los incisivos sobresalidos, en algunos casos, ocultan su falta de valentía. En edad adulta, estos dientes padecen descalcificación con tendencia a su pérdida no muy avanzada edad. Se podrían conservar por más tiempo por ejemplo masajeando las encías periódicamente, ya que el riego sanguíneo de la zona ayuda a mantener vivas sus raíces, y por tanto de prolongar su vida. También es aconsejable beber abundante agua para evacuar posible sal retenida en la zona. Si el dentista encontrase caries en los cuatro incisivos superiores o inferiores, sería conveniente revisar nuestro estado lumbar y sacro. Si sabemos de algún kinesiólogo podría también explorar la fuerza del

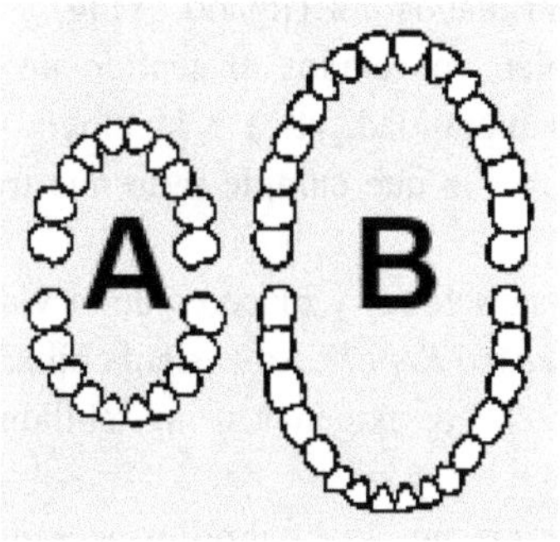

***Dentición Decidua y permanente.**

Psoas (músculo del Riñón), ya que un buen tratamiento ayudaría notablemente a los incisivos y el Riñón.

Los caninos o colmillos:

Son los dientes (13, 23, 33 y 43), cuya función es el desgarro lateral de alimentos y ataque en los animales, están pocos desarrollados en el hombre, aunque curiosamente presentan diferencias según la predisposición a comer carne. Su deshabituación y civilización actual, ha ido borrando paulatinamente sus puntas afiladas. Estudiosos los unen a la figura de Marte, el Dios de la guerra.

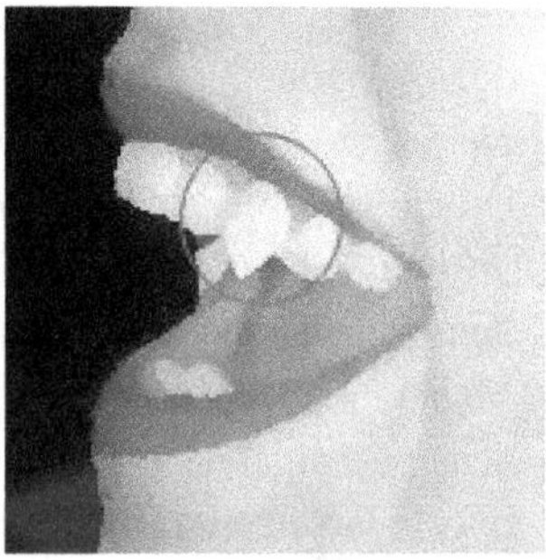

El colmillo.

Poseemos cuatro dientes caninos, dos superiores y dos inferiores. Son los que más tardan en aparecer y tienen las raíces más largas, llegando a medir 17mm para garantizar su estabilidad. También son los más sólidos de la dentadura.

Si son muy prominentes o afilados, dan una expresión muy fiera al rostro, lo que ha llevado en muchos casos a tratarlos estéticamente acortándolos.

Según Oriente están regados por meridianos del Hígado (Ying) y la Vesícula biliar (Yang), como también conectados al sentido de la vista. El hígado es el órgano de la moralidad, ética e ideología. A través de este órgano nos vinculamos a lo que cumple o no nuestros requisitos.

El hígado se place de los sabores, sensaciones y placeres de la vida, regido por el Tronco y Cerebelo *"Cerebro Reptil"*. La vesícula biliar y el Hígado, muestran cólera con el rechazo, exigencias, inestabilidad, tensión o delante de las injusticias.

El Hígado analiza y la Vesícula biliar ejecuta. Los colmillos necesitan triturar todo lo que le impacta, para una convivencia más armónica y apacible. Las vértebras 9 y 10 están vinculadas también a los caninos.

Las *"Ferropenias"* o falta de Hierro en sangre, afectan a los caninos, y sus síntomas son debilidad, cansancio, desmotivación vital y otros síntomas que afectan el auto estima.

RECEPTOR SENSORIAL AUDITIVO: LA OREJA

Aunque es un órgano pasivo, y no participa en la expresividad del rostro, nos permiten contrastar y ratificar numerosos puntos. La Biblia menciona a menudo: "Tienen oídos pero no oyen...", y es que el oído representa lo que el hombre escucha y lo que no quiere escuchar. Curiosamente y como en todas las zonas, la oreja repite como de forma milagrosa la *"trilogía de las divisiones"*; **Cerebral (5/12), Emocional y musical (4/12), e Instintiva (3/12)**. Si la zona superior es la grande, indica inteligencia y espiritualidad, si es la media, afectividad y sentimiento, y si gana la baja, apego a lo físico y la materia. Casi en el 100% de los casos, la oreja participa en el movimiento de la frente, ya que si esta es inclinada, la oreja también lo será, o viceversa. Este último dato, nos será muy útil como referencia en caso de duda. Su posicionamiento alto o bajo, adelantado o atrasado, también permite saber la preponderancia intelectual, terrenal, y memoria activa o pasiva de la persona *"Croix de Polty et Gary"*. **Sus partes básicas son: 1- Hélice, 2- Antihélice, 3- Caracol, 4- Trago, 5- Lóbulo.** Cuando superan la medida de la longitud de la nariz, se consideran grandes, y pequeñas cuando miden menos que la misma. Existen multitud de formas; si está bien diferenciada, es síntoma de un buen desarrollo y equilibrio, sobre todo con el Hélix bien doblado. Si son pequeñas existe fineza, y si son grandes tosquedad. Si están muy separadas en asa, la persona puede ser antisocial y violenta, y si están pegadas al rostro, poseerá buena adaptabilidad al entorno. La oreja en punta o "de Fauno", corresponde a los que tienen intelecto agudo pero con tendencia diabólica. En personas con problemas de salud mental, existe un altísimo porcentaje de malformaciones de oreja; sin lóbulo, caracol diminuto, modelado muy irregular, o deformidades y grandes diferencias entre una oreja y la otra. Vamos a describir brevemente cada una de las 5 zonas:

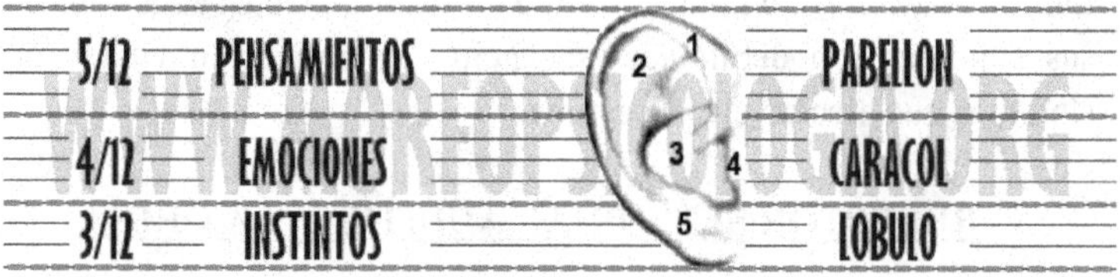

Las 3 partes de la oreja: pabellón, caracol y lóbulo

1- Hélice:

Está en la zona alta, bordeando toda la parte superior. Está relacionada con el cerebro. Informa sobre la predisposición intelectual y equilibrio mental. La orla de la Hélice bien doblada, es índice de claridad mental y buen discernimiento.

2- Antihélice:

Junto con el caracol, corresponde a la zona afectiva. Curiosamente, en personas emocionales, encontramos esta zona desarrollada. Si sobresale mucho, indica extraversión y necesidad de expresarse.

3- Caracol:

Forma parte de la zona media, junto con la antihélice.
Un caracol muy desarrollado es síntoma de buen sentimiento, y también índice de dotes musicales o memoria auditiva; "la música debe estar impregnada de sentimiento, de otro modo está destinada al fracaso". *Mozart* tenía un gran caracol.

4- Trago:

El trago es un saliente plano, situado delante del caracol. Participa en la protección del caracol.
Curiosamente en oídos de trago muy pequeño o inexistente, existe dificultad auditiva e inferior vitalidad.
Aunque menos importante, el Antitrago es otro saliente plano, separado del Trago en una profunda depresión llamada Intertraguiana.

Si es prominente y dilatado, a semejanza de la Antihélice, es signo de extroversión.

5- Lóbulo:

Está situado en la parte inferior de la oreja, formado por un tejido esponjoso y de abundante riego sanguíneo. Informa de los apetitos físicos y la salud del individuo. *Carl Huter*, decía que el lóbulo está conectado con el Sistema Linfático, así como en la formación de la sangre. Si muestra un color rosado y tiene forma gruesa, es señal de buena salud y sexualidad, pero si es pálido puede ser síntoma de debilidad, irritabilidad y posible anemia. A continuación expondremos 8 tipologías del receptor auditivo más comunes, o más significativas:

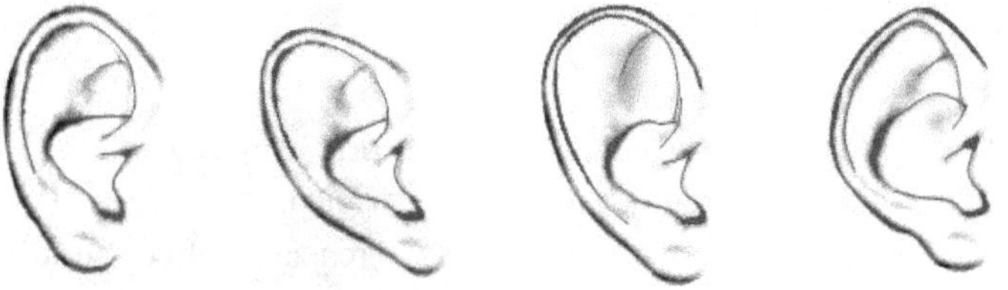

1 2 3 4

1- Vertical: intelectualidad, reflexión, quietud.
2- Inclinada: combatividad, voluntad, movimiento.
3- Hélice grande: inteligencia, lucidez, espiritualidad.
4- Caracol grande: gran afectividad, sentimentalismo. Musicalidad.

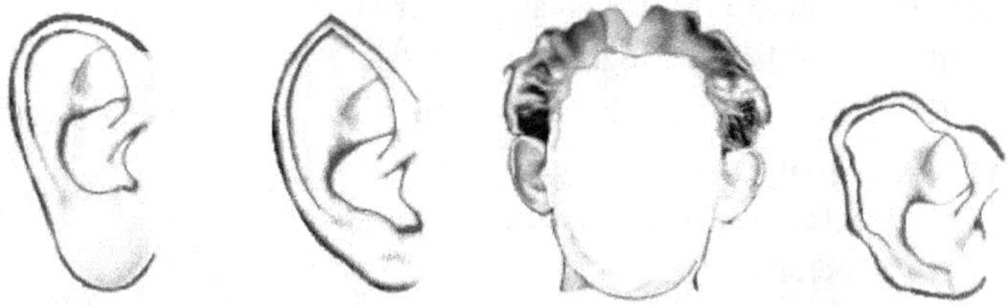

5 6 7 8

5- Lóbulo grande: apego a lo físico, materialismo, superficialidad.
6- Fauno: astucia, intriga, espíritu crítico y algo diabólico.
7- En asa: violencia, agresividad, antisocial.
8- Deformada: problemas mentales, desequilibrios, anomalías.

Otros datos de las orejas:

En "*Cefalometría*", la oreja es considerada como un sentido afectivo hacia lo que nos rodea. Los individuos que oyen bien, son personas generalmente sociables, conversadores y extrovertidos, pero los que no escuchan o "se hacen los sordos", a menudo suelen ser algo malévolos. Además del canon que cité anteriormente, existen otros datos de interés:

Tamaños y detalles de la oreja:

Normales: delicadeza y equilibrio.
Grandes: falta de tacto, entusiasmo, memoria y orgullo.
Muy grandes: personalidad muy fuerte y rígida.
Pequeñas: cobardía o timidez. Si bien diferenciada, ofrece cortesía.
Muy pequeñas: temperamento introvertido y estrecho de miras.
Pegadas al rostro: no se quiere escuchar. Sumisión.
Despegadas: persona algo violenta. Independencia.
Muy despegadas y rojas: instintos sanguinarios. Agresividad.
Mal formadas: desequilibrio. Carencia de ideas.
En punta: espíritu crítico y astucia. Vitalidad. Ambición.
Cuadradas: vigor y crítica.
Altas: persona terrenal. Mediocridad. **Bajas:** inteligencia.
Pegadas por el lóbulo: apego a lo material.
Pegadas por el hélix: apego a lo mental.
Lóbulo pequeño: poca salud. **Carnoso:** vigor, longevidad y sexo.
Delgadas y planas: Frialdad emocional.
Carnosas y redondas: temperamento linfático.
Rojas: temperamento sanguíneo.
Amarillentas: temperamento bilioso.
Pálidas: temperamento nervioso.

CAPÍTULO 8
MEDIDAS Y EQUILIBRIO EN EL ROSTRO

A continuación explicaré como saber si una nariz es grande o pequeña, y si el tamaño de la oreja es adecuado o excesivo. Estas medidas han sido estudiadas, no por los cánones de belleza actual, lejos de la realidad de un equilibrio psicológico, sino constituidas por la estabilidad, armonía y mesura morfopsicológica del rostro.

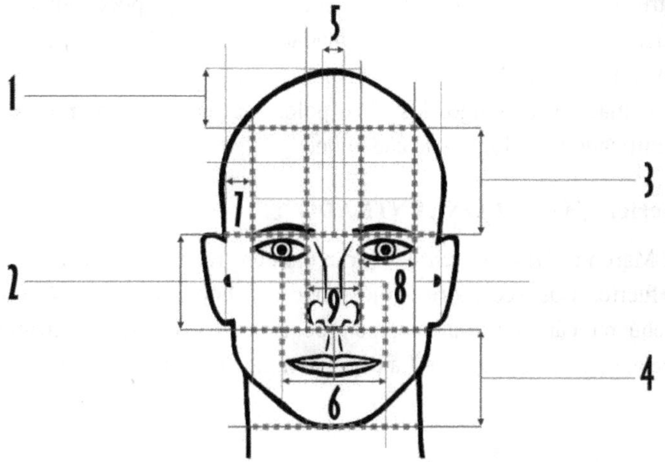

Número 1: Zona *sincipital.* Es donde termina el cabello de la frente.
Números 2, 3 y 4: Zonas del rostro: se considera equilibrio si son iguales en altura, determinando una nariz corta, cuando la alzada de la zona media sea inferior a las otras 2. La oreja mide la longitud total de la nariz o la zona emocional (raíz del tabique hasta la punta), siendo grande si mide más, o pequeña si no llega.
Número 5: anchura del tabique nasal. 1/3 de la anchura de la nariz.
Número 6: anchura de la boca. Debe llegar hasta la mitad del iris, considerándose grande si supera este, o pequeña si no llega.
Número 7: la sien o temporal. Es la mitad de la anchura de un ojo.
Números 8 y 9: el espacio entre ojos debe ser de otro ojo. La nariz debe medir lo mismo que ese espacio (1-1-1), si mide más será grande

y menos será una nariz pequeña (siempre que el espacio entre ojos sea correcto (otro ojo).

RELACIÓN ENTRE LOS RECEPTORES Y EL MARCO

Tendremos que buscar siempre un equilibrio entre los receptores sensoriales y el tamaño del Marco, ya puede haber excesivo desgaste con el exterior, mientras la energía disponible es débil (Marco estrecho), o contrariamente puede haber muy poco intercambio externo por los receptores extremadamente pequeños o protegidos, y sin embargo el Marco muy ancho (gran energía y resistencia). A continuación expongo los dos polos opuestos o contrarios y el significado psicológico de cada uno.

Morfología del "CONCENTRADO":

El Marco o *"la gran visage"* (gran cara en francés) es dilatado, ancho y fuerte. Los receptores (ojos, nariz y boca) o *"le petit visage"* (pequeña cara en francés), son pequeños, protegidos y dispuestos hacia el centro del rostro. La expresión digamos que es "cerrada".

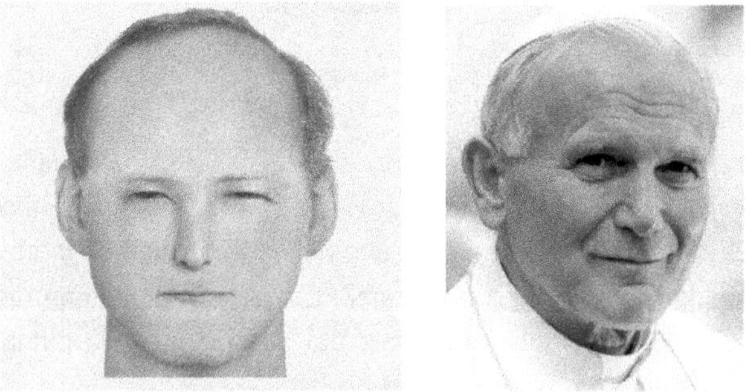

El Concentrado (Marco ancho y Receptores pequeños).

Psicología:

La energía disponible es abundante y el intercambio con el entorno pobre, con lo cual es mínimo su desgaste físico y mental.

Suelen acabar el día llenos de energía.
Concentran sus esfuerzos en la tarea que están realizando. Son estables, poco influenciables y cerrados. A menudo suelen parecer egoístas sin llegar a serlo posiblemente, ya que su sentido de la administración es grande. Son poco conversadores a nivel general.
Su instinto de conservación es enorme y su longevidad muy larga. Le gusta generalmente estar quietos, con poca agilidad.

Morfología del "DISPERSO REACCIONANTE":

El Marco o *"le gran visage"* (gran cara en francés) es estrecho y pequeño. Los receptores (ojos, nariz y boca) o *"le petit visage"* (pequeña cara en francés), son muy grandes, dilatados y/o abiertos hacia el exterior. La gesticulación es muy "viva".

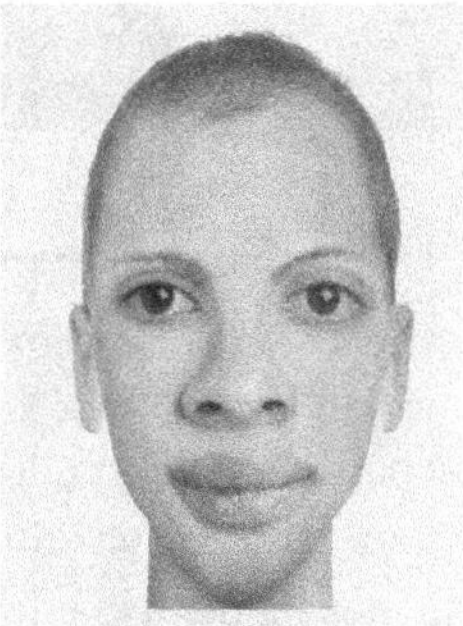

El Disperso reaccionante (Marco estrecho y Receptores grandes).

Psicología:

La energía disponible es muy pobre, pero sin embargo enorme el intercambio con el entorno, por tanto su desgaste es grande o extremo en algunos casos debido a la involucración externa excesiva.
Al terminar el día suelen estar exhaustos o muy agotados.
Son seres abiertos, curiosos y algo inestables, precisamente por la variedad tan grande que ofrecen en cuanto a gustos y preferencias. Suelen ser distraídos, atraídos por todo su entorno. Los conceptos los asimilan rápidamente o no los entienden nunca jamás.

Les agrada gustar a los demás y tienen facilidad para hablar, con mucho sentido del humor. Se encariñan rápidamente con todo y son muy influenciables, sin saber decir nunca que no. Son personas que se hacen querer rápidamente. Su instinto de conservación es mínimo y su longevidad desgraciadamente suele ser corta.
Les gusta el movimiento y poseen buena velocidad y agilidad.

ZONA DOMINANTE Y ZONA EXPANSIVA

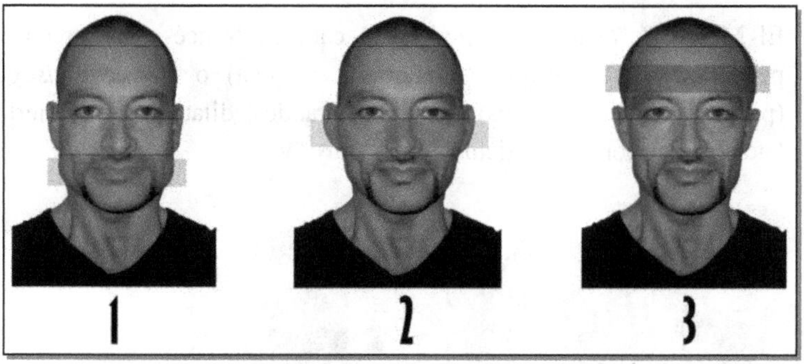

**Zona expansiva: 1-La materia, 2-Los sentimientos, 3- La mente.*

Si dividimos las tres zonas del rostro en partes iguales, podremos decir que la zona "Expansiva" será la más grande en dimensiones, generalmente en anchura, y por tanto nos hablará de necesidad o demanda de la zona. Esta es donde el individuo se encontrará más cómodo. La zona "Dominante" sin ser tan grande, será la mejor equilibrada o compensada, diferencia o tónica, y la que realmente gobernará a las restantes.

¿Cómo podemos diferenciar la zona dominante de la expansiva?

La zona Expansiva:

Será necesariamente el piso de más envergadura, evaluando la media entre altura, anchura y profundidad.

Esta zona expansiva podrá ser tónica (activa), con lo cual uno será más consciente de lo que necesita, con capacidad de selección, regulándose a consciencia, o podrá ser de expansión átona (pasiva), que se limitará a abastecer la demanda, sin ser partícipe ni tener consciencia (libre albedrío), con poca o nula actividad o selección.

***Zona Instintiva expansiva.**

Por ejemplo, una zona o piso inferior expansivo átono, nos hablará de mucha demanda física (comida, materia, sexo) contentándose con cualquier cosa, sin embargo si la misma zona inferior expansiva es tónica, nos indicará que existe una distinción o preferencia en la elección y el gusto, con más actividad y calidad en lo físico.

***Zona emocional Dominante.**

La zona Dominante: aunque sea más pequeña en envergadura, esta zona será la más rica por la diferenciación de sus zonas, tonicidad y RF (Retracción Frontal). En todo su conjunto existirá equilibrio y mucho control, con buena capacidad de discernir. Supongamos que la zona más diferenciada y rica es la superior o cerebral y la expansiva la zona baja o reptil ¿Qué sucedería? Indiscutiblemente, la zona baja "R" se pondría al servicio de la mente. Si contrariamente, la zona expansiva fuese la cerebral y la instintiva la dominante, la mente se pondría al servicio de los instintos, buscando la forma de abastecer los mismos a toda costa.

A continuación ilustramos con una foto, la diferencia entre *"Dominancia y Expansión"* para un mejor entendimiento visual.

En la foto de la página siguiente, observamos la Zona Expansiva en su parte baja del rostro o cerebro reptil, donde existe necesidad de realidades concretas, así como capacidad de aportar estabilidad y exigencia en el plano físico, en este caso con buen sentido de la administración y el gusto, por la buena diferenciación, boca tónica bien cerrada de tamaño normal y la presencia de RF (secundario). Sin embargo, la zona que realmente gobernará en él, es el piso superior o cerebral, más rico por su buena diferenciación, tonicidad global (toma de consciencia o "Yo" bien integrado) y equilibrio entre RL+RF. En su caso la zona media o emocional pasaría a un segundo plano, ya que aun siendo aceptable en cuanto a tonicidad, sería demasiado corta en altura (poca paciencia) y algo abollada o "pasional", por lo cual no podría llegar a presidir o llevar el timón. Con este ejemplo espero haber podido aclarar la diferencia entre la Zona Dominante y la Zona Expansiva, que tan importantes e imprescindibles son a considerar en una evaluación morfopsicológica.

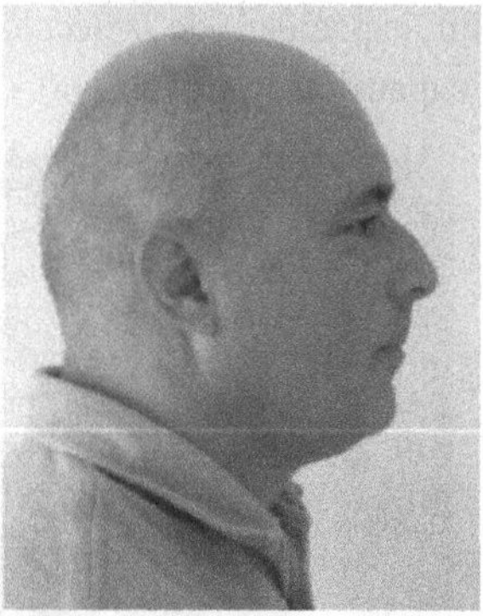

Zona Dominante superior y Expansiva inferior o reptil.

DOBLES EXPANSIONES
(Cerebral-Afectiva, Afectivo-Instintiva, Cerebral-Instintiva)

Por norma general, casi la totalidad de personas, poseemos dos zonas en expansión, y la tercera en retracción. Eso supone un campo de acción más amplio, o un "doble triunfo". La parte más retractada, se pondrá al servicio de las otras dos, y estará a la retaguardia, susceptible e irritable, porque tendrá necesidades angustiosas, y por tanto, donde será más vulnerable el individuo. Habrá que sintetizar minuciosamente las 3 zonas, para comprobar la tonicidad, marco, dilatación, modelado, tamaño, receptores... y determinar de modo objetivo, si existe buena compenetración entre las zonas, o por el contrario, inarmonía que terminará desestabilizando "el todo", por incompatibilidad de los pisos entre si.

CEREBRAL-INSTINTIVA (zona emocional retraída) "Forma de guitarra"

Morfología:

Si miramos la cara de frente, vemos que la zona Emocional está más estrecha o retractada, los pómulos van hacia dentro, es como si la hubiésemos aplastado en el medio del rostro, dejando así la Zona Cerebral e Instintiva más dilatadas. Visto de frente, recuerda la caja de una guitarra española o un reloj de arena. La mandíbula en estas personas es ancha (instintos). Si la zona, además de estrecha, es corta en altura, la nariz será pequeña.

Psicología:

Suele ser el hermano mayor de la familia. Inconscientemente, sus padres, al nacer el nuevo bebé, dejan de prestarle atención y mimos, que dan al miembro recién llegado. Debido a celos y faltas emocionales, en el primogénito se va desarrollando una carencia relacional y afectiva, plasmándose en la falta del desarrollo de anchura, a nivel de pómulos. En algunos casos pueden desarrollar *"Síndrome de Caín"*. Son personas con una mayor independencia, poco detallistas, y su comportamiento es destinado en aras del pensamiento y sus instintos primarios, para satisfacer básicamente su alimentación, dinero y sexo.

Expansión "cerebro-instintiva".

Separan perfectamente los sentimientos del deber, por ello suelen ocupar altos lugares de empresa y saben conseguir mucho dinero. Consiguen su puesto más por inteligencia que por habilidad, ya que su palabra está falta de corazón o impulso emocional-pasional. Si su marco es muy dilatado o la zona emocional muy retractada, su goce instintivo será terrible, llegando a ser inhumano y sin escrúpulos. Si la nariz es átona, podemos encontrar *Alexitímicos* (falta de expresión emocional), o psicópatas, si poseen labios finos, ojos átonos y frente no diferenciada. Si el receptor emocional es corto y pequeño, tendrán poca paciencia con los demás. Nunca hablan de las necesidades de los otros ni quieren saber nada. Para ellos "*el fin justifica los medios*". Se pueden llegar a emocionar hasta el punto del llanto, pero a los 5 minutos están riendo de nuevo, ya que existe inhibición emocional en ellos y desconectan rápido. No suelen ser violentos ni peleones, ya que esos impulsos, se manifiestan en los pómulos anchos, que son los que imponen su voluntad. Suelen ocupar puestos importantes y que no sea necesario tener mucho escrúpulo para "echar" a personas que ya no son útiles, o desahuciar a alguien que no tenga dinero o recursos, sin compasión alguna y de forma contundente. Se suelen encontrar como directores de banco o jefes de personal en grandes empresas comerciales. Los psicópatas suelen ser *alexitímicos* (incapacidad de expresar sentimientos), no pueden ponerse en el interior del que sufre, y tampoco sentir remordimientos. Por eso interactúan con las demás personas como si fuesen cualquier otro objeto, las utilizan para conseguir sus objetivos, la satisfacción de sus propios intereses. No necesariamente tienen que causar algún mal. La falta de remordimientos radica en la "*cosificación*" (atribuir cualidades de objeto a un ser vivo) que hace el psicópata del otro, es decir que el quitarle al otro los atributos de persona para valorarlo como cosa, es uno de los pilares de la estructura psicopática.

Los psicópatas tienden a crear códigos propios de comportamiento, por lo cual sólo sienten culpa al infringir sus propios reglamentos y no los códigos comunes. Sin embargo, estas personas sí tienen nociones sobre la mayoría de los usos sociales, por lo que su comportamiento es adaptativo y pasa inadvertido para la mayoría de las personas.

EMOCIONAL-INSTINTIVA (zona cerebral retraída) "Forma de cuña o trapezoide"

Morfología:

En estos casos, la parte más estrecha es la zona superior, que suele ponerse al servicio de los sentimientos (zona media) y de la materia o realidad palpable (zona baja). De frente, nos recuerda la forma visual de una cuña. Visto de perfil, en algunos casos, da lugar a un rostro *"en hocico"* (frente vertical, con la nariz y el mentón hacia fuera). Generalmente, no suele ser el rostro de grandes genialidades, pero si la frente está bien diferenciada, es armoniosa, y posee ojos tónicos, se podrán contrarrestar estos efectos.

Psicología:

Al haber más desarrollo en las zonas media y baja, puede existir dificultad para canalizar o expresar correctamente las ideas. La inteligencia de estas personas, tiene vínculo directo con las emociones y realidades concretas (materia y trabajo). Si el rostro es "en hocico", sus partes bajas están pidiendo a gritos que "desean" afecto y placeres (proyectadas o RL), cuando la zona superior dice "No" (verticalidad o RF), en estos casos, la persona puede sufrir Neurosis, y de entregarse a sus impulsos, sentiría inmediatamente un gran sentido de culpabilidad. Sin embargo, si la frente es inclinada (RL), el individuo obedece impulsivamente y sin freno, sus grandes deseos físicos y pasiones, sin remordimiento posterior de la conciencia. Si además, el cuello es corto, ancho y el lóbulo de la oreja grueso, el ser será extremadamente sexual.

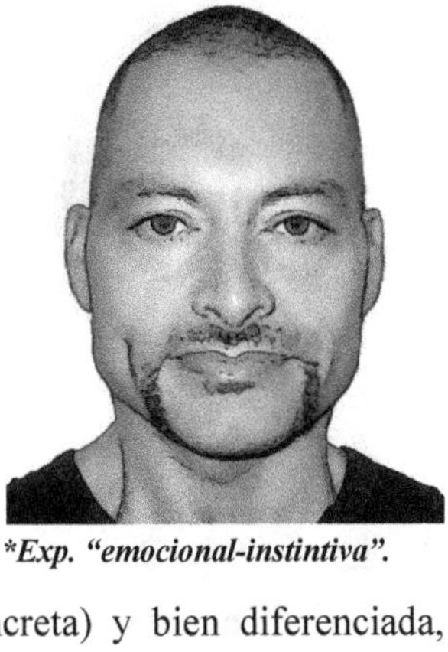

**Exp. "emocional-instintiva".*

Si además, el cuello es corto y ancho, y el lóbulo de la oreja grueso, la persona será extremadamente sexual. Cuando vemos una frente pequeña (concreta) y bien diferenciada, podrá ser creador de instrumentos con mecanismos sencillos, pero muy prácticos para la vida cotidiana.

En general, suelen ser individuos con mucha voluntad, que aportan mucha seguridad a su entorno, son *"de la tierra"*, estables, tercos, prácticos, decididos, valientes, apegados a lo físico y palpable. Muy aptos para las manualidades. Son poco creyentes y/o espirituales, de no ser, que desde pequeños hayan recibido tal educación, la cual no olvidarán nunca más.

CEREBRO-EMOCIONAL (zona instintiva retraída)
"Forma de bombilla"

Morfología:

En esta tipología, ante todo prevalece la razón y la afectividad, por encima de la materia. La parte más ancha es la alta y la media (Cerebral y Afectiva), y la más estrecha la baja (Instintiva). La razón y los sentimientos se alían, dando la apariencia de una bombilla, si observamos el rostro de frente.

Psicología:

Como la zona baja, es estrecha (instintiva), en principio reduce las realizaciones de la persona, o incluso las anula, si es retraída extrema, transformando al ser en teoría pura, sin llevar nada a la práctica. Si el cuello es fino, aportará además, agilidad, sobre todo para la danza. Son personas que han sublimado sus instintos, por espiritualidad y con sentimiento. Su corazón está muy por encima de las pertenencias o los bienes materiales.

**Exp. "cerebro-emocional".*

Si predomina la zona Emocional y es tónica, con pómulos altos, y la mandíbula no está muy retractada, estaremos delante de una persona, con grandes valores humanos. Si la Zona Inferior, sin ser excesivamente estrecha, es la más corta en altura, será igualmente signo de sublimación, que aportará además, un grado de energía a la persona. No tienen apego al lujo ni al dinero, son felices con cosas sencillas, y sobre todo, ayudando a los demás.

CAPÍTULO 9
LOS ICONOS DE LA MORFOPSICOLOGÍA

Por practicidad, he confeccionado un proyecto sobre iconos de Morfopsicología. La misión de estos será facilitar el entendimiento, rapidez y practicidad, para las descripciones puntuales o análisis morfológicos en su interpretación facial. En los momentos de avance constante que estamos experimentando del S.XXI, he considerado oportuno confeccionar estos sencillos pero prácticos iconos morfopsicológicos, esperando nos ayuden a la comprensión y rapidez en el terreno físico o morfológico, del maravilloso mundo de la psicología aplicada a la forma física o concreta:

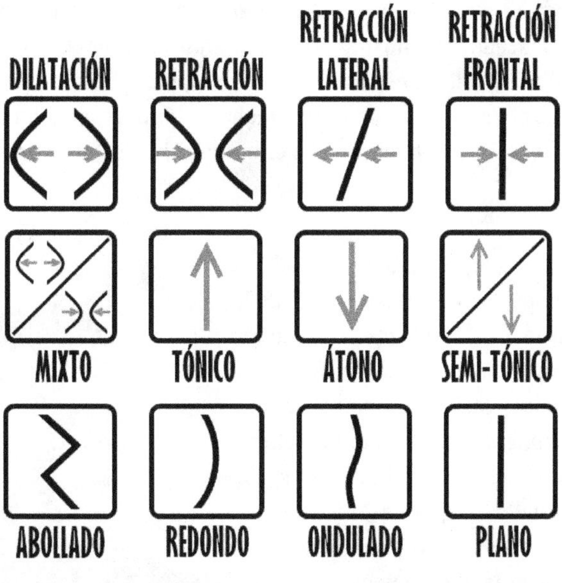

**Iconos morfopsicológicos. Ayudan a ganar comprensión, tiempo y precisión.*

TIPOS BÁSICOS, DINÁMICA Y FUSIONES

Tomando como referencia tipos básicos, en los cuales cabe decir que deberíamos considerar entre otros: tono, receptores y armonía, vamos en todo caso a centrarnos en el pilar morfológico y psicológico esencial del rostro, para no extender demasiado el tema, ya que las combinaciones podrían ser infinitas. Encaminemos este estudio en el fundamento de fusiones tipo jalón: Dilatación/Retracción, RF/RL, y en todo caso para terminar de matizar, el Modelado. Espero sea de vuestro agrado y de utilidad en vuestra vida cotidiana.

DILATADO / RETRAÍDO LATERAL / ABOLLADO:

Físicamente:

El armazón o Marco del rostro es ancho, sólido y huesudo, con muchos entrantes y salientes. De color algo pálido, por riego sanguíneo interiorizado. Los receptores se encuentran resguardados. Su perfil está inclinado en *"Prognatismo"* o como mínimo con la frente ladeada y mostrando una gran diferenciación; potentes superciliares, línea de paro bastante hundida y sienes generalmente ahuecadas. Habitualmente posee ancha y definida mandíbula, con los dientes incisivos de puntas hacia el interior. Rostro de expresión tensa.

Psicológicamente:

Cohabitan 2 leyes antagónicas (dilatación y retracción) y existe una gran tirantez. Es un rostro "cerrado"; extremista, innovador, tozudo, reservado, circunspecto y fanático. Tendencia a la introversión. Persona de acción, con voz potente de mando y palabras breves, objetivas y de poco detalle. Capta la información selectivamente pero con tendencia laberíntica, dándole muchas vueltas a sus ideas. Pensamiento más de números que de letras. Individuo muy masculino y de gran resistencia al entorno. Su instinto de conservación es bueno y la función de Jung sería "sentimiento", de libido retardada y explosiva. Su tipo planetario es "Marte" el guerrero.

Suele acumular tensión y rompe en *"cólera blanco"* estallando fuertemente de golpe. Su paciencia es poca mostrándose intransigente. La generosidad es limitada. Habitualmente libera su estrés en el plano físico con ejercicio o violencia. Su grado de fidelidad y sensibilidad es elevado, pero en cuando se pierden sus lazos o amistad es para siempre, ya que " aman u odian". No suele caer muy bien por su presuntuosidad. Tiene arreglos casi para todo, pero suele ser algo "chapucillas" debido a su carácter apresurado e impaciente. Prefiere trabajar en movimiento a estar parado.
Le gusta hacer las cosas a su manera y la administración enérgica y económica es buena. Sirven como profesores deportivos de pequeños grupos o trabajos más bien solitarios. Su longevidad es aceptable por su hipersensibilidad y resistencia innata, pero no excesivamente elevada por la presión diaria a la que se somete, pudiendo padecer enfermedades coronarias.

DILATADO / RETRAÍDO LATERAL / REDONDO:

Físicamente:

Armazón o Marco de formas abalonadas o redondas. De color rojo o sonrosado por fluidez de sangre próxima a la piel. Los receptores están "abiertos" o desprotegidos. El perfil está en *"Prognatismo"* o inclinado. Su frente es abombada "del niño" y ladeada, muy poco diferenciada y de sienes abombadas o salientes. Tendencia al acolchado de zona mandibular o papada. Debido a la gran expansión del rostro, tendencia a tener los dientes separados entre sí. Rostro de expresión vivaz.

Psicológicamente:

Pertenece a la ley de la dilatación en todo su esplendor, con extraordinaria adaptación al entorno. Es un rostro "abierto" y por tanto un individuo adaptable, creador, flexible, alegre y dócil. Es extrovertido y con potencia de voz o tendencia a los gritos. Contrariamente al dilatado abollado, no es selectivo ni le da muchas vueltas a las cosas, ya que para él " si algo tiene solución no hay que

preocuparse, y si no la tiene pues tampoco". Las formas curvas de su Marco son un elemento femenino, aportándole intuición y creatividad. Son hiposensibles y su instinto de conservación es algo precario. En la función de Jung sería "sensación", con libido explosiva y precoz. Su tipo planetario sería "luna".
Es de "cólera rojo" y no suele acumular tensión, aquejándose en el preciso instante cuando algo no es de su agrado. Son pacientes y generosos, dando todo lo que tienen. No acumulan estrés ni tensión ya que se descargan constantemente. Su lealtad en pareja o social es buena, ya que existe un gran conformismo general. Cuando se enfadan, se puede recuperar su amistad con cierta facilidad si se les pide perdón de corazón, entonces olvidan sin más lo sucedido. Un ser que cae bien a todo el mundo por su alegría y positividad. Allá donde va siempre hay felicidad y risas. Prefiere el movimiento a estar quieto. Puede tender al gasto por su generosidad y falta de control en la administración. Sus reservas de energía son buenas, pero mayormente mal suministradas. Sirven como comerciales de cosas grandes, o también de relaciones públicas. Su longevidad suele ser corta, por falta de instinto de conservación, acudiendo al médico cuando ya la enfermedad está muy desarrollada.

RETRAÍDO / RETRAÍDO FRONTAL / PLANO:

Físicamente:

El Marco se presenta alargado y estrecho, de contornos rectos como tirados con regla. Su color es algo blanquecino, pero se puede volver rojo rápidamente en momentos de tensión. Posee los receptores semi protegidos. Es un rostro en *"Ortognatismo"*, mostrando su frente muy vertical y lisa. La mandíbula no es muy ancha y está difuminada, con tendencia al acolchado o papada. Los dientes son pequeños y muy unidos.

Psicológicamente:

La voz es floja y de tonalidad irritable. Conservador, fiel, insociable, poco influenciable, prudente e irritable. Es un rostro con tendencia a "cerrarse" y está siempre a la defensiva, extremadamente sensible, manifestándose generalmente rígido y firme. Su actividad es normal, pero con intransigencia, perspicacia y selección. Capta la información que le interesa, boicoteando lo que no es de su agrado. Es crítico y testarudo, pero piensa mucho antes de hablar o llevar a cabo sus ideas. Es más de letras que de números. Individuo masculino pero de constitución débil, aunque con buen sentido de conservación; mirando la carretera en ambos lados antes de cruzar. La función de Jung sería "pensamiento-sentimiento", de libido progresiva e intensa. Su tipología planetaria es "Mercurio", muy espiritual pero algo frío y calculador. Conservador, leal e introvertido, no le importa lo que piensen los demás de él, pero puede explotar en agresividad o "bilis amarilla" cuando se le contradice o acumula tensión. En el terreno sentimental es noble y fiel, de relaciones largas, pero algo tajante o frívolo en el trato. No es muy social, pero cuando busca una meta, momentáneamente puede mostrarse muy simpático. Una vez han conseguido su objetivo, existe la posibilidad de tornarse algo perezoso. Buena administración de sus bienes. Prefiere trabajar en un lugar estático que andar moviéndose. Apto para trabajar en despachos o trabajos intelectuales, y si además puede estar solo, mejor que mejor.

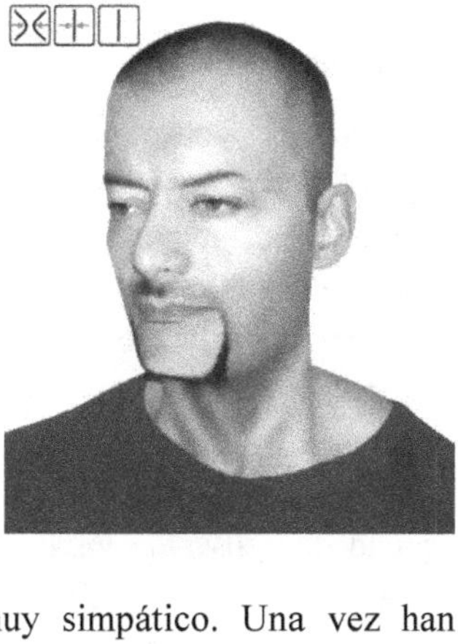

Aunque inicialmente su resistencia al entorno es algo floja, su naturaleza de protección es elevada e hiper sensible, otorgándole una buena longevidad ya que suele ser hipocondríaco y al mínimo síntoma acude al médico. Su longevidad puede ser muy alta. Suele padecer enfermedades nerviosas y también metabólicas como "la gota".

RETRAÍDO / RETRAÍDO FRONTAL / ONDULADO:

Físicamente:

Marco o perímetro del rostro estrecho y de receptores semi resguardados pero abiertos. Es una fisonomía en *"Ortognatismo"* o perpendicular al llano, de frente vertical y diferenciada; zona imaginaria, línea de paro, superciliar y sienes aplanadas. Modelado ondulado, armonioso y estético. Mandíbula bien diferenciada. Pigmentación equilibrada de la piel con buen color. Dientes bien dispuestos de tamaño medio.

Psicológicamente:

La voz es generalmente dulce y agradable de escuchar. Es una cara "abierta" al mundo; es tranquilo, muy adaptable, reflexivo, atento, equilibrado, afectuoso y selectivo. Es una persona muy prudente y cautelosa, que piensa antes de actuar, adaptándose al entorno y modo de pensar de los demás. Cae bien a todo el mundo. Abierto al exterior, capta la información selectivamente. Es más de letras que de números. Es un individuo de mucha personalidad y sus ideas son propias. La resistencia al medio es buena. En la función de Jung es "pensamiento, emoción y sensación equilibrados (3)" con libido controlada y progresiva. La tipología planetaria sería "Mercurio-Venus", mostrándose afectuoso con personas y animales, así como respetando y admirando al mundo vegetal.

Socialmente es leal, buen amigo y sociable. Sabrá cuando y donde puede abrirse o cerrarse según requiera la situación. En pareja es selectivo, fiel, cariñoso y estable. Cuando trabaja en grupo no causa problemas, interactuando con todos del mismo modo.
Sabe administrar sus bienes y compartirlos sin problema, ya que ante todo es un ser espiritual. Tiene un paladar refinado y sabe perfectamente lo que le gusta en el terreno físico; comida, ropa, decoración... aunque si le regalan algo fuera de su agrado, lo aceptará muy agradecido de igual modo, recordando el detalle generoso para los restos.
Tiene un buen instinto de conservación, sensible y tranquilo, por lo que su longevidad es grande. Goza de buena salud y no suele padecer enfermedades severas, más que las comunes como algún resfriado, afonía, tos... sin más efecto secundario que el reposo natural.

CAPÍTULO 10

OTROS DETALLES IMPORTANTES DEL ROSTRO

En este capítulo explicaré detalles de varios puntos, que de otro modo hubieran podido dispersar al lector con demasiada información momentánea.

FRENTE Y PERFIL ¿QUÉ REPRESENTAN?

Generalmente, la cara y el perfil no presentan grandes diferencias, pero también existen individuos que ofrecen contrastes muy distintos.

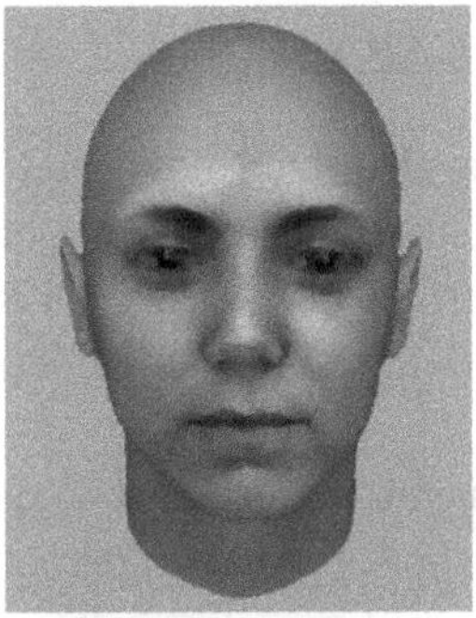

***cara social (frente)**

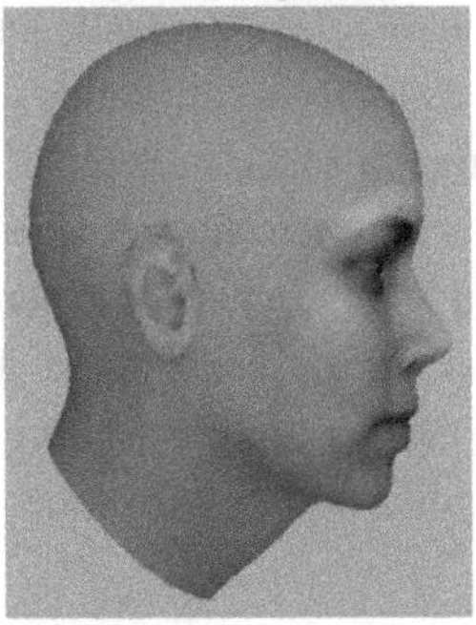

***cara íntima (perfil).**

Psicológicamente indica que la persona se comportará distintamente en la sociedad que en su vida íntima, como un ángel y un demonio; puede ser muy simpática fuera de casa e insoportable dentro o viceversa. El perfil, a diferencia de la cara, permite ver el ángulo de inclinación y verticalidad de las zonas del rostro (RF y RL), así como la diferenciación, la RLN, la Croix de "*Polty et Gary*", y más detalles que la cara no ofrece. Podríamos decir que la cara es la "máscara" social consciente para relacionarnos con el entorno, con libertad de movimiento y facilidad de mimética, expresando lo que queremos transmitir, es receptiva y modificable. Por el contrario, el perfil es el inconsciente y no lo podemos controlar, con menor libertad de movimiento. Nuestra mirada, sonrisa, gestos, arrugas... se difuminan en el perfil y ya no tienen razón de ser, siendo complicada la expresión. Por tanto, el perfil será la "careta inconsciente", y hablará de tal y como somos nosotros, es emisiva e inamovible. Si una persona de cara es sociable o extrovertida, y en cambio de perfil más seria o reservada, significa que la persona necesita o quiere dar una impresión abierta a su entorno, cuando realmente es reservada. En cuanto al componente masculino y femenino, en un hombre se observa mejor de cara, mientras que en una mujer de perfil. El comportamiento con la sociedad se ve en la cara, y en el perfil la intimidad y medio de elección. Por norma general, en las personas la cara significa el exterior y el perfil el interior, pero con individuos muy retractados o de predominio introvertido, el significado de las caras se invierte, siendo el perfil el entorno social y la cara la intimidad.

HEMI FACIAS O HEMI CARAS

A simple vista, tanto los animales como los humanos parecen simétricos, pero si nos paramos a observar detalladamente, vemos que no es así. El tema que explicamos a continuación, va dirigido a los diestros, y habrá que considerar que en los zurdos significará justamente lo contrario.

El lado activo de las personas, normalmente el derecho y que tomaremos como referencia, es generalmente más pequeño o retraído, por consecuencia del mayor uso y tensión que le damos. En cambio, el lado izquierdo, se encuentra más destensado o relajado, dando una apariencia ligeramente más grande. Algunas asimetrías corporales son de importancia vital, como por ejemplo; el hígado está a la derecha, y el corazón a la izquierda, el apéndice a la derecha, etcétera. Rostro y mente, son producto de la dualidad genética que poseemos como seres vivos, afectando al comportamiento y actuación, de cada mitad del cuerpo y de la mente. Por ello que nuestro cerebro también posee 2 hemisferios, los cuales rigen y tienen funciones muy distintas y complementarias.

El hemisferio izquierdo:

Rige el lado derecho del rostro y del cuerpo. Es nuestro ser exterior, público y social. Es el lado emisor o activo, como podría también nombrarse "el hemisferio del habla", ya que es controlador de la misma, así como también de la escritura, el análisis y el cálculo. Es el hemisferio del padre, el futuro, el progreso, es materialista y vigilante. Actualiza las tendencias y es nuestro "Yo" social, el que "lleva la sartén por el mango". Transmite la emoción de forma especializada o controlada. Posee novedad cognitiva.

El hemisferio derecho:

Dirige y controla el rostro y cuerpo izquierdo. Es nuestro ser interior, íntimo y privado. Es el hemisferio vegetativo, pasivo o receptivo, responsable del pesimismo, depresiones, miedos, procesando la información de forma más general o abstracta. El hemisferio de la madre, del pasado, la infancia, de nuestro "Yo" interior. Es el inconsciente cognitivo *Freudiano,* angustioso y sentimental. Transmite las emociones de forma natural, tal y como las siente la persona. Trabaja con rutina cognitiva.

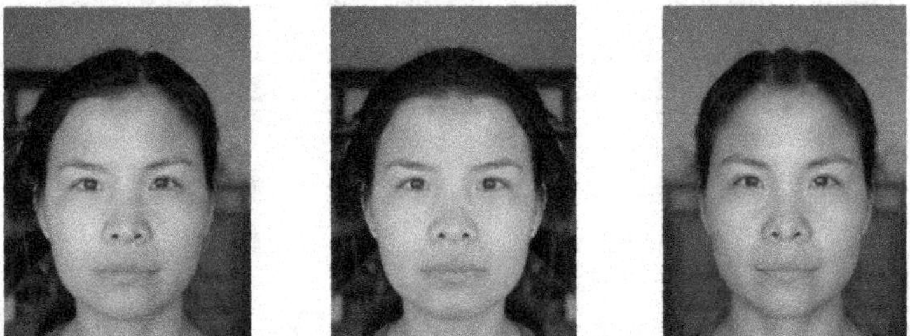

1 2 3

1-normal, 2-hemicara derecha, 3-hemi cara izquierda. La chica (diestra) tiene la parte derecha más ancha, lo que indica que ha superado los obstáculos de un posible pasado ligeramente más duro, consiguiendo sus fines o estabilidad.

Como he citado y generalmente, el lado corporal que no usamos, estará ligeramente más dilatado y grande. Como el rostro es mucho más complejo, es importante saber que la Dilatación-Retracción, podrá variar independientemente de si uno es diestro o zurdo. Por ejemplo, el lado izquierdo, puede presentarse más retractado en lugar de dilatado, por consecuencia de una infancia inhibida o pasado dificultoso, dejando esta marca de precariedad, de forma perenne en la cara. La zona que sufre más cambios a lo largo de la vida es la Emocional, pero también las otras dos están expuestas a la variación, pudiendo ser más tónicas en el pasado, y átonas en el futuro.

Reinhold Gerling obtuvo a través de espejos, la reproducción de un mismo lado, reflejando por duplicado la imagen. De este modo, se puede observar y sacar a la luz de forma más precisa, la dualidad interior de cada uno. Por ejemplo, si una nariz está inclinada hacia el lado izquierdo, la persona tendrá apego a su pasado (nariz hacia ese lado). Tendremos que ver si ese apego fue favorable (dilatación) u hostil (retracción). Si no existen asimetrías en el rostro, significa una falta de movilidad, y por tanto de estancamiento. Por ello las asimetrías son importantes y necesarias, aunque siempre en su justa medida. Más adelante hablaremos más detalladamente de ellas.

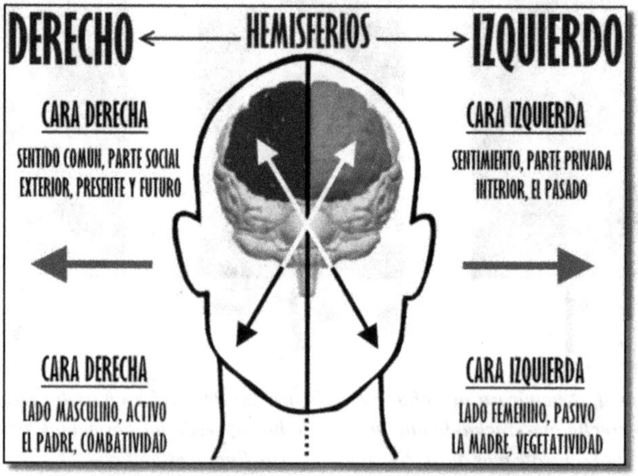

Los 2 hemisferios y caras: derecha e izquierda.

Existen asimetrías de tres tipos: Altura, Anchura y Profundidad.
De igual modo, se dividen en 3 grandes niveles:

Ligeras: dan "movimiento" y enriquecen. Generalmente están bien integradas y ofrecen creatividad a la persona.

Fuertes: pueden generar problemas o dificultad, si no integran en la personalidad del "Yo" por falta de RF (Retracción Frontal) de la Frente o zona superior y podrían dar lugar a una Bipolaridad.

Graves: siempre bloquean y dificultan. Es muestra que el individuo posee una gran dualidad o antagonismo interior, provocando patologías de gravedad y comportamientos impulsivos fuera de control.

Terminaremos por remarcar, que el estudio de las dos hemicaras es de gran utilidad para contrastar la evolución favorablemente o negativa, y para poder contrastar diferencias morfológicas en las zonas; como la tonicidad-atonía, dilatación-retracción, el Modelado o adaptación, y el Marco o energía vital.

COMPONENTE MASCULINO Y FEMENINO: "LA BISEXUALIDAD CREATIVA"

Independientemente de la diferencia de los sexos, en todos los seres vivos conviven ambas figuras, en mayor o menor proporción o grado. A las pocas semanas del feto materno, el embrión ya se decanta en exclusiva por uno de los sexos, el cual desarrollará y prevalecerá sobre el otro.

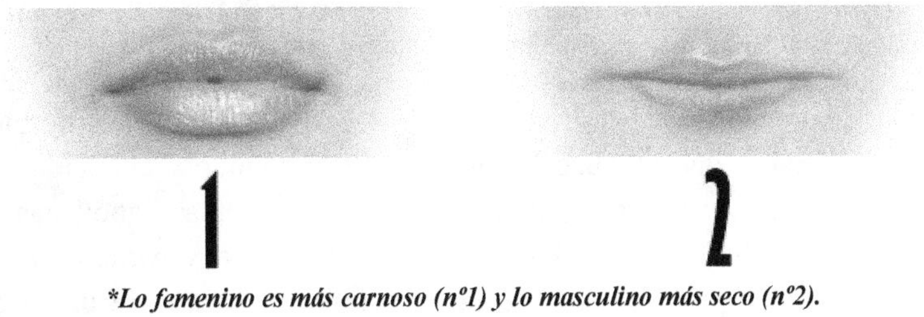

Lo femenino es más carnoso (nº1) y lo masculino más seco (nº2).

Cuando en el hombre vemos fuertes componentes femeninos, es signo de gran dualidad interior, y por tanto, riesgo de un desequilibrio

psicológico, que puede ocasionar tensión, angustia y dudas, si no se posee integración del "Yo" con RF superior (secundario), anchura de marco o tonicidad suficiente. Con un minucioso análisis morfopsicológico, podrán apreciarse exactamente hacia que polo tienden los elementos, para llevar a cabo un diagnóstico acertado. Aunque por regla general, es más fácil integrar la sexualidad masculina (lógica) que la femenina (intuición).
La genética y la epigenética jugarán también factores decisivos para determinar finalmente el componente masculino/femenino.
Todo lo redondeado o curvo es femenino o receptivo. La mujer es más intuitiva o *"cara bebe"* como nombraba *Perret (1994)*.

***La bisexualidad creativa: en la atractiva chica de la fotografía, podemos observar componentes del otro sexo, que en el caso le otorgan un extra de creatividad e imaginación, debido al buen todo global de su rostro y potente marco. Recordemos que todos los grandes genios han tenido fuerte componente del otro sexo en el rostro; de este modo se ha visto ampliado su campo analítico e intelectual.**

Desde tiempos ancestrales ha sido el sexo femenino y de formas redondeadas, que se quedaba preparando la comida y cuidando del hogar, en cambio el hombre de formas abruptas, abolladas y angulares, iba a por el alimento mediante la caza y participaba en batallas para proteger la a los suyos o la tribu. Cuando la unión de ambos elementos está al 50%, se desborda la creatividad y la imaginación, dando lugar a lo que el *Dr. Louis Corman* llamaba *"bisexualidad creadora"*. De esta bisexualidad han salido numerosos artistas y genios, como por ejemplo *Albert Einstein,* con abundante elemento femenino, *Salvador Dalí* o *Picasso,* con los ojos de mujer a flor de piel, *Madonna* con su Marco tónico y mandíbula angulosa masculina, o *Margaret Teacher* de receptores protegidos y fuerte osamenta angular.

ELEMENTOS MASCULINOS:

Fuerte tonicidad. Firmeza de los contornos, líneas rectas y ángulos. Receptores protegidos y poco carnosos. Predominio de los miembros. Fuertes huesos y músculos. Manos y pies grandes. Piel gruesa y cuantiosa pilosidad. Modelado abollado. Gestos rígidos y tirantes. Cuello fuerte y nuez de Adán.

Psicológicamente: representa la actividad, fuerza y autoridad. Teoría. Independencia, orgullo y control. Inflexibilidad y terquedad. Posesión, autoridad y lógica. Aporta capacidad de método y técnica.

ELEMENTOS FEMENINOS:

Débil tonicidad. Melosidad y suavidad de los contornos, curvos y redondeados. Receptores carnosos y a flor de piel. Predominio del cuerpo, huesos y músculos finos, con pies y manos pequeños. Poco pelo corporal, piel fina. Modelado redondo u ondulado. Gestos dóciles, cuello redondo sin nuez y collar de Venus.

Psicológicamente: representa la receptividad y apertura a cuanto todo lo que le rodea. Practicidad. Ternura, blandura y ductilidad. Dependencia del entorno. Necesidad de afecto. Miedo a la soledad. Elasticidad en el trato, intuición y dominio de las artes.

Elementos femeninos en el hombre:

Modelado de forma redonda u ondulada. Tonicidad débil (receptividad).

Zona cerebral: con la frente ancha, redondeada y poco diferenciada, dilatada y de sienes redondas. Sin Plano de Marte hundido o

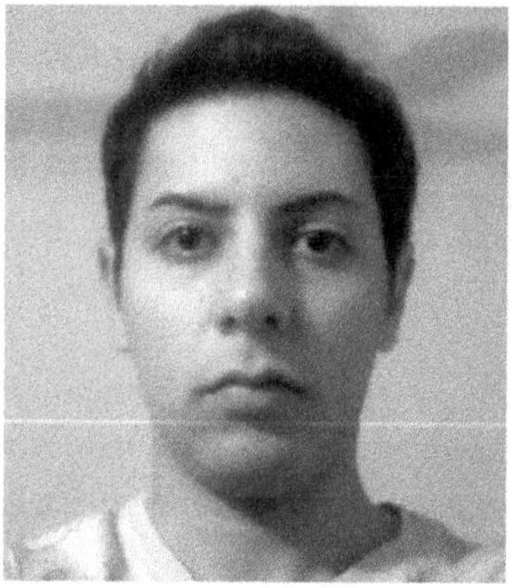

Elementos femeninos.

escotadura nasal. Ojos a flor de piel y *"a la Greuze"* o caída de párpados superiores, con poca tonicidad. Cejas distantes y arqueadas.

Zona emocional: abombada o redonda a nivel de mejillas, pómulos anchos, nariz algo átona, cóncava o pequeña.

Zona instintiva: labios destensados o entre abiertos. Falta de nuez de Adán y cuello fino. Collar de Venus. Mandíbula estrecha y redondeada. Mentón poco proyectado, en piñón o partido. En el chico de la foto podemos observar sus elementos femeninos; en la finura y carnosidad de sus receptores, ojos a flor de piel, pómulo ancho y *Collar de Venus* en el cuello.

Elementos masculinos en la mujer:

Modelado más consistente o abollado. Más retracción y tonicidad vigorosa (emisión).

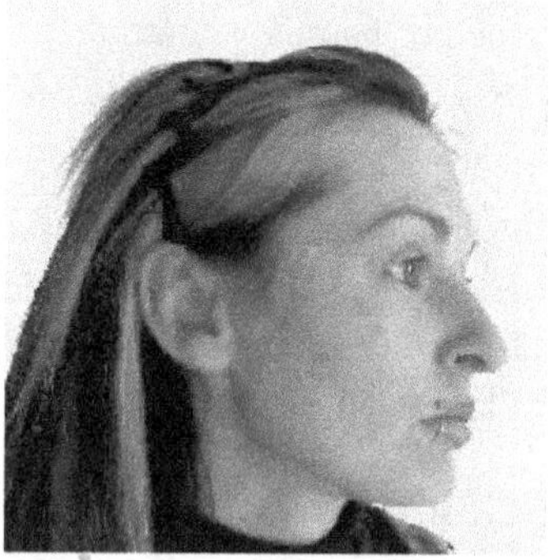

Elementos masculinos.

Zona cerebral: con escotadura nasal. Superciliares potentes y ojos pequeños o abrigados, con las cejas poco gruesas, horizontales y cercanas. Sienes planas o huecas y frente muy diferenciada.

Zona emocional: de Modelado abollado, mostrando los pómulos huesudos. Mejillas aplanadas y nariz grande o convexa, de poca carnosidad y orificios poco visibles.

Zona instintiva: de Mandíbula en escuadra de mentón proyectado. Labios finos y apretados. Cuello robusto y *nuez de Adán* presente. En la chica de la foto podemos observar sus elementos masculinos; en su Marco ososo, escotadura nasal o *Plano de Marte* con gollete, ojos abrigados y mandíbula angulosa.

LA CRUZ DE "POLTI ET GARY"

Es necesario observar que el perfil en las personas no tiene el mismo desarrollo. *Polti et Gary* eran dos fisionomistas de principios de siglo pasado, que crearon una cruz imaginaria partiendo del orificio de la oreja. Esta cruz separaría el consciente (zona delantera) del inconsciente (zona trasera).De este modo el rostro queda dividido en 4 partes. Los 2 segmentos delanteros nos hablarán de las aptitudes cerebrales e instintivas activas, mientras las traseras de las pasivas o receptivas de las mismas.

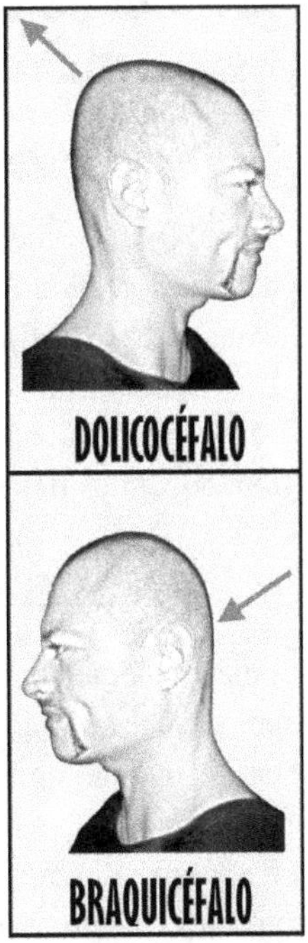

La proporción correcta o normal es de 2/3 hacia delante y de 1/3 hacia atrás, aunque en el niño las dos zonas son iguales, lo que les da un pensamiento más receptivo que activo a esa edad. Por eso es preciso que el niño estudie mucho, ya que la facilidad de absorción es mayor a la de un adulto (la zona delantera activa ocupa casi todo el perfil). Una persona con la zona trasera muy desarrollada (1,5/3), aunque no esté atento en clase ni estudie, aprobará incluso con buenas notas, ya que su cerebro pasivo lo capta y registra todo a modo involuntario. Si fuese al revés sería lo contrario, y debería estudiar más para obtener el mismo resultado (activo o de adulto). Cuantas veces nos hemos visto rodeados de niños jugando, aparentemente ausentes de nuestra conversación... y más tarde han sido capaces de repetir todo lo que hemos estado hablando! Eso es la memoria *PC* o *"del niño"* (parte trasera receptiva pasiva o involuntaria).

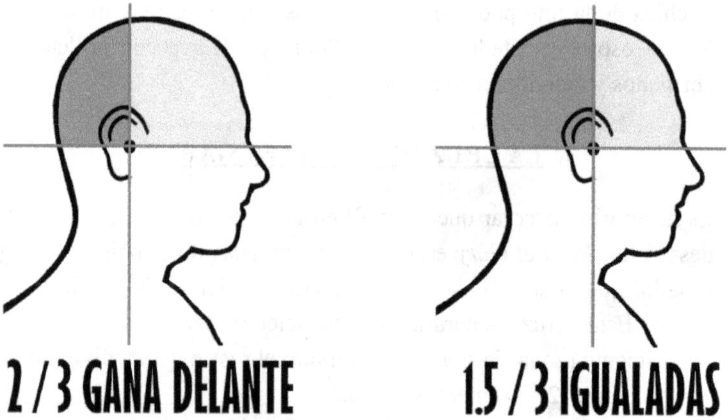

***En el niño podemos observar una zona trasera receptiva más grande 1.5/3 (fig. 2), por lo que deben estudiar al máximo aprovechando esta etapa que les ofrece la vida. En el adulto apreciamos generalmente 2/3 (fig. 1), siendo menos receptivo.**

También cabe mencionar que los antropólogos diferencian el cráneo del *Braquicéfalo* (cráneo poco profundo) del *Dolicocéfalo* (cráneo de extensión parietal), que se manifiestan por comportamientos distintos. Los Braquicéfalos son de mente más concreta, más realizadores y activos, pero también menos creativos e inventivos, sin embargo los Dolicocéfalos tienen más creatividad o genialidad.

LA RETRACCIÓN LATERO NASAL (RLN)

Independientemente de la Dilatación o Retracción, en la zona emocional de la gran mayoría de las personas, existe un movimiento en forma de aplastamiento en las mejillas, ubicado en el lateral inmediato de la nariz, bajo el párpado inferior.
Es como si hubiésemos aplastado la cara con una plancha, y pegado posteriormente la nariz encima. A esta característica la llamaremos RLN, y pertenece a la Retracción Frontal (RF). La RLN podrá ser *"Fecunda"* (zona Cerebral dilatada), *"Dinamizante"* (zona Instintiva dilatada) o *"Inhibidora"* si existe atonía en el rostro, sobre todo en la nariz.

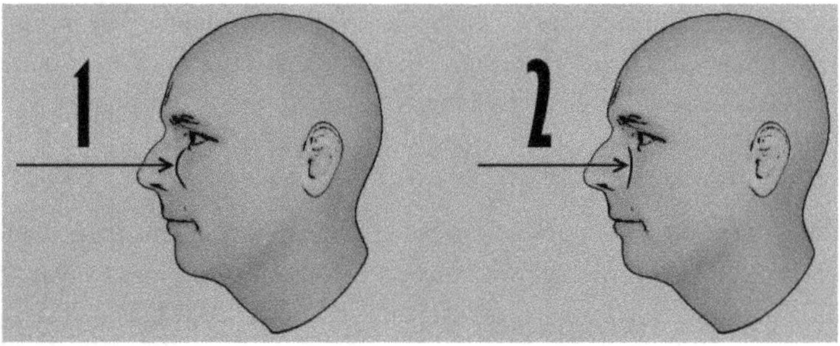

***RLN (Retracción Latero Nasal). La Retracción Latero Nasal hace que el sujeto acumule tensión explotando de golpe en cólera blanco (nº2). Si no se posee (nº1), la tensión generada es descargada rápidamente, en el momento del inciso (cólera rojo).**

Psicológicamente:

La RLN es un movimiento de interiorización, que expresa una viva sensibilidad, y protección de la vida afectiva y social. Por tanto, es una represión y contención de las emociones.
Puede ser generado por una carencia afectiva, o ser la respuesta de un sufrimiento.

***Aplanamiento lateral de mejillas (RLN).**

Si esta Retracción Latero Nasal-RLN es muy acusada, produce un fuerte bloqueo emocional y el individuo tenderá a la dificultad para experimentar los propios sentimientos, aportándole además algo de frivolidad.
Esto hace que se acumulen tensiones, que pueden salir a flote de forma explosiva a veces en el peor momento o menos oportuno. En tal caso deberíamos observar la zona Cerebral superior, para ver el control que posee la persona. Recordemos que en Morfopsicología, lo que da mejor dirección o gobierno es siempre la RF (verticalidad u ortognatismo) de la frente vista en su perfil.

La RLN, no obstante, es un elemento que aporta fidelidad, ya que es el nacimiento del "Yo". Este movimiento, se da más en adultos que en los jóvenes, ya que han pasado por más sufrimientos o “golpes”.

RLN Fecunda (cerebro):

Si en el sujeto la Zona Cerebral es la más grande, la tensión generada por la RLN, emigrará en aras del pensamiento, alimentando la imaginación, sueños y creatividad, según la riqueza de dicha zona.

RLN Dinamizante (instinto):

Si la zona más grande es la Instintiva, dicha tensión irá a transformarse en acciones concretas, ya sea mediante el ejercicio físico, limpiando la casa, comiendo o bebiendo de forma compulsiva, e incluso en algunos casos mediante la violencia.

RLN Inhibidora (neutra):

Cuando en el receptor superior (ojo) e inferior (boca) no exista tono, la RLN imposibilita la integración/canalización del estrés o tensión acumulada del sujeto. Si la atonía es del receptor emocional (nariz), existirá dificultad social y afectiva, refugiándose en el mundo de los sueños.
Si la frente es lisa, con mirada soñadora y mandíbula débil, estaremos delante de lo que el Dr. Corman llamaba *"Triada Esquizofrénica"*, generando la pérdida de la realidad, con riesgo de acabar creyendo los propios sueños de uno, o desarrollando una *neurosis asténica.*

Existen cuatro grados de RLN (Retracción Latero Nasal):

Además de la RLN Fecunda (mental), Dinámica (física) o Inhibidora (neutra), existen 4 variaciones interesantes de citar, con su pertinente explicación o comportamiento psicológico:

1 - Primer grado:

Se plasma en unos pómulos anchos, nariz abultada en RL y RLN abollada hacia el interior.

Es la estructura más habitual de todas. La RLN está incorporada en el armazón o hueso (Marco).

Psicológicamente:

Afectividad e inquietudes trascendentales, prevaleciendo lo mental sobre lo físico. Sentido marcado de la independencia y gran selectividad o exigencia. Es un caso de gran sensibilidad introvertida y tendencia a la intranquilidad, el nerviosismo y la minuciosidad.

2 - Segundo grado:

Físicamente se plasma en pómulos anchos pero no en exceso. La nariz puede ser carnosa (contactos físicos) o seca (frialdad). La RLN no es de Marco, sino carnal.

Psicológicamente:

Si la nariz es carnosa, no se manifestará la carencia propia, nutriéndose básicamente de contactos físicos como el palpar, besar o dar abrazos. Si la nariz es seca, existe la total exigencia de un "medio electivo", ya que los sentimientos son absolutamente íntimos e infranqueables, de otro modo se mostrará frío y distante, irascible y con posibles ataques de cólera, que podrán terminar rompiendo en llanto.

3 - Tercer grado:

La nariz es tipo infantil o "del niño" generalmente cóncava, mostrando los orificios y de tendencia redondeada. Los pómulos serán generalmente anchos.

Psicológicamente:

Existe una inmadurez emocional, enfocada mayormente a recibir más afecto que ofrecerlo, con tendencia al enfado si no se obtiene a atención exigida. Si los orificios son alargados existe una cierta madurez, pero si son redondos existe tendencia a la grosería.

4 - Cuarto grado:

Nariz en RL o proyectada, pero aplanada o chafada de frente, con aletas delgadas y ligeras pero átonas. Esta RLN suele ir acompañada de arrugas marcianas o *"pliegues nasogenianos"* (de la nariz a las comisuras de la boca), en señal de sufrimiento afectivo.

RLN de cuarto grado.

Psicológicamente:

La persona ha impedido dilatar o relajar su nariz, dificultando la respiración, lateralmente apretándola hacia si, para protegerse de los muchos impactos afectivos recibidos. Suelen ser personas con sentido del humor "negro" o de tendencia intelectual, ya que ellos mismos han experimentado los azotes de la vida, superándolos, y han sabido encauzarlos sacando el lado más humorístico.

EL FILTRUM O "POCIÓN DEL AMOR"

El surco naso-labial o *"poción del amor",* es una hendidura medial común en los mamíferos. En el ser humano, está formado por 2 líneas o nervios musculares, que se extiende desde la terminación de nariz, hasta el inicio del labio superior, junto con un *Rhinarium Glandular* y ventanas o aletas de la nariz. Para la mayoría de seres humanos y primates, el surco o espacio naso labial, sólo sobrevive como vestigio de una depresión medial, entre la nariz y el labio superior. Nuestro *Filtrum* humano, bordeado por crestas, también se le conoce por *"depresión infranasal"*.

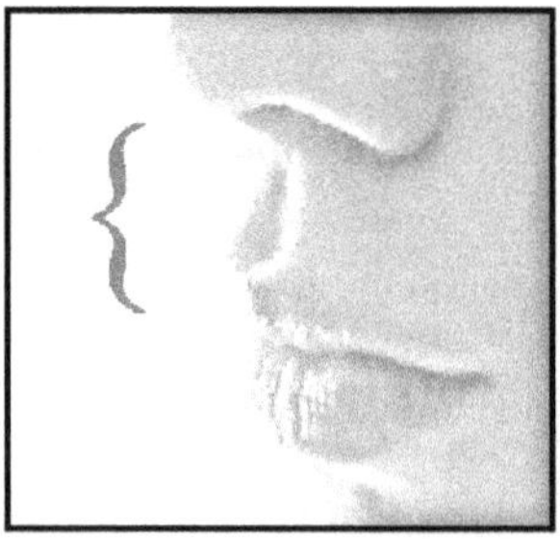

Filtrum o "poción del amor".

En los humanos, el surco naso-labial se forma en los procesos nasomedial y maxilar, durante el desarrollo embrionario. Cuando estos procesos no se forman correctamente *"labio leporino"*, el Filtrum no es visible, y puede dar lugar al *"Síndrome de alcoholismo fetal" o "Síndrome de Prader-Willi"*, que se da en casos de padres alcohólicos. El Filtrum ayuda a canalizar lo físico hacia lo mental. Existen 3 tipologías básicas de Filtrum; 1er, 2° y 3er Grado. Cabe puntualizar que si el Filtrum es corto, indicará más dependencia emocional que si es largo, que significará más independencia y control sobre lo físico.

PSICOLOGÍA:

1er Grado:

Su forma va de menor a mayor hacia abajo. Está considerado como el mejor, ya que ayuda a captar y canalizar selectivamente las experiencias de la Zona Instintiva, añadiendo más capacidad o riqueza, y por tanto un mayor descernimiento en lo físico; mejor gusto en la cocina, mejor control sobre su cuerpo, buena administración, así como también enriquece la objetividad concreta, otorgando distinguir lo bueno de la mediocridad. Ofrece más realismo y buen gusto en lo material.

2o Grado:

Las dos líneas están en paralelo. Es un grado medio que también permite una buena síntesis de lo físico, pero con algo menos de capacidad perceptora.

3er Grado:

Va de mayor a menor hacia abajo. Este tipo de Filtrum dificulta a la persona en ciertos aspectos y hace que pierda en alguna ocasión la realidad en las cosas materiales. También colabora en la falta de administración, volviendo a la persona algo "derrochadora", y aun más si la boca es muy ancha, mal cerrada, o con el labio superior ofrecido (RL).

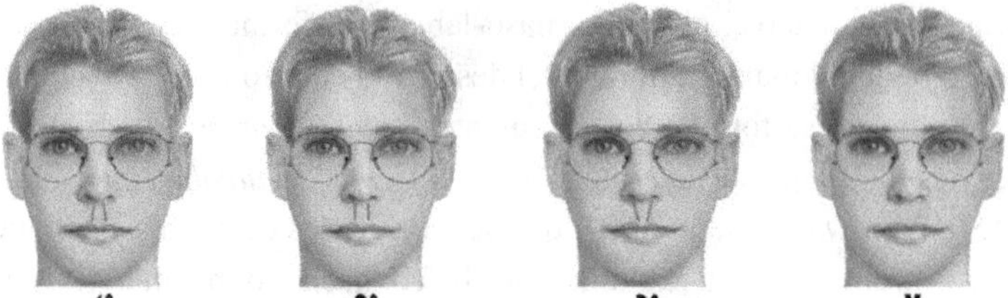

1º 2º 3º X

Las tres variantes o grados de Filtrum y su ausencia (4º dibujo).

Sin filtrum:

Como citamos anteriormente, cuando el Filtrum no es visible, puede dar lugar al *"Síndrome de alcoholismo fetal"* o *"Síndrome de Prader-Willi"*. El no poseer Filtrum, bloquea más a la persona que el 3er Grado, dificultando la verdad y síntesis de la realidad material o física. Recordemos que en Morfopsicología la diferenciación es lo que ofrece calidad y de no existir habrá más dificultad, con menor riqueza.

CÓMO INFLUYE LA ALTURA DE LOS PÓMULOS: CARÁCTER Y COMPORTAMIENTO

"El corazón tiene razones, que la razón desconoce" decía *Pascal*, y es que cada uno de nosotros, es como ha nacido y tiene el rostro, de difícil pero no por ello imposible modificación o mejora. Intentaremos una vez más "COMPRENDER Y NO JUZGAR", descifrando de forma segura y objetiva, la altura de los pómulos que hasta el momento era incógnita. El hueso clave de las emociones o Cerebro límbico, es el Maxilar superior, junto con los pómulos o el hueso CIGOMÁTICO, que abarca desde el perfil (orificio auditivo) hasta la parte delantera, pegado al Maxilar y formando parte de la cuenca del ojo inferior. Sabemos que la nariz es el receptor emocional. Puede haber infinidad de variantes, ya que como dijimos, una persona de pómulos anchos y pequeña nariz hablaría de narcisismo, mientras que si la nariz es grande de generosidad.

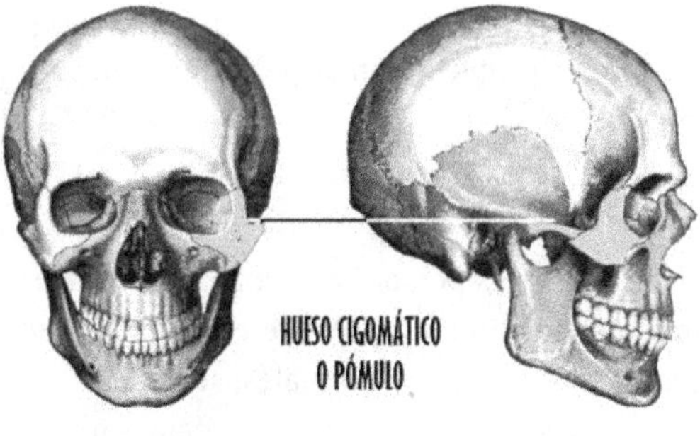

**Hueso Cigomático o pómulo: alto, medio o bajo.*

Las personas con la zona emocional muy grande o con "forma de Rombo" son muy pasionales "aman u odian". También existen personas "guitarra" o "reloj de arena" cuyos pómulos están retraídos y van hacia dentro, esto se traduce a una inhibición afectiva, de comportamientos fríos o distantes de trato.

Siguiendo esquemas y dibujos de Leonardo da Vinci, he podido llegar a una conclusión con una base más objetiva. Los pómulos puede ser: ALTOS, MEDIOS O BAJOS y según la posición que ocupen, variará completamente el interés o significado emocional. Para saber dónde se encuentra el pómulo, dividiremos la zona afectiva de frente en 2 partes iguales de su altura (esta zona va desde el final de los ojos, hasta el final de la nariz). Nos quedaremos con la mitad de la parte superior y trazaremos 3 líneas, con 2 espacios intermedios exactos (ver dibujo). Si el pómulo/hueso cigomático (siempre de frente) sobresale en la línea superior, será alto, si encaja con la línea media, mediano, y con la tercera línea será pómulo bajo.

Pómulos altos e idealistas.

PÓMULO ALTO:

La persona tiene sentimientos idealizados. Muy lejos de tener amistades o pareja porque estos sean ricos o posean bienes materiales.

Sus emociones son trascendentales y solamente se les podrá ganar, en vías mentales o espirituales. Saben perfectamente lo que quieren en este terreno.

PÓMULO MEDIO:

Los sentimientos en estas personas, ni son muy altruistas, como ocurre con los pómulos altos, ni tampoco interesados o materiales, como en los bajos. De comportamientos normales, se dejarán querer (dentro de la forma de ser de cada uno) sin excesivas manías ni intereses.

PÓMULO BAJO:

Los sentimientos están ligados a los bienes o goces materiales. Si en estas personas, además, su nariz entra en la Zona Instintiva, serán descaradamente interesados, capaces de llegar a enamorarse de una persona, sólo por su gran poder adquisitivo. No pueden controlarlo, pero tampoco significa que sean malas personas, sólo que son "detectores" de dinero y suelen estar al servicio de su instinto de supervivencia.

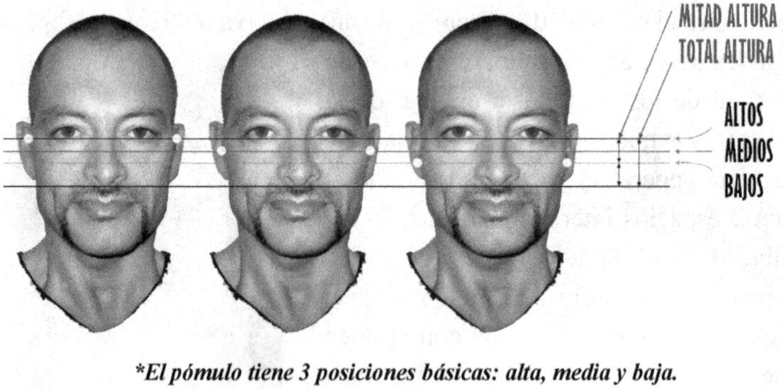

El pómulo tiene 3 posiciones básicas: alta, media y baja.

SIGNIFICADO Y UBICACIÓN DE LOS SENOS FRONTALES

Según *Edward Laidrich* y otros muchos autores, dependiendo de la genética u origen de las personas, puede variar significativamente la

morfología y ubicación de estos abultamientos o jorobas redondas de la parte superior imaginaria de la frente.
Por ejemplo, en la Retracción Lateral nos encontraremos generalmente 2 senos, o en la raza africana encontraremos generalmente 1 sólo seno, aunque no hay que generalizar. A continuación vamos a explicar su significado.

Los senos o lóbulos frontales (zona imaginaria). Están ubicados en la zona superior o creativa de la frente.

2 SENOS FRONTALES:

Se encuentran en los laterales superiores de la zona imaginaria de la frente. Indican un buen desarrollo, imaginación rica, ingenio e más iniciativa cerebral. Generalmente pertenecen al grupo de la Retracción Lateral, por lo que serán personas innovadoras, creativas, activas, selectivas y lanzadas. Ofrece un carácter optimista, por recibir repetidos azotes de la vida debido a la impulsividad.

Frente de 2 senos.

1 SENO FRONTAL:

Está en el centro superior de la frente,

dando una forma más redonda a la misma. Generalmente pertenece al grupo de Retracción Frontal. Son seres prudentes, reflexivos, tranquilos y más conservadores. Proporciona creatividad, intuición, receptividad y espíritu animista. El seno frontal redondea la frente, aportando sensibilidad y clarividencia. Todo lo redondeado es receptivo, como por ejemplo las antenas parabólicas. Son personas algo menos optimistas, pero sensatas y realistas ante acontecimientos de la vida.

X- SIN SENOS FRONTALES:

Son frentes en las cuales existe una dificultad para diferenciar si hay 1 o 2 senos. Aunque estén bien diferenciadas y exista buena capacidad de razonamiento y método, por regla general faltará algo de creatividad en los proyectos, de no ser que existan elementos del sexo opuesto, enriqueciendo a la persona con una dosis de extra de ingenio (bisexualidad creativa).

RAÍZ DE NARIZ ESTRANGULADA

Muchas personas tienen la raíz de la nariz retraída o "estrangulada". Es una hendidura justo en la raíz nasal hacia el interior.

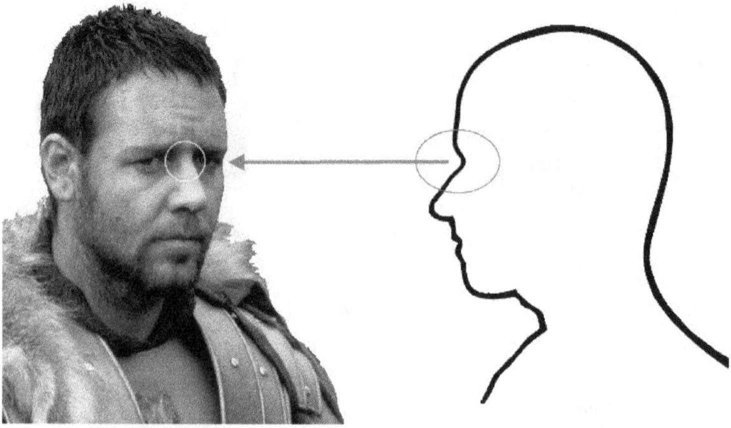

***Gollete de estrangulamiento o "Plano de Marte" hendido.**

¿Qué significa psicológicamente?

El rostro se compone de 3 zonas; zona cerebral, zona emocional y zona física. El estrangulamiento de la nariz se produce justo en la separación de la zona cerebral (Córtex y Neocórtex) y la emocional (Sistema Límbico). Al existir un estrangulamiento justo en la división, da a la persona la capacidad de separar pensamientos de emociones. Por ejemplo: si un individuo de nariz estrangulada se siente atraído por alguien del trabajo, nunca se pondrá en contacto si no es fuera del mismo. La nariz estrangulada permite separar las ideas del corazón. También ofrece un grado extra de fidelidad hacia la pareja. Si además de poseer estrangulamiento, la frente es muy vertical (retracción frontal - RF), la persona será extremadamente prudente y cautelosa, para tomar decisiones afectivas. Si el estrangulamiento es muy fuerte, puede existir una obstrucción, ya que transforma la zona emocional en "abollada", y por tanto vuelve a la persona extremadamente apasionada "amor - odio". Como siempre, buscaremos el equilibrio en todas las zonas del rostro, ya que los elementos ligeros enriquecen, los medios dificultan y los fuertes bloquean.

CRESTA SAGITAL: LA FUERZA DEL PASADO

Aunque ya desaparecida desde la evolución del Homo Sapiens (150.000 años aprox.), en muchas personas todavía queda un leve recuerdo de forma puntiaguda en su bóveda craneal. La Cresta Sagital era una protuberancia ósea, que recorría la parte superior de la cabeza por medio de la sutura sagital. Su forma en arco unía los temporales y otorgaba excepcional fuerza en los músculos masticadores y en la mandíbula. Suele encontrarse en cráneos de poderoso mordisco como el gorila, el tigre o el perro.

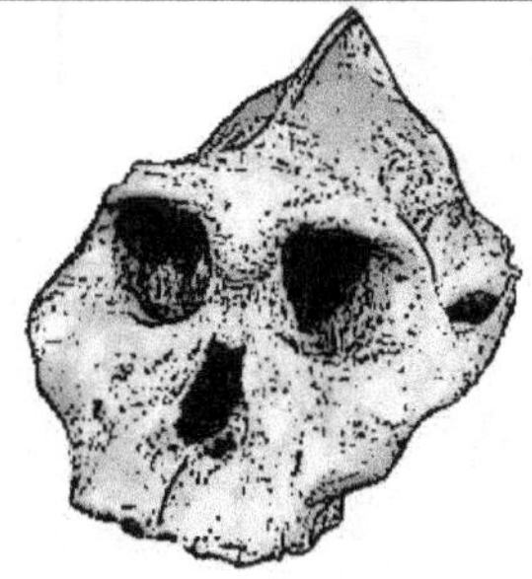

***La Cresta Sagital.**

Adaptaba la fuerte dentición y mantenía la posición "bípeda" no perfeccionada de la cabeza, desarrollando fuerte musculatura en la nuca. En la prehistoria la poseía el *Tyrannosaurio* y homínidos como el *Paranthropus*. Con el uso del fuego, y a medida que el hombre se vuelve omnívoro, no fue necesaria la fuerte tensión masticadora de la dieta herbívora, y provocó progresivamente la desaparición de la misma, así como también la del "*Toro Supraorbital*" (abultabiento sobre los superciliares). Esto también estimuló la "recesión del rostro", es decir, que se pasó del "*Prognatismo*" (proyección o Retracción Lateral) al "*Ortognatismo*" (verticalidad o Retracción Frontal).

Significado morfopsicológico:

Los que han estudiado Morfopsicología sabrán que una mandíbula pobre, ofrece dificultad para realizar los proyectos, y generalmente los individuos que la poseen son más teóricos que prácticos, necesitando a personas que plasmen la "faena sucia" o el desarrollo de sus pensamientos. La Cresta Sagital, al conceder más potencia y mayor desarrollo de la zona inferior del rostro (zona reptil), otorga a la persona más estabilidad y seguridad, así como mayor actividad y desarrollo de sus ideas, capacitando al individuo a ejecutarlas por si mismo.

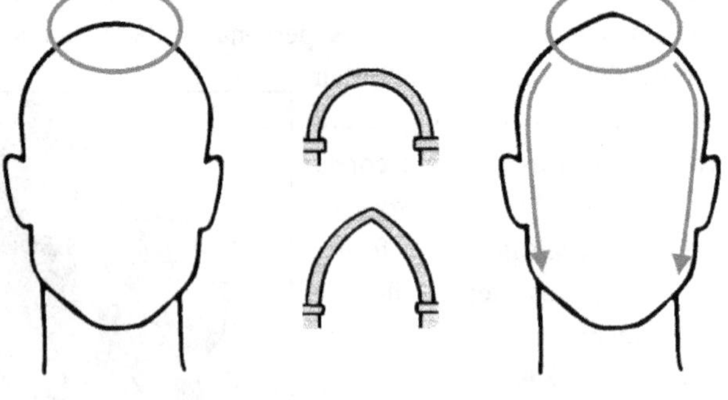

***La cresta sagital ofrece más potencia mandibular o de mordedura.**

La robustez y ensanchamiento de las mandíbulas que ofrece la Cresta Sagital, concede mayor libido así como un alto nivel de Testosterona.

La cresta es más común en los hombres y es usual encontrarla en individuos con tendencia a la calvicie, por la sencilla razón del proceso físico que ejerce el exceso de Testosterona al debilitar el cabello. De ahí que rústicamente se diga que "los calvos son más potentes sexualmente". Los que poseen la cabeza en punta, generalmente suelen tener anchas mandíbulas, aportando seguridad a su entorno y acrecentando su propia fuerza física. También se suele dar en personas con mayor RL (inclinación), y por tanto, con tendencia a la acción, innovación, creatividad, capacidad de improvisación y valentía.
Espero con esta pequeña obra, haber desenterrado un pequeño enigma y huella del pasado, con su recuerdo, razonamiento y significado.

¿CÓMO SABER SI LOS SENTIMIENTOS SON INTERESADOS?

Cuantas veces nos habremos preguntado… ¿Me querrá porque soy guapo/a? ¿Me querrá por el dinero? y es que realmente, y por extraño que parezca, existen personas que se llegan a “enamorar” del dinero, y en este caso obviamente del dueño del mismo. Es sencillo: su cerebro desgraciadamente ha sido confeccionado con un único fin: “tanto tienes, tanto vales”, pero como siempre, diré que tenemos que comprender y nunca juzgar, ya que nadie tiene la culpa de haber nacido como es… aunque nosotros tampoco tenemos que soportar eso ¿no? y en tal caso, siempre tendremos la opción de aceptar o no, a la persona que queramos, si lo consideramos conveniente y oportuno para nosotros. En todo caso, con estos simples 6 ejemplos, explicaré de forma precisa como saber si existe posibilidad, de que alguien se enamore realmente de nuestro bolsillo, o lo que es lo mismo, por intereses que no sean los afectivos:

Dibujo nº1: observamos unos pómulos bajos, como ya estudiamos anteriormente, por tanto, los sentimientos estarán más próximos al materialismo que no a la espiritualidad.

Dibujo nº2: cuando la nariz va de menor a mayor existen intereses físicos, es decir, que la raíz del tabique o "plano de Marte" es sumamente delgado en comparación con el final de la nariz, extremadamente carnosa y dilatada. Si fuese al contrario, con la raíz muy ancha y la nariz más fina, los sentimientos serían trascendentales.

Dibujo nº3: cuando aun siendo ancha la zona emocional, es muy corta en altura, y exista una zona instintiva bastante ancha, también nos hablará de intereses materiales y de la necesidad de confort y poder adquisitivo.

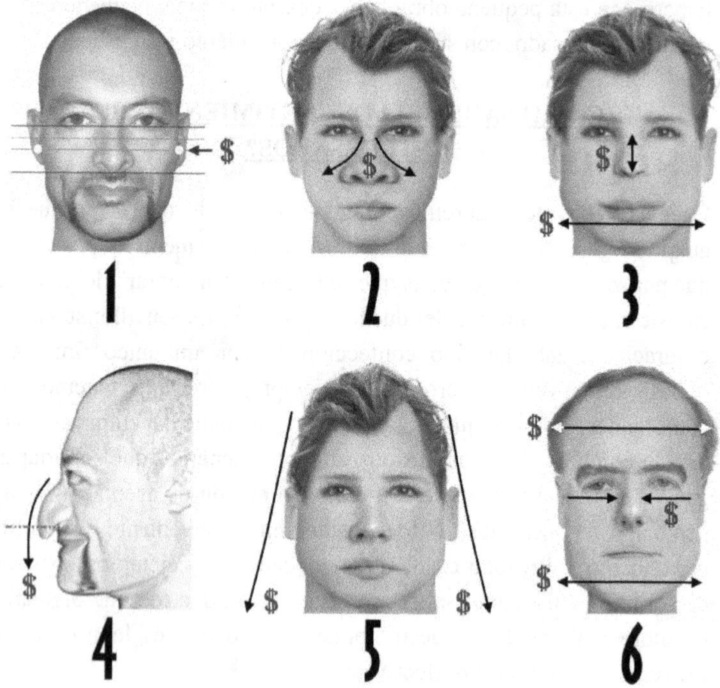

Dibujo nº4: se suele llamar la "nariz de bruja", no porque sea curva o abollada, sino porque se adentra en una zona que no le pertenece, la zona de la materia. Por tanto los sentimientos serán siempre interesados.

Dibujo nº5: la típica cabeza "en cuña" o trapezoide, en la cual prevalecen las cosas "de la tierra" siempre. Poca espiritualidad.

Dibujo nº6: tenemos al "cara de guitarra" o "reloj de arena", es decir, a un individuo con expansión cerebro-instintiva, con la zona media retraída. Su cerebro ha sido confeccionado para ganar dinero como sea. Su objetivo es llegar a lo más alto aunque para ello tenga que pisar a mucha gente, o enamorarse de alguien que no sea de su agrado.

CAPÍTULO 11
LEYES DEL EQUILIBRIO, ARMONÍA E INTEGRACIÓN

Si en una zona o piso, existen diferencias considerables respecto a las otras, a nivel de Marco, Modelado, receptores, asimetrías o una zona excesivamente dominante, expansiva o muy mermada, habrá que pararse a reflexionar y analizar minuciosamente el significado global del conjunto, para ver si integra el *"Yo unificador"* (Retracción Frontal), siendo fuente de valor imprescindible, o por el contrario es un factor de desequilibrio que desestabilizará al individuo generando posibles conflictos. Hay que considerar que si existe anchura de marco, tonicidad global y RF (secundario) podrán integrar mucho mejor la inarmonía.

Esta ley nos permite identificar las modalidades de disociación, por un posible rechazo que expresará patología y sufrimiento. La integración de la inarmonía se efectúa mediante la función del *"Yo"* unificador. Para ver si existe tal integración del *"Yo"*, estos son los elementos que deberemos buscar en un rostro:

1- Armonía (proporción entre zonas)
2- Vitalidad (amplitud y tonicidad que permita afirmarse)
3- Control (RF de la frente o reflexión)

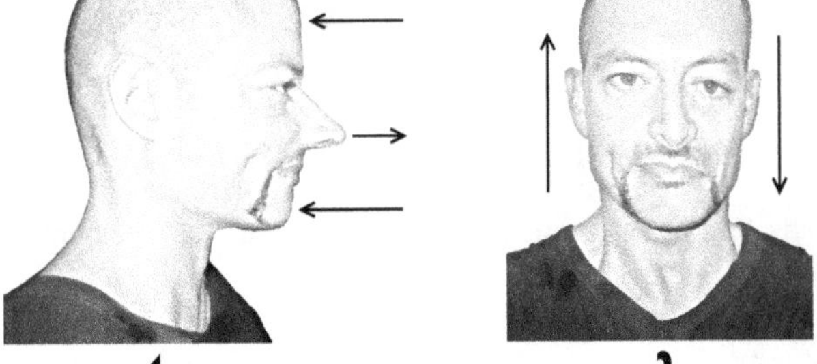

1 2

Fuertes antagonismos que pueden desestabilizar a la persona

En la figura 1 podemos observar que existe una gran retracción frontal a nivel cerebral e instintivo, por tanto un control o prudencia a nivel de pensamientos y demanda física, pero no podemos decir lo mismo del nivel medio o afectivo, en el cual la retracción lateral (RL) es extrema y por tanto grande la demanda afectiva. Sus sentimientos le dicen "vamos a relacionarnos ya!" y su mente e instintos le responden "ni se te ocurra!". Esto desestabiliza a la persona, pudiendo desencadenar incluso posibles neurosis. En el dibujo nº 2 observamos el rostro con la hemicara izquierda más retractada y átona que la derecha, que es tónica y más ancha, por tanto con un mayor nivel de vitalidad y comunicación exterior. Esto puede también desestabilizar a la persona, ya que una parte es trabajadora y activa, y sin embargo la otra está apagada, sin vida y ningún intercambio exterior.
Cuanto más exageradas sean las asimetrías u oposiciones en un rostro, peor serán los antagonismos psicológicos de la personalidad. Es entonces cuando debemos observar si existe tonicidad y anchura de Marco, así como RF en la frente (control), para observar la conducta unificadora del *"Yo"*. De ser así el individuo podrá superar estas incompatibilidades aun llegando exhausto. Si por el contrario no existe vitalidad, tonicidad (sobre todo a nivel de ojos) ni RF en la frente, bastará un simple empujón para que la persona se venga totalmente abajo. Cuando en el rostro no existe tonicidad y la frente no está diferenciada, la conciencia de sí mismo es muy pobre y el ser queda "al descubierto" por no poder sintetizar sus tendencias de forma responsable y lúcida, quedando a merced de donde sopla el viento.

Buen tono= vitalidad y retracción frontal = control
Atonía= menos vitalidad y falta de retracción frontal = descontrol

Recordemos que en Morfopsicología todo elemento:

Ligero: Enriquece
Medio: Interioriza
Fuerte: Bloquea

No se trata de analizar los rasgos del rostro por separado, ya que eso lleva a cometer terribles errores, sobre todo a las personas que empiezan con esta maravillosa ciencia, que inconscientemente pueden etiquetar a una persona de cobarde sólo porque tenga el mentón en retroceso. Por tanto, siempre sacaremos una síntesis o asimilación total del rostro. La personalidad está representada por la integración de todas las partes del rostro y no por la suma de sus diferentes partes. El Dr. Corman decía que *"la cara no es la composición de un puzzle yuxtapuesto, sino que es el resultado del vaciado global".* Para ser un buen morfopsicólogo, hay que tener experiencia con muchos estudios y análisis, y realizar la síntesis sin prisas para ver las expresiones y energías que se manifiestan de forma integradora.

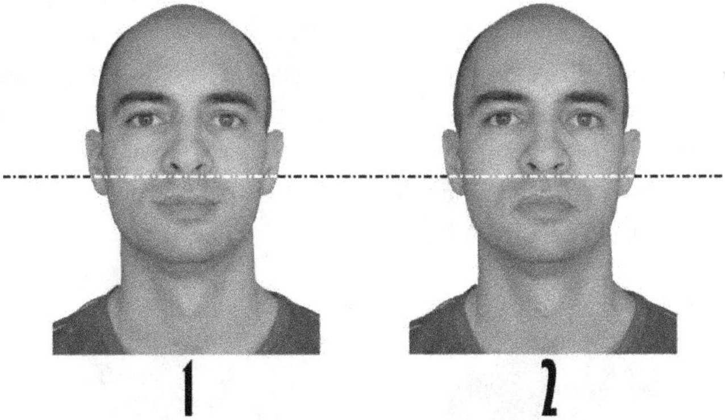

Un simple cambio en la boca y la mirada cambia por completo.

En las fotografías nº1 y nº2, la parte superior es la misma, no obstante, basta cambiar la parte inferior del rostro, para observar como varia absolutamente la expresión de su mirada. En la primera foto vemos unos ojos alegres, en cambio en la nº2 están como más decepcionados o tristes. Por eso un sólo rasgo morfológico, puede cambiar por completo el resultado global psicológico. Este detalle nos confirma que no podemos hacer análisis de partes por separado, sino que debemos sacar una síntesis de "un todo". Aunque como dicen *Martine Boulard et Jean Paul Jeues (año 2000),* que se puede distinguir al hombre del resto de animales por la expresión de su mirada, con ojos tristes, melancólicos, alegres, vivaces... realmente no existen, ya que son la suma y resumen de toda la expresión y significado de la gesticulación del rostro, como hemos podido observar en el ejemplo de la foto. Decir que "los ojos son el espejo del alma" es como decir que los ojos son el resultado del conjunto, y como hemos visto eso no es así.

Dos casos de acelerador y freno inarmónicos:

En la chica oriental del dibujo 1, podemos observar una contradicción que puede afectar su armonía y equilibrio, haciéndole sentir culpable inmediatamente después de cualquier actuación. Su zona cerebral posee acusada Retracción Frontal (secundario), mientras que su zona media y baja presentan muy proyectada Retracción Lateral (primario). Este antagonismo indica que instintiva y emocionalmente, es una chica impulsiva que actúa antes de pensar de forma casi automática y sin reflexión. Sin embargo, su zona superior en RF, es excesivamente cohibida y cabal, negando y censurando de antemano todos sus actos físicos o del corazón. La frente "en balcón" y sus zonas media y baja tan proyectadas, crean un freno y acelerador muy fuertes "en hocico".

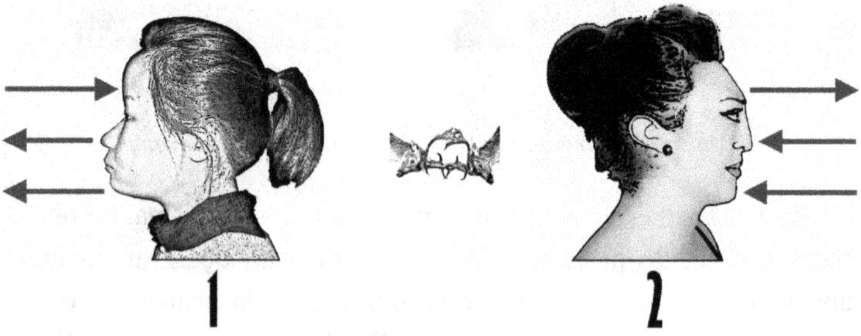

Antagonismos inarmónicos de difícil asimilación o integración. Una parte va a buscar fuertemente al exterior y otra la frena o protege rotundamente.

Sus sentimientos e instintos dicen "quiero ya!" (el "Ello") y su mente le responde "ni se te ocurra!" (el "Yo"). De existir un conflicto entre el *"Yo"* y el *"Super yo"* habría posibilidades de una posible Psicosis.

Estos comportamientos antagonistas, podrán llevar a la persona a neurosis y/o depresiones, paralizando toda iniciativa con sentimiento de culpabilidad inmediato tras cada actuación o pensamiento.
En la chica del dibujo 2, vemos que ocurre todo lo contrario. Su pensamiento es extremadamente impulsivo o irreflexivo, actuando antes de pensar de forma mecánica, mientras que sus zonas inferiores (emocional e instintiva), son de Retracción Frontal, y por tanto secundarias a la hora de actuar, siendo sensatas e imperturbables.
Aquí también existe un acelerador y un freno importante, que afectará su comportamiento cuando la mente diga "quiero" (el "Ello"), y sus instintos nieguen todos sus proyectos de entrada (el "Yo"). Refleja una persona que "se traga todo lo que piensa", ya que su mente es impulsiva e innovadora (esto también se ve por su oreja inclinada), pero no tiene la fuerza de ejecución para concretar tales ideas, acumulando así muchas tensiones o sintiéndose que no puede hacer nada. A diferencia del dibujo A, no existe RF en la parte superior, y será más difícil integrar el *"Yo"* unificador para conseguir estabilidad, acumulando de este modo repetidas y periódicas frustraciones.

ASIMETRÍAS MÍMICAS Y ÓSEAS

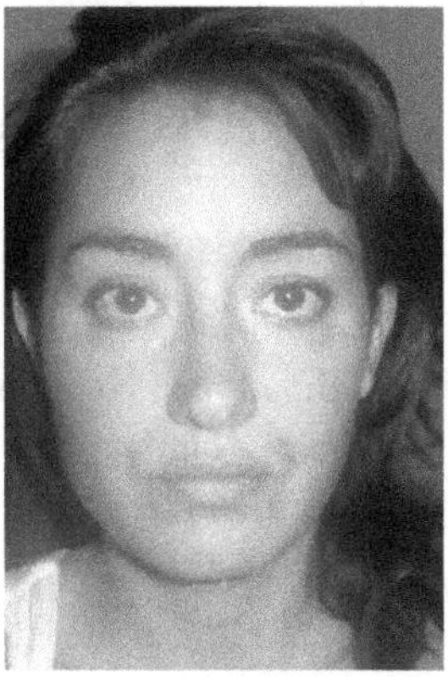

Asimetría mandibular: reacciones inesperadas.

A simple vista parecemos simétricos, pero observamos más detalladamente, vemos que no es así. La falta total de asimetrías faciales, no es buen síntoma e indica que la persona se ha obstruido y no avanza. Es señal de estancamiento e inmovilidad. Para poder andar es necesario mantener las piernas en posiciones distintas, lo mismo que ocurre en un pantano sin desniveles, el agua está detenida y sin movimiento. La asimetría es el factor que da movilidad al ser humano. No tenemos que dejarnos llevar por cánones de belleza actuales, con un rostro absolutamente simétrico, ya que las fuerzas de expansión y conservación (dilatación / retracción) no deben tener el mismo peso. Incluso existen estudios de ciencia actual que promueven la simetría absoluta como algo insalubre. La asimetría o disimetría es la vitalidad del ser. Si las asimetrías son fuertes, es señal de gran dualidad interior, que podrá "*integrar*" o "*descompensar*" según 3 elementos básicos: anchura del rostro, RF superior y buena tonicidad. Así aportará creatividad y un equilibrio superior, ya que de otro modo el individuo sufrirá un trastorno bipolar o incluso propensión al suicidio. Existen varios grados a tener en cuenta:

Asimetría en altura: dificultad para elegir.

Asimetría ausente: Es signo de estancamiento o debilidad.
Asimetría leve: Ofrece riqueza, con más creatividad y resolución.
Asimetría fuerte: Genera problemas si no integra el "Yo" (RF).
Asimetría grave: Siempre bloquea y dificulta. Gran dualidad o antagonismo interior. Patología de gravedad, pero gran creatividad y genialidad si integra correctamente (3 elementos anteriores citados).

Existen 2 tipos de asimetrías: de **MÍMICA y** de **MARCO**

ASIMETRÍAS MÍMICAS

Ligera:

Normalmente expresan el estado emocional de la persona, con una movilidad más o menos consciente y su interpretación de modo temporal. Síntoma de que la persona es sensible, porque de no ser así la cara se mostraría inmóvil.

Fuerte:

Es el resultado de una ruptura inarmoniosa. Si es momentánea, es signo de una dualidad interior y pequeño desequilibrio transitorio. De ser temporal o duradera (mueca habitual), indica desequilibrio y fragilidad nerviosa, que desembocará generalmente hacia un lado del rostro.

Tics nerviosos:

Si son transitorios, es signo de momentos difíciles que se van al superar el problema, pero si son permanentes indica que el problema perdura, como por ejemplo el *"Síndrome de Tourette"*.

ASIMETRÍAS DEL MARCO O DE HUESO

Son las que más perduran en la persona. Afectan directamente al Marco u osamenta, y por tanto a las fuerzas inconscientes. El peligro de sufrir un desequilibrio es mayor y más duradero. Si el *"Yo"* unificador es frágil, la Bipolaridad o estados ciclotímicos son habituales.

Existen 3 dimensiones: **ANCHURA, ALTURA Y PROFUNDIDAD**

ASIMETRÍA EN ANCHURA:

Es un elemento endógeno, que nos habla del presente y el pasado. Si dividimos la cara en dos mitades, se representaría con una zona de más anchura o estrechez que la otra. Generalmente observaremos que el diestro posee la mitad derecha más retraída, su lado activo y tenso, en cambio el lado izquierdo, que habla del pasado, será más dilatado y átono, por ser el lado pasivo, y por tanto mostrándose más relajado. Si un diestro posee su lado derecho más ancho, indica que los resultados obtenidos posteriormente, han sido más generosos que en un pasado. En

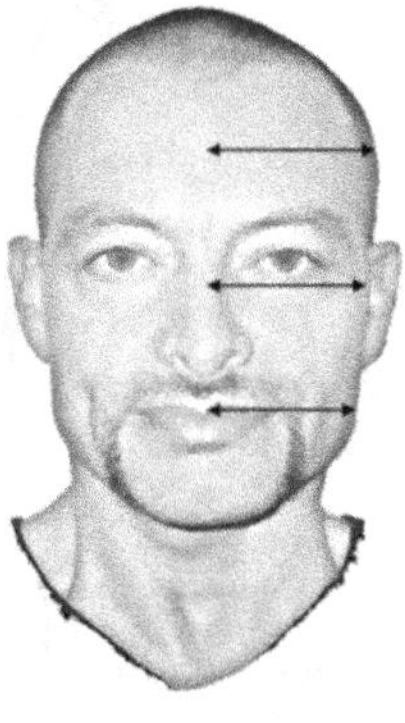

Asimetría en achura.

esta tipología de disimetrías, también encontramos a maníacos hiperactivos o superficialmente eufóricos, que pasan de un estado depresivo al neutro, finalmente volviendo a la euforia y así sucesivamente (ciclotimia). Lo importante para superar este tipo de crisis, es hacer consciente a la persona que podrá superar sin problema el obstáculo, ya que *"la desesperanza es una característica definitoria de la depresión" P.A. Lichtenberg 1957,* en cambio cuando se sabe que lo malo "pasará" vuelve el sentimiento de tranquilidad. Es como el ciclo menstrual en las mujeres, si ellas no supieran que esos días de dolor menstrual van a cesar, el sufrimiento sería bastante menos llevadero. Cuando la persona va tomando consciencia de sus repetidos estados ciclotímicos, poco a poco se vuelve inmune superándolos progresivamente. No obstante y a modo general, las asimetrías en anchura indicarán precariedad o abundancia del presente y del pasado, allá en la zona donde se encuentren.

ASIMETRÍA EN ALTURA:

De forma similar a cuanto ocurre con la anchura, el lado más retractado y corto será el más tónico, y generalmente el lado que habitual que utilizamos. En un diestro, el lado derecho es más corto e indica energía para dirigir su presente o el futuro sin problemas. Si ocurre lo contrario y su lado izquierdo es más corto, se relaciona con la atonía y por tanto, inferior acción de firmeza en las acciones, de no ser que el *"Yo"* unificador esté presente (existencia de RF). Lo corto siempre es más activo y muestra una apariencia más encrespada que lo alargado, más pasivo, caído o "melancólico". Si la desigualdad de las dos mitades es grande, informa que se puede pasar del estado activo al pasivo, o de alegre a triste, con mucha facilidad y de forma compulsiva.

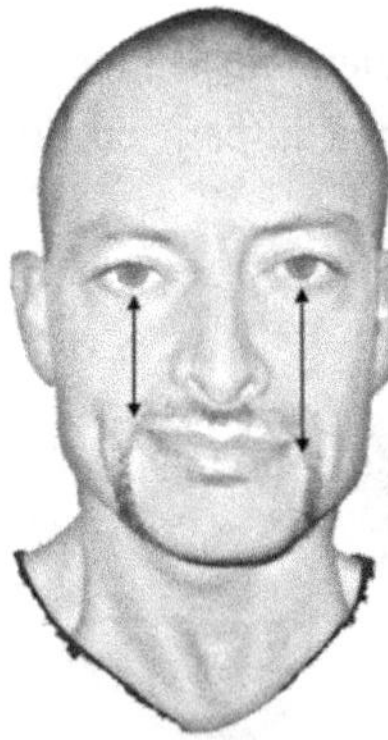

Asimetría en altura.

ASIMETRÍA EN PROFUNDIDAD:

Si miramos un rostro de perfil, los ojos, pómulos o la frente, están más hacia dentro o hacia fuera, como un ojo más hundido o un pómulo más aplastado. Esta asimetría está considerada la peor de todas, ya que denota angustia, tormento y falta de elasticidad en el ambiente. La Hemicara derecha en un diestro debe presentar más RF, para dar a entender que se ha evolucionado favorablemente a través de los "golpes" de la vida, y se ha tomado consciencia de modo positivo. Si por el contrario, la hemicara izquierda posee más RF (en un diestro), es indicador de padecimiento y daños muy graves traducidos en base a la violencia o excesiva sexualidad. Como siempre subrayaremos que si existe la unificación del *"Yo"* (RF) y el medio es beneficioso, puede llegar a superarse el problema, de no ser una asimetría muy pronunciada o de gravedad más relevante. Muchos de los disminuidos psíquicos, comparten este tipo de disimetrías fuertemente en sus 3 clases; frente, ojos y pómulos.

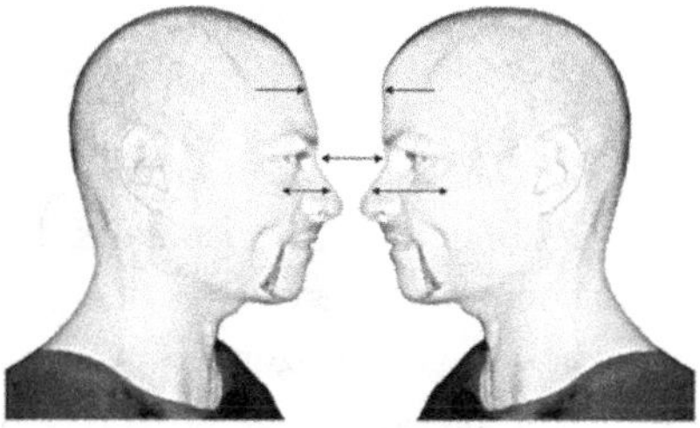

Asimetría en profundidad.

ARRUGAS, SURCOS, MARCAS, PLIEGUES Y SU SIGNIFICADO

Como decía *Goethe, "las arrugas son los ecos múltiples de la forma humana".* Las arrugas y señales del rostro nos informan del uso y experiencia que se ha hecho de las facultades mentales y conciencia del pasado. Los individuos sin arrugas suelen ser fríos y superficiales, mientras que los que las poseen, denotan un pensamiento inquieto y dinámico. Las personas con arrugas recuerdan lo positivo y lo negativo del pasado, estando más preparadas para el futuro. Contrariamente, las personas sin arrugas tienden a imaginar el porvenir, viviendo con demasiado optimismo o ingenuidad, que no aprovechan el pasado como experiencia, sintiéndose jóvenes hasta avanzada edad.

Arrugas verticales:

Están ligadas a experiencias mentales o espirituales. Son las arrugas del intelectual, la meditación, la concentración y el pensamiento profundo. Las personas con más arrugas verticales que horizontales, denotan más inquietudes ante la vida. Este tipo de arrugas siempre representan procesos mentales, como la vertical del entrecejo indicando esfuerzo en la concentración, o el pliegue naso-geniano *"línea Marciana"*, que se traduce con experiencia, sufrimiento vivido, espíritu crítico y humor negro.

Arrugas horizontales:

Contrariamente a las arrugas verticales, las horizontales están ligadas o creadas por la experiencia física en la tierra. Las horizontales de la frente nos dices "el mundo no es como yo quiero", que incluso a temprana edad pueden formarse. Las arrugas horizontales van más ligadas a la enfermedad física. Entre otros, suelen poseerlas los alcohólicos, neuróticos, personas con problemas tiroideos, o que han sufrido mucho. Si son largas y muy rectas, indican buen carácter, pero si son cortas locura y poca paciencia. Por regla general, cuantas más arrugas existan en la frente, más inestable será el individuo. Por otra parte cabe indicar que las arrugas asimétricas siempre indican desequilibrio donde se encuentren, en la medida de la diferencia de las mismas.

LÍNEAS DE LA MEMORIA DEL PASADO

1-LÍNEA MARCIANA:

En Morfopsicología y cirugía estética se le conoce por *"surco naso-geniano"*, y parte desde las aletas de la nariz hasta las comisuras de la boca, y en algunos casos llega hasta el mentón. Indica que el sujeto defiende sus ideas. En una persona negativa, es la oposición sistemática al entorno.

2-LÍNEA MERCURIAL:

Va desde el rabillo del ojo, hasta el final de la mejilla. Es un signo de torpeza, de ineptitud. La suelen tener los disminuidos psíquicos.

3-LÍNEA LUNAR:

Se trata de personas que han conseguido rápido sus objetivos.
Suelen estar agotados por haber "escalado" tan deprisa.

4-LÍNEAS SEXUALES:

Parten del rabillo del ojo y se abren en abanico.
Relación con los abusos nerviosos y sexuales.
Si se encuentran en niños, significa que su actividad no es la adecuada para la edad.

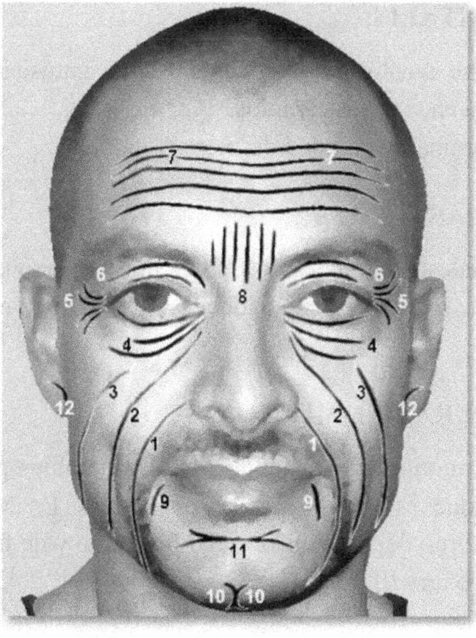

5-LÍNEAS VENUSINAS:

Son las llamadas "patas de gallo" que aparecen con los años. Significa que la persona es alegre y romántica. Contrariamente, muchos fisionomistas le atribuyen alegría artificial.

6-LÍNEAS DE DISIPACIÓN:

Cuelgan bajo las cejas.
Por norma general es falta de concentración, y posible uso de estupefacientes o alcoholismo.

7-LÍNEAS INTELECTUALES FRONTALES:

Si son profundas es indicador de adecuada y gran concentración. Vivencia de los problemas.
En Morfopsicología se dice que "el mundo no es como ellos quieren". Las personas que no viven los problemas muestran una frente lisa.

8-LÍNEAS VERTICALES DEL ENTRECEJO O VENA FRONTALIS:

Indican espíritu aventurero, inteligencia activa, entusiasmo.
Voluntad para encajar los cambios.
Puede denotar una mentalidad despierta y inquieta.

9-COMISURAS CAÍDAS:

Amargura, malestar, desencanto. Indica que la persona esperaba más de la vida, que ha recibido poco afecto, sobre todo en el plano físico o sexual.

10-HENDIDURA DEL MENTÓN:

Es signo de armonía, prudencia y ritmo. Pero también puede significar que el individuo es vanidoso o se sobrevalora. En Morfopsicología toda señal o surco del mentón es signo femenino y de freno, prudencia o temor en el plano físico.

**Las arrugas muestran como la persona tiene en cuenta la experiencia del pasado, para mejorar el presente y no "tropezar dos veces con la misma piedra".*

11-LÍNEA JUPITERIANA:

Se forma entre la boca y el mentón. Obstinación, testarudez, dificulta abandonar el propio punto de vista.

12-LÍNEA DEL LÓBULO DE LA OREJA:

Si se forma esta línea, el lóbulo se adelanta. No es muy frecuente, pero indica vulgaridad sexual y oposición al otro sexo.

12-LÍNEA DEL LÓBULO DE LA OREJA:

Si se forma esta línea, el lóbulo se adelanta. No es muy frecuente, pero indica vulgaridad sexual y oposición al otro sexo.

OTRAS ARRUGAS COMUNES DEL ROSTRO

A continuación, exponemos 10 líneas, arrugas y surcos muy típicos entre las personas que nos encontramos a diario, con su correspondiente significado:

1-LÍNEA VERTICAL DEL ENTRECEJO:

Propenso a la obstinación, obsesión y fijación.

2-SURCOS INTERCILIARES:

Son dos arrugas simétricas, separadas por 1cm aprox. Indican meticulosidad, disciplina mental, búsqueda de la verdad, suelen salir a personas que fuerzan la vista o asiduas a la lectura.

3-ARRUGA DEL ENTRECEJO O ANILLO DE LEÓN:

Indica crispación, cólera, espíritu autoritario, dictadura.

4-ARRUGAS SEMI CIRCULARES:

Situadas entre las cejas y la sien. Nos hablan de franqueza y lealtad.

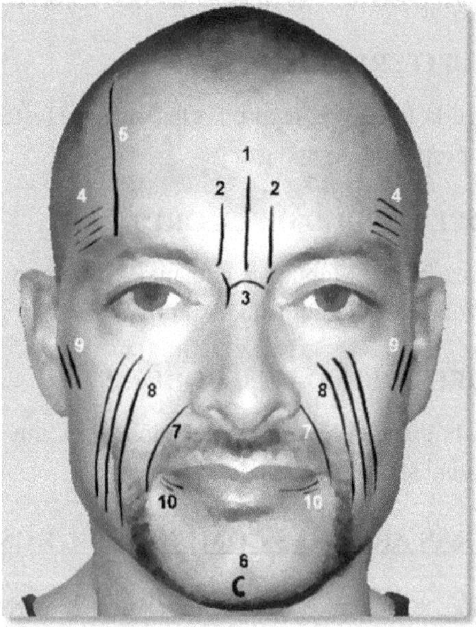

5-RECODO FRONTAL:

Significa inflexibilidad. Si en la frente existe surco medio pronunciado, sienes ahuecadas o muy apretadas, y con ojos hundidos, posible TOC (Trastorno Obsesivo Compulsivo).

6-AGUJERO DEL MENTÓN:

Indica amabilidad, gentileza. Persona de intercambios positivos. Como la hendidura del mentón, denota prudencia y temor.

7-ARRUGAS NASOLABIALES O NASOGENIALES:

Es la arruga del intelectual. Según *P. Abraham* significa concentración interna y pensamientos abstractos. También es un indicador de golpes afectivos. Las personas con esta línea muy pronunciada, tienden al cinismo, broma amarga, crítica, egoísmo nacido del instinto de defensa, y poseen carácter austero. *Según Jadelot*, es indicador de enfermedades intestinales, aunque también pueden ser pulmonares, de corazón o incluso un futuro cáncer.

8-ARRUGAS EN LA MEJILLA:

Indica estrés, nerviosismo, sobre excitación e inquietud. Si sólo existe una arruga vertical, significa combatividad y es indicador de fuerte personalidad y de audacia.

9-ARRUGAS AURICULARES ANTERIORES:

Situadas delante de la oreja, suelen ser tres. Indica que la persona es atenta y servicial, sumisión.

10-ARRUGAS ASCENDENTES DE LA BOCA:

Situadas en la comisura de los labios, forman una línea ascendente. Es indicador de satisfacción, alegría y placer.

LOS MÚSCULOS DE LA ALEGRÍA

En el sentimiento de alegría se involucran 5 músculos, que *Ermiane* los llamaba "los músculos de la alegría". Además "desestresan" el rostro, dando sensación de bienestar. Rostro y cerebro, están tan unidos, que basta sólo con poner cara de alegría o reír, para que esa información llegue a la mente, y milagrosamente genere las endorfinas de la alegría y la euforia, subiendo nuestro estado de ánimo inmediatamente. A continuación se describen los 5 músculos más involucrados.

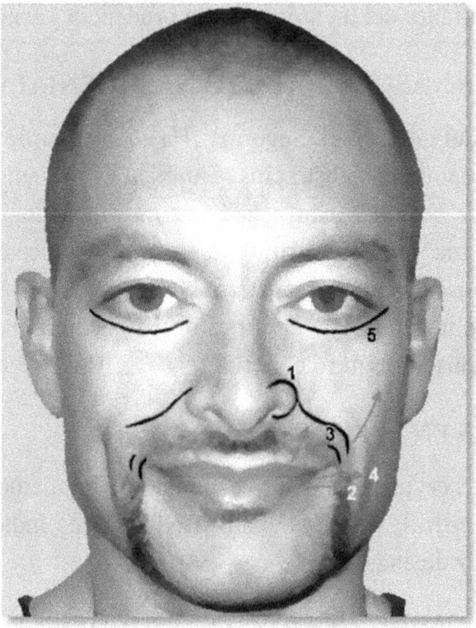

1-DILATADOR NASAL:

Indica participación en el placer, satisfacción y deseo.

2-RISORIO:

Como la misma palabra indica, expresa satisfacción.

3-GRAN CIGOMÁTICO:

Traduce la alegría del sentimiento.

4-BUCCINADOR:

Muestra el placer de las sensaciones.

5-PRETARSAL:

Indica la alegría de vivir, positividad y entusiasmo.

LOS MÚSCULOS DE LA TRISTEZA Y LA DIFICULTAD

Cuando una persona vive años en un estado anímico depresivo y triste, estas señales se hacen perennes en su rostro. Un exceso de tristeza o falta de amor durante largo período de tiempo, puede degenerar en enfermedades de corazón, pulmón o incluso cáncer, ya que estos órganos son de la zona emocional (muerte involuntaria deseada).

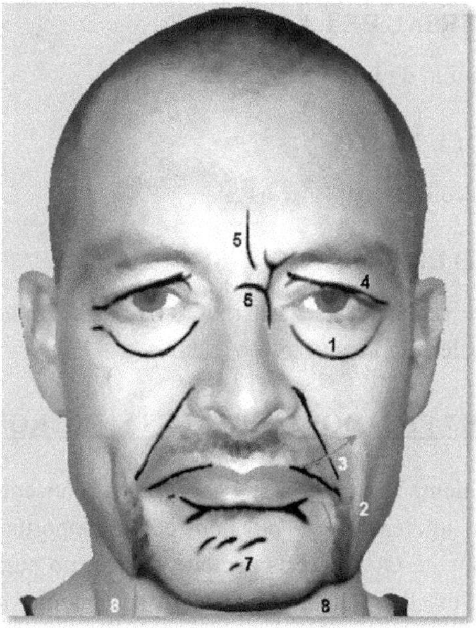

**La tristeza tiene efectos devastadores.*

1-PRESEPTAL:

Provoca bolsas y abultamiento bajo los ojos. Depresión inminente.

2-TRIANGULAR:

Significa pesimismo y desilusión.

3-CIGOMÁTICO MENOR:

Indica sufrimiento y dolor.

4-ORBICULAR:

Exceso de preocupación o concentración.

5-SUPERCILIAR:

Incapacidad de resolución, obsesión y obstinación. Indica que existe dificultad para concentrarse.

6-TRANSVERSAL DE LA NARIZ:

Parecido al anillo de León. Significa crispación.

7-BORLA DEL MENTÓN:

Duda en las acciones.

8-CUTÁNEO DEL CUELLO:

Cuelgan y se reblandecen las carnes laterales del mentón. Significa una parada o detención ante los obstáculos.

LOS 7 PECADOS CAPITALES EN EL ROSTRO

Aunque el tiempo ha evolucionado y los conceptos de pecado también, es interesante y he considerado oportuno, plasmarlos morfológicamente en 7 rostros a modo básico, no para seguir a pies juntillas, ya existen muchas variantes, sino como una práctica o aplicación más de Morfopsicología y las tendencias innatas. Aunque generalmente los vicios se plasman en la zona inferior, existen otros elementos que cabe estudiar. Los 7 pecados capitales son una clasificación de deseos en exceso (vicios), y que llevan a cometer muchos pecados o delitos para llegar a conseguirlos: ***soberbia, avaricia, envidia, ira, lujuria, gula y pereza.***

****Miniatura de "la Ira" (enojo).***

Esta clasificación de vicios, forman parte de las primeras enseñanzas cristianas: capital (cabeza u origen del pecado). A continuación plasmaré cada uno de ellos con su localización facial.

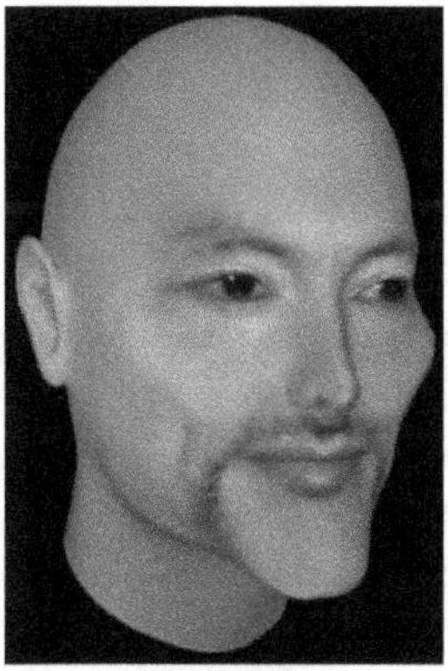

**La soberbia.*

La soberbia

Es lo mismo que decir presuntuosidad, orgullo o arrogancia. Ello lo veremos plasmado en unos pómulos anchos y prominentes, es decir, con una dilatación en anchura a nivel emocional, con nariz pequeña o retraída para su zona tan ancha. Esta morfología denota narcisismo y egocentrismo, girando todo entorno a uno, con gran necesidad de representación, reconocimiento y protagonismo. Si a este dato ególatra le sumamos un mentón en RL (proyectado), tendremos sin lugar a dudas la soberbia personificada, o lo que es lo mismo *"primero yo, segundo yo y tercero yo"*.

**La avaricia.*

La avaricia

La avaricia se plasma con muchas necesidades en cuanto a acumular se refiere, con poca o nula salida para compartir. Este tipo de rostros podrían ir desde un triple retractado o un concentrado con receptores retraídos. En este caso ilustraremos la avaricia con un concentrado y por tanto, un rostro dilatado, con receptores pequeños, sobre todo la boca que será de labios finos, apretada y corta. También podría existir la tendencia de una nariz hacia la zona instintiva (dinero) y mentón hacia arriba, dando una imagen semilunar o de luna menguante. En este tipo de rostros existe la tendencia innata de acumular; el saco es grande y la salida (boca) pequeña. Son como un saco o hucha que lo que entra no sale.

La envidia

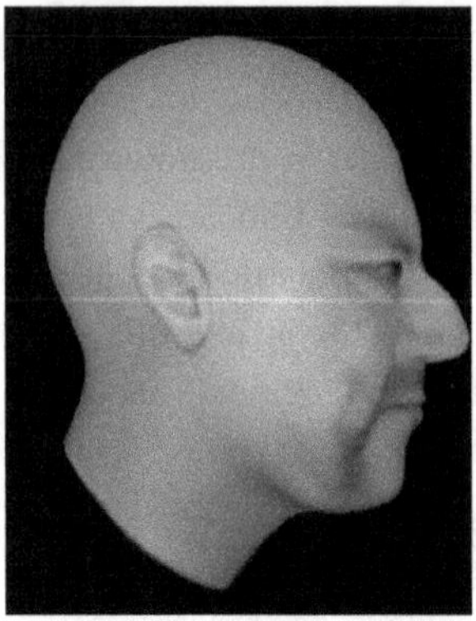

La envidia.

La envidia es un sentimiento que hace padecer a la persona, e incluso puede acabar con la vida rápidamente si la misma es grande. Es un inconformismo tiránico hacia el entorno, y por tanto, se plasmará sobre todo en un rostro angustiado, con arrugas de muecas y gestos constantes de represión. Los receptores serán carnosos (demanda) con orificios pequeños o resguardados (carente oferta). Entre otros, la mirada será denotará ambición. La cara estará dispuesta "en tenaza" (todo para mí) y con las comisuras de la boca hacia abajo. Es un rostro parecido al de la avaricia pero con más tensión en los rasgos, ya que el individuo sufre constantemente, con predisposición al odio recurrente.

La gula

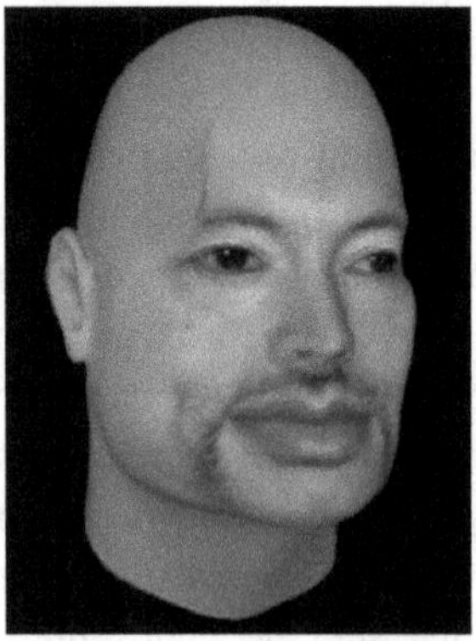

La gula.

La glotonería podremos verla principalmente en una boca de labios carnosos, generalmente tónica (activa), indicando gran debilidad por la comida y buena mesa, así como también en una zona instintiva dilatada, que en todo caso, será carnosa y ancha. La gula es un exceso de alimento, que generalmente indicará predisposición a lo cómodo y escasa actividad. Puntualmente, podrá plasmarse en una boca entre abierta, y sienes algo huecas, obligando a comer al individuo de modo obsesivo, para abastecer su posible zona baja en expansión.

La pereza

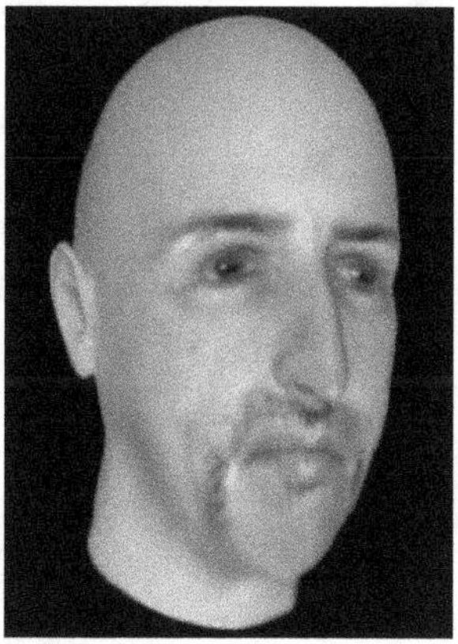

**La pereza.*

La dejadez, gandulería y escasa o nula actividad, la veremos dibujada en un rostro alargado. Recordemos que todo lo largo es más paciente pero también más pasivo, sin embargo, lo corto es siempre algo impaciente pero dinámico. El color de la piel será pálido o blanquecino, ya que la sonrosada pertenece al grupo de los activos. Además del rostro largo, encontraremos elementos de átonos (pasivos), como la zona instintiva acolchada, receptores caídos o carnes flojas. Este tipo de rostros suelen tener la mirada perdida. Todo lo relativo a la pereza estará ligado a lo alargado o falta de tono en el rostro, sobre todo de marco o zona instintiva o baja (falta de actividad).

La ira

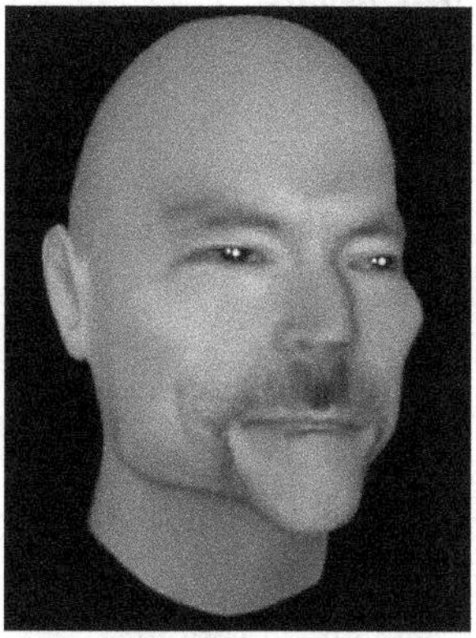

**La ira.*

Podremos descubrir la ira en las formas abolladas (pasión y tensión), en la RL abundante (primario o falta del "Yo") sobre todo a nivel superior e instintivo, en la RLN (aplanamiento lateral de las mejillas) y con zona emocional ancha (imposición de propia voluntad) pero corta (poca paciencia). Podríamos imaginar un abollado, de anchos pómulos, frente inclinada, proyección del mentón hacia delante y mirada que emana odio, de ojos brillantes y enrojecidos. Resumiendo, lo evaluaremos en un rostro que da la sensación que está "a punto de estallar".

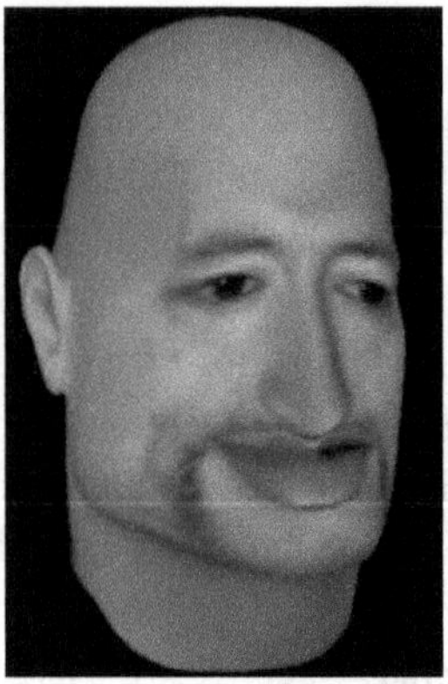

La lujuria.

La lujuria

La lujuria o lascivia podremos verla plasmada, como mayormente en los vicios, en una zona instintiva ancha y de labios carnosos (demanda de placeres terrenales y banales), pero en este caso, con la boca entre abierta por dejadez y falta de control. El espacio naso labial también es extremadamente corto, indicando falta de control en la demanda material. El Marco tendrá tendencia a la forma "trapezoide", con la zona cerebral más retraída. Los ojos, en este caso son átonos (débil conciencia de si), pero también cabe la posibilidad de tonicidad, que en tal caso existirían criterios propios. La sien podrá estar hueca o muy vacía, volviendo compulsivas sus necesidades.

LOS TIPOS PLANETARIOS O MITOLÓGICOS

Dr. Corman: Un gran número de nuestros lectores desearán estar informados sobre los TIPOS PLANETARIOS de los que habrán oído hablar en alguna ocasión. *Ediciones Plon en 1932,* escribió sobre el origen de estos Tipos llamados "planetarios", en los cuales reina el más completo misterio. Parece probable que su conocimiento remonte a la más alta antigüedad, a esta época lejana de *Sages,* iniciados en las ciencias llamadas "ocultas", se esforzaban en examinar en profundidad la personalidad y el destino del ser humano, relacionando particularmente astrología y psicología; estos son además los vínculos con la astrología que han hecho adoptarla denominación de "planetaria". Otros lo denominan "mitológicos"; y en efecto estas preocupaciones antiguas han estado largamente inspiradas en la mitología griega, pues, como saben, los nombres de los dioses del Olimpo nos son muy familiares. Cualquiera que sea su origen, y el conocimiento que nosotros tenemos actualmente, estos Tipos llamados planetarios o mitológicos representan, comparativamente a los signos derivados de la Fisiognomía tradicional, “constelaciones" de signos, reunidos, no arbitrariamente, pero en virtud de una lógica interna rigurosa, y nos proporcionan este ejemplo, casi único en psicología, con descripciones sintetizadas, respondiendo a tipos de hombres y mujeres que se encuentran a cada paso en la vida cotidiana. En la práctica, ofrecen también la ventaja de permitimos asimilarlos en una aprensión rápida, casi inmediata, de la personalidad de todo individuo que se nos presenta, Su realidad, está por otra parte probada hoy en día por el hecho de que la ciencia morfopsicológica los explica de una manera racional, como mostraré. Conviene pues que el morfopsicólogo capte con una rápida intuición, los tipos planetarios que dominan a cada persona, pero no se considera completamente informado, ya que para completar su estudio, es aplicando la leyes de la Morfopsicología que he formulado. Se verá por otra parte que la Morfopsicología aporta a este conocimiento de Tipologías un complemento indispensable, principalmente por el estudio de las tres zonas del rostro y por el estudio de las frentes. Voy pues en una primera parte de mi estudio a describir los ocho tipos planetarios, conocidos tanto en su morfología como en su psicología. Mostraré que se obtiene la mejor comprensión oponiendo estos tipos dos a dos, formando las cuatro parejas siguientes:

TIERRA-MERCURIO/ MARTE-VENUS/ JÚPITER-SATURNO/SOL-LUNA

TIERRA

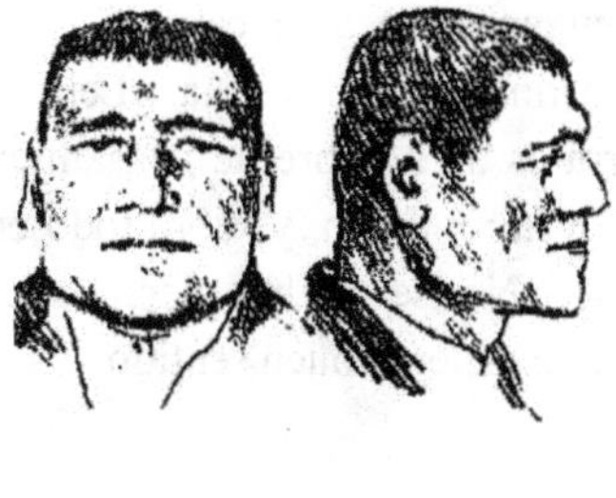

MERCURIO

TIERRA Y MERCURIO:

En oposición al tipo pesado, el que se llama comúnmente “terrestre”, completamente dirigido a las necesidades manuales, está el tipo ligero. "Mercurio con los pies alados”, interesado sobre todo por las cosas espirituales (del pensamiento).

TIERRA:

EI tipo TIERRA tiene dos características morfológicas esenciales. La primera es la solidez de sus formas: osamenta y musculatura importantes y de tipo musculado. Su cabeza es potente; su rostro es macizo, cuadrado, de carnes y huesos compactos, la segunda es el predominio de la zona instintiva: su rostro visto de frente ofrece forma de un trapecio en base inferior por la gran amplitud de la mandíbula que es maciza, con un mentón alto y ancho y una boca grande, con labios gruesos y duros. Por contraposición, la frente es pequeña, constituida principalmente por gruesos superciliares, sobresale una pequeña zona reflexiva, enderezada en vertical; contrariamente a Marte que proyecta su “hocico", el perfil de Tierra tiene enderezado.

PSICOLÓGICAMENTE:

Tierra se interesa sobre todo por el lado material de los seres y de las cosas; es el hombre de la cantidad; muy poco sensible a la calidad de las cosas, busca el lado útil o de realidad concreta, de inventos simples y prácticos.
Es más manual, dotado de una gran potencia física, no con el dinamismo bilioso de Marte, pero con una fuerza constructiva de ritmo lento, y su calidad paciente, infatigable, llevando a cabo trabajos fuertes y duraderos. Es el "buey enganchado a la carreta”. Es un constructor. Es un hombre de instinto y de rutina. Lento en asimilación, lento en decidirse, Tierra es un hombre de pensamiento; tiene pocas ideas, pero maduradas por la reflexión, y sobre todo en la obtención de realizaciones prácticas. No se podría decir que es inteligente, pero muestra en su vida un excelente buen sentido.

MERCURIO:

Es el opuesto a Tierra por sus dos características morfológicas dominantes. Por una parte la gracilidad de sus formas corporales; por otra parte, el predominio de la zona cerebral, que le hace un hombre de pensamiento. Su cuerpo es ligero, de osamenta y musculatura finas (Mercurio con pies atados). Su rostro tiene la forma de un triángulo con la punta hacia abajo (expansión cerebral). Los rasgos son delicados: mandíbula fina con mentón puntiagudo, boca de labios delgados, nariz seca con aletas muy móviles, con ojos también muy móviles. La frente, parte esencial de este rostro es grande, ensanchada hacia arriba, de modelado plano-ondulado.

PSICOLÓGICAMENTE:

Tenemos a un hombre cuya principal preocupación son las cosas espirituales (del pensamiento), siempre marcados de una cierta frialdad. Su viva Sensibilidad le da ritmos rápidos, tanto en el plano físico (destreza manual) como en el plano intelectual. Es particularmente sensible a la Calidad de los seres y de los objetos. Hay agilidad y habilidad que potencia y continuidad. He comparado a Tierra a un fuerte percherón de laboreo y Mercurio sería un pura sangre. Su inteligencia es viva y amplia. Sus dotes de asimilación son remarcables: Observa y concibe con rapidez. Pero es más crítico y superficial que constructivo y profundo; es pues más diletante que creador.

MARTE VENUS

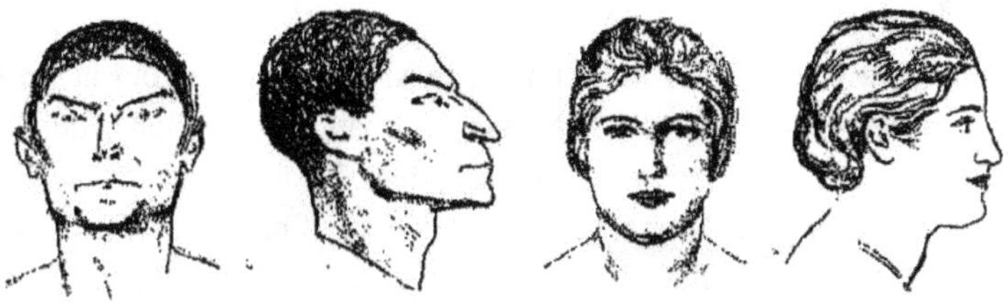

**Mitología o tipos planetarios y su comportamiento psicológico.*

MARTE Y VENUS:

Es la oposición del Tipo viril y del Tipo femenino, pero tienen en común el desarrollo preponderante de la vida instintiva afectiva. Son pues seres de instinto y de olfato.

MARTE:

El tipo Marte se caracteriza por su instinto combativo. Es de talla mediana, y su rostro es corto, que indica un tono muy activo. Las dos zonas inferiores están muy desarrolladas y se proyectan hacia delante “en hocico", Los pómulos muy marcados, salidos, el mentón también; y la nariz, proyectada, es aguileña con aletas vibrantes. La frente es corta y completamente ocupada por la gran proyección de las bolsas superciliares, y esta zona corta esta hacia atrás la mirada tiene una expresión ardiente,

PSICOLÓGICAMENTE:

Marte es un ser de vida psicológica intensa, que le gusta la acción, el movimiento, la lucha, los deportes violentos. Es afectivo, impulsivo y apasionado, Es un líder pleno de ímpetu y de iniciativa, un audaz siempre inclinado con todas sus fuerzas hacia la meta esperada. Su sensualidad es de conquista. Su inteligencia está al servicio de su pasión dominante. Esencialmente es pragmática, rápida en sus observaciones y sus decisiones, guiándose más por su olfato que por su reflexión. No concibe ninguna idea que no sea el punto de partida de una acción.

VENUS:

En contrapuesta a la combatividad de Marte, conquista por la suavidad y la seducción. morfológicamente es más bien pequeña, de formas corporales redondeadas. Sus salientes óseos y musculares están dulcificados por la grasa. De conexiones finas, piel delicada. Sus espaldas son estrechas y un poco caídas, la parte más ancha del tronco se halla en la zona pélvica. Su cuello es redondeado, sin saliente muscular visible, a menudo marcado por las arrugas circulares denominadas *"el collar de Venus"*. Tiene un rostro redondo óval, rollizo, de curvas graciosas. Los relieves están redondeados, el ángulo mandibular difuminado, mentón fino y de perfil suave; su nariz es rolliza (carnosa), de perfil recto o cóncavo. Como para Marte, la dominante está es las dos zonas inferiores. La frente es sobre todo pequeña, uniforme, redondeada y sin saliente óseo. Los ojos son grandes, ampliamente abiertos, de expresión dulce.

PSICOLÓGICAMENTE:

A la gran actividad de Marte, responde Venus con una gran receptividad, una capacidad particular de vibrar a las impresiones, simpatizante, de comunicar con la naturaleza y los Seres vivos, por un contacto directo que es más afectivo que racional: Venus no busca dirigir el mundo, pero se adapta con facilidad; no busca conquistar, pero si seducir. La adaptación predomina en ella sobre la individualidad; tiene poco espíritu de independencia, pero una gran necesidad de vida en comunidad y le resulta casi imposible soportar la Soledad. Habiendo dicho que, morfológicamente, el predominio expansivo está en las dos zonas inferiores del rostro, sedes de la vida instintiva y afectiva. la inteligencia está a su servicio, pues suministran sus motivaciones principales. Así, Marte como Venus, son seres de instinto y de olfato, los cuales captan la realidad esencial por un Contacto sensorial directo.

Tienen una visión justa de las formas y de los colores, y en cada uno de ellos, la percepción de los olores y de los sabores es una buena guía. De donde se puede concluir que ambos tienen una buena adaptación práctica a la vida cotidiana. Se marca en la edad escolar cuando la dominante es fuerte. Marte es un ser de movimiento que soporta mal la vida sedentaria, clases de larga duración, los estudios que se realizan sentados ante la mesa escolar.

Venus, en contra de su agilidad que le permite asimilar fácilmente lo que se les enseña, le disgusta todo lo que sea abstracto, las nociones teóricas, no tiene buena inteligencia más que para los datos concretos que son útiles a la vida cotidiana. Ambos son sensoriales, como ya he dicho, y con un cierta apertura hacia las artes sobre todo las artes decorativas. Bastará sólo un poco más de amplitud de la zona cerebral añadiéndole imaginación para que la tendencia artística Se manifieste en realizaciones. En contra no nos sorprenderá que los niños de estos dos tipos sigan su primer impulso y sean hábiles para improvisar, pero en contra, les repele todo esfuerzo de reflexión y de razonamiento lógico.

JÚPITER Y SATURNO:

Como ya hemos visto, esta oposición es tan característica que me ha sorprendido de entrada, como se conducen, a la oposición del dilatado, de tendencia extravertido, y la del retraído, de tendencia introvertido.

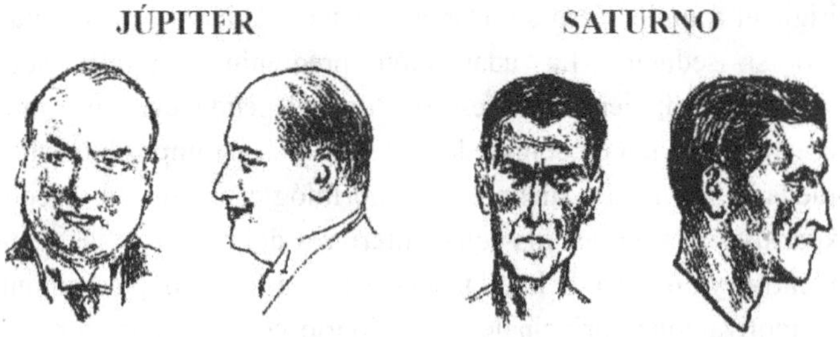

JÚPITER:

Es de cuerpo macizo, como Tierra, pero menos huesudo, menos musculoso, todos los salientes están disimulados por les grasas. Su rostro es amplio, de forma rectangular con ángulos redondeados, carnosos, con un armazón bastante sólido, pero recubierto.

Su mandíbula está bien desarrollada, pero a veces, incluso más ancha que las otras zonas, pero los ángulos están redondeados. Mejillas plenas; boca grande, de labios carnosos. Su nariz es fuerte, carnosa, a menudo colgante en la punta. Su frente es de tamaño mediano, de modelado redondeado aunque ligeramente diferenciado por las arrugas de la reflexión. Sus ojos son grandes, bien abiertos, de expresión calurosa y risueña.

PSICOLÓGICAMENTE:

Es extravertido, es decir un expansivo, completamente orientado hacia la vida exterior, principalmente a la vida social, en la cual se complace. Su humor es alegre, jovial (de *Jovis,* genitivo del latín Júpiter). Como Tierra, está muy atado a los bienes materiales, a las riquezas visibles y palpables, pero de una forma menos basta; así pues ama la riqueza, la fortuna, la opulencia, los honores, los títulos, los cargos oficiales. Todas sus inclinaciones son extravertidas; se deja llevar sin contenerse por todas sus satisfacciones instintivas; es un buen *"vivant",* gourmet y sensual, incluso a veces hasta el exceso.

Su inteligencia es superior a la de Tierra. Está, sin embargo, estrechamente al servicio de sus intereses materiales dominantes: es una inteligencia de hombre de empresa, negociante, financiero. Es pragmática, dotada de una excelente observación concreta, de una reflexión que no está jamás quieta y de un buen sentido Común. A veces carece de amplitud de miras y de imaginación creativa.

SATURNO:

El Tipo SATURNO es un retraído, y como se ha visto. Es en su estructura morfológica, Sin duda opuesto al modelo dilatado de Júpiter, lo cual por primera vez me ha hecho pensar que la aplicación de la ley de dilatación- retracción a la fisonomía podría ser muy provechosa.

Saturno es en general de talla grande, todo hueso y músculos, Sin grasa. Su rostro es alargado, de forma rectangular con ángulos pronunciados v huesos prominentes.

Su mandíbula es más alta que ancha; su boca esta apretada. con labios duros y entrados. Su nariz es huesuda, estrecha, seca, con aletas replegadas. Sus ojos grises o pardos, ubicados en una concavidad profunda, de expresión severa o inquieta.

Su frente, de tamaño mediano, tiene forma rectangular, con huecos y salientes muy mercados; especialmente, está hundida en las Sienes, al nivel del nacimiento nasal y de la línea de reflexión (el freno).

PSICOLÓGICAMENTE:

Saturno es opuesto a Júpiter. Su sensibilidad inquieta y atormentada, Su poder de reflexión y de concentración, su gusto por las especulaciones abstractas, le aíslan del mundo exterior y le convierten en un ser introvertido, solitario e independiente.

En su vida instintiva-afectiva es un ser reprimido que se exterioriza con dificultad, a menudo, carcomido interiormente por sus "demonios" (incorporado Saturno de la mitología que devoraba a sus propios hijos).

Su inteligencia destaca por la seriedad, las dotes de observación metódicas, el poder de reflexión, la capacidad abstracta y la continuidad en sus esfuerzos de pensamiento. Pero no Se abre más que en un medio escogido, lo que lo convierte en un "especialista". No es ágil y por otra parte sus dotes de imaginación están amortiguadas por la inhibición que golpea a las fuerzas inconscientes. Saturno está poco dotado para los negocios, la empresa y el trabajo en equipo. Le falta también el sentido de las relaciones humanas. Es particularmente apto para el trabajo técnico y el estudio de un problema en profundidad.

SOL LUNA

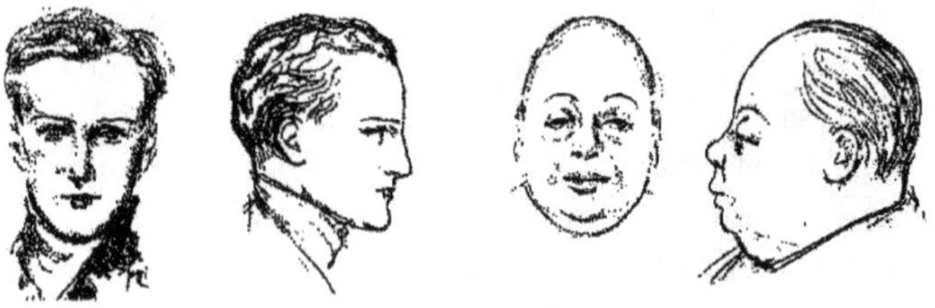

SOL Y LUNA:

Es una oposición que, por clásica que sea en fisonomía planetaria, resulta bastante desconcertante para un pensamiento lógico, como ya he comentado al principiante. Se trata de dos tipos de expansión cerebral, ambos dotados con una gran frente imaginativa, la diferencia entre Sol y Luna, radica en que la imaginación es activa en el primero y pasiva en el segundo.

SOL:

El Tipo Sol se caracteriza por una estructura delicada, que lo asemeja en cierta medida a Mercurio, por su frente en la que predomina la zona imaginativa. La particularidad es que en su modelado, en lugar de ser plano y seco como el de Mercurio, Se perfilan las curvas más nutridas de un dilatado tino: por ejemplo, los labios son finos, pero suavemente carnosos, la nariz de contorno delicado pero carnoso, más ancha en su raíz que en Su base.
La frente es grande, por la amplitud de la Z. imaginativa, que es ancha y redondeada, la implantación de los cabellos está retrasada hacia atrás, dejando al descubierto el amplio casquete frontal. Su anchura máxima, esta por esto, en la zona alta, que se opone a la frente de Júpiter, donde la máxima anchura, como se ha visto, está justo por debajo de los ojos.
Los ojos son grandes, abiertos muy radiantes.

PSICOLÓGICAMENTE:

Esta estructura indica una viva sensibilidad, una receptividad electiva a un mundo de cosas delicadas, a un mundo de calidad en los seres y en los objetos, derivando en una tendencia particular hacia el arte.
Hay pasión en el Tipo Sol, pero una pasión regulada por el sentido de la moderación, se manifiesta más en el dominio del pensamiento que en el instinto.
La inteligencia de Sol es amplia y a la vez, receptiva y activa, sobre todo intuitiva, pero no desprovista de un cierto poder de lógica que ordena y clarifica. Es clásico subrayar las dotes estéticas de esta inteligencia y su poder de síntesis que pueden hacer de Sol un creador, sobre todo en el terreno literario y musical. Pero es preciso mencionar aquí de nuevo las reservas que he formulado más arriba y que me han hecho dar preferencia al método morfopsiocológico. Las recuerdo: por amplitud de la frente, lo que nos permite asignar su valor creador, pero

es preciso además, que esté morfológicamente diferenciada, de manera que le confiera una armonía intrínseca, y por otra parte, es preciso que haya una armonía extrínseca, un equilibrio entre la zona cerebral con las otras dos partes del rostro.

LUNA:

El Tipo Luna se caracteriza por la dilatación átona, es decir que tiene el cuerpo corto y grueso, de consistencia bastante fofa por el predominio de las partes grasas sobre los huesos y los músculos. Es el tipo niño linfático en sus primeros meses. Su rostro es redondeado, "luna llena". El modelado es fofo y flácido (dilatación atona). Su boca es floja y, a menudo, entreabierta. Su nariz es corta, chata, cóncava, "respingona".
Su frente es grande y redondeada; este hecho tiene semejanza con la frente de Sol, pero se distingue en que no está diferenciada. Sus ojos son grandes, globulosos, de color pálido v tienen una expresión característica en la que los parpados superiores están caídos, lo que le da una mirada vaga, apagada, como perdida en un sueño,

PSICOLÓGICAMENTE:

En Luna domina la receptividad pasiva, todas las impresiones sensoriales son asimiladas, pero sin toma de conciencia ni respuesta activa, de manera que toda la vida psíquica se realiza en el inconsciente.
En oposición a Sol, la vida afectiva de Luna se halla bajo el signo de la calma e incluso de la frialdad. Las cualidades pasivas dominan: indolencia, dependencia, paciencia, dulzura, ternura.
Hay que subrayar que ninguna base lógica se aplica a los elementos sensoriales asimilados, la imaginación de Luna tiene rienda suelta; se compone de imágenes concretas que han conservado su ingenuidad y su frescor infantil inicial, y pueden constituir por ello un tema propio de las evocaciones artísticas; pero se comprende que será preciso para actualizar el aporte dinamizante alearse con otro Tipo.

LOS TIPOS SIMPLES Y LAS ALEACIONES

Como ya he dejado entender, podemos encontrar los Tipos sencillos descritos, en tos que domina una tendencia única, tendencia que marca los diferentes sectores de la vida, el ámbito instintivo, el afectivo y el cerebral intelectual, de manera que resulta bastante fácil hacer un retrato con estas bases.

Por ejemplo, el tipo Tierra se caracteriza por su materialismo. Lo es por sus instintos, sus gustos toscos y su actividad potente como un *"buey de labranza"*. Su vida afectiva está muy marcada por exigencias físicas de contacto. Su vida intelectual, se limita al conocimiento de cosas concretas, de lo que los sentidos pueden comprender.

Otro ejemplo es el Tipo Marte que personifica el instinto de lucha. Físicamente es combativo y también intelectualmente, siempre empujado hacia las realizaciones de futuro a pesar de los obstáculos. Y así seguiríamos con cada uno de los ocho tipos simples.

Pero en realidad, se observan más a menudo las aleaciones, asociando las estructuras morfológicas y los rasgos psicológicos de dos tipos o incluso de un número mayor.

Se comprende sin dificultad, que la personalidad del Sujeto, aparece más compleja, compuesta a menudo de antagonismos, que tan pronto se muestran enriquecedores, o al contrario, generadores de conflictos y de desequilibrio. *Ledos,* en su *"Tratado de Fisiognonomía",* que ya he citado al principio como referencia, había hecho esta distinción; clasificaba los tipos planetarios en benéficos y maléficos, pero con consideraciones de armonía que me han parecido superficiales y que no he adoptado.

Debo hacer por este motivo una advertencia de gran importancia: es que las personalidades destacadas jamás son tipos simples, pero si son siempre aleaciones. Resulta que las fisiognomías que hemos querido ilustrar en la descripción de cada uno de los Tipos, dando una lista de hombres y mujeres eminentes por su obra, pueden engañar torpemente porque, en la caracterización de estos personajes solo se ha visto el tipo dominante y se han omitido los rasgos pertenecientes a los tiposaleaciones. Así pues, Se ha perdido el reconocimiento de la originalidad del sujeto.

Para poner en práctica la doctrina de los tipos planetarios, conviene no tomar pues, para objeto de estudio el rostro de personalidades eminentes, y si los casos más sencillos, aquellos que se encuentran en la vida cotidiana.

Voy a dar ejemplos de aleaciones de los dos tipos, los cuales han sido tomados del natural por el hábil lápiz de mi amigo *Pazzi.*

Pero incluso en estas aleaciones bastante sencillas se tendrá que afrontar una cierta complejidad en la estructura, y en particular, se constatará con sorpresa que la conjunción de estas aleaciones no obedece a ninguna regla de composición, que particularmente, a menudo, están formadas por tipos antagonistas, donde se podría pensar, en un principio, que su unión no es posible. Así Marte-Venus, Júpiter-Saturno, Tierra-Saturno, Sol-Luna. Para abordar este estudio, dadas aparte en páginas siguientes, se podrá referir también a descripciones de personalidades que se encuentran en la literatura. Como lo he tratado y explicado ampliamente en mi libro *"Tipos morfopsicológicos en la Literatura",* a menudo los novelistas y dramaturgos escogen por héroes de sus escritos a sujetos cuyo carácter está definido por rasgos destacados, de manera que se puede llegar a aleaciones bastante sencillas, e imaginarse, en consecuencia, su rostro. Daré algunos ejemplos más adelante mostrando que el juego de antagonismos no opera solamente en el mismo seno de un tipo de aleación, pudiéndose observar también la oposición de las parejas; parejas de amigos, pareja de esposos, produciendo, como se verá, efectos cómicos o dramáticos, que bien entendido, son deseados por el escritor.

TIERRA – SATURNO:

A primera vista, no parece que se puedan juntar por ningún rasgo estos dos tipos, que parecen tan opuestos.

La potencia de Tierra se ve bien en este rostro ancho v fuerte, donde la pesadez general y el dominio instintivo indican la fuerza por los apetitos materiales, la excelente inserción en la naturaleza y una inteligencia limitada a pocas ideas, pero dotada de un excelente juicio en las cuestiones de su competencia (sentido común).

SATURNO muy diferentemente, aporta una viva sensibilidad oculta que nutre su vida interior de reflexión, pudiendo llegar hasta la inquietud y la perplejidad.

Hay sin embargo, alteraciones Tierra - Saturno. La potencia y la pesadez de Tierra destaca sobre todo en la zona mandibular expresando una gran fuerza instintiva, pero que está reprimida y deriva en parte hacia la acción, una acción constante y obstinada.

TIERRA SATURNO

TIERRA se manifiesta también en la pesadez de su nariz, muy distinta de la nariz de Saturno donde la pesadez significa una necesidad de contactos afectivo-carnales al mismo tiempo que confiere al sujeto mucho olfato, especialmente en sus relaciones con los problemas de la vida cotidiana (terrenal).

La inteligencia en este tipo de aleación es menos tosca que la de Tierra pues está alimentada por un pensamiento interior que analiza y critica, haciendo del sujeto un observador con una gran agudeza visual.

Las arrugas de concentración nos revelan aquí, con los ojos muy hundidos, la marca de Saturno, y esta estructura, asociada al rictus apretado de la boca, confiere al sujeto un gran dominio de si mismo.

Este hombre habla poco, pero reflexiona mucho y actúa.

Está bien adaptado a la vida de campo, a todo lo que concierne el cultivo y la ganadería. Menos sociable que Tierra, Saturno, ama la soledad. Se le ve bien como leñador o guarda forestal, recorriendo con su amigo, el perro, las vastas extensiones de bosque que debe vigilar.

Por su potencia física, es apto para la mayor parte de actividades manuales; muestra cualidades de método, seriedad, reflexión que le muestran apto para mandar grupos de trabajadores: por ejemplo maestro de obras o incluso monitor y enseñanza en un ámbito técnico.

MARTE - SATURNO:

Marte - Saturno es el que menos oposición muestra entre los dos tipos, y sin embargo". MARTE tiene un rostro corto, lo que, con un modelado remarcado por la firmeza de sus líneas, indica una gran tonicidad, por lo tanto gran potencia de acción.

Por otro lado, es un tipo de expansión instintivo afectiva, por la amplitud de las dos zonas inferiores, opuesta a la reducción muy marcada de la frente (es preciso Señalar la pequeñez del cráneo); es pues un ser de instinto y de pasión afectiva, guiado en todas las ocasiones por sus impulsos, no por la reflexión.

MARTE
SATURNO

La tensión marcada por los receptores y el saliente que los proyecta hacia delante, indica el impulso pasional, luchador. Marte responde a toda impresión del medio con una acción combativa, busca dominar, superara los otros hombres, lanzándose con ímpetu en todas sus empresas. Pensar, es una contención del pensamiento y de la acción, como dijo un filósofo. Marte no piensa apenas, es por lo que a menudo demuestra su deficiencia cuando la acción a realizar exige un poco de reflexión previa.

SATURNO, a la inversa, por el alargamiento de su rostro, sus hendiduras de retracción, la poca apertura de sus receptores, es un ser de vida interior, que reflexiona y medita mucho, no actúa hasta después de haber sopesado largo tiempo el problema, es escrupuloso en sus acciones pasadas. No tiene ningún grado de la combatividad de Marte: tímido y circunspecto, no lucha contra los demás. pero si contra si mismo, siempre a la búsqueda de su equilibrio interior.

La aleación de Marte-Saturno está representada aquí en una estructura de equilibrio bastante armoniosa, pues si la potencia de Marte está bien presente en las dos zonas inferiores, el alargamiento frena el empuje, y este freno se acentúa más por la curva retraída de la nariz, así como por la estructura de la frente y de los ojos. .Es el tipo de hombre de acción, pues hay al mismo tiempo empuje y contención, el dominio aliado a la voluntad de acción. No es pues un loco de la aventura, pero aporta a todo lo que él hace este elemento de moderación que es indispensable para el éxito de la empresa. Aventurero, deportista, soldado, jefe de un grupo de acción. Pero ninguna profesión sedentaria.

MERCURIO – SATURNO:

La gran vivacidad de Mercurio, su sensibilidad a flor de piel, su inteligencia rápida y primaria se oponen a Saturno, pues éste es a la inversa, de reacciones lentas, con una sensibilidad en profundidad y una inteligencia dominada por la reflexión.

MERCURIO
SATURNO

Por su Modelado plano-ondulado, esta todo en la Superficie, reacciona a todas las impresiones con reacciones inmediatas; es pues un extravertido. Su inteligencia no frena en nada esta espontaneidad; casi todo lo asimila bien, es de comprensión muy rápida.
Por el contrario, SATURNO, por su alargamiento y su Modelado retraído-abollado, al que se le añade la poca apertura de los receptores sensoriales, con un predominio introvertido, se aleja de la agilidad de Mercurio.
Esta poco abierto al mundo exterior, no se adapta más que a un medio de estrecha selectividad, lo que lo convierte en poco sociable, con pocos amigos, vive muy a menudo en solitario.

Esto influye en la elección de un oficio: en todas las materias es un especialista, un buscador, un hombre de laboratorio.

La aleación Mercurio-Saturno tiene la estructura del cuadro de Mercurio: un triángulo con punta inferior, a veces con un modelado más marcado de huecos y salientes. En contra, el cierre de los receptores sensoriales como Saturno. La vida instintivo-afectiva está marcada aquí a la vez por la sequedad de Mercurio y la ausencia de calor de Saturno.

La vivacidad intelectual de Mercurio no se manifiesta, la influencia de Saturno (ojos muy hundidos, surco marcado) más que en un dominio estrecho de pensamientos personales. Desde que el sujeto se enfrenta a un pensamiento desconocido, se bloquea y adopta una actitud de rechazo. Este hecho sucede por tener un carácter insociable, obstinándose en sus ideas hasta una actitud doctrinaria, fanática. Hemos visto el Mercurio-Saturno de este retrato, pero se pueden imaginar otras aleaciones en las que habría una mejor aleación.

VENUS - MARTE:

Se podría creer en un principio que estos dos tipos planetarios son diametralmente opuestos, no pudiendo formar una aleación. No es exacto, y he aquí la prueba,

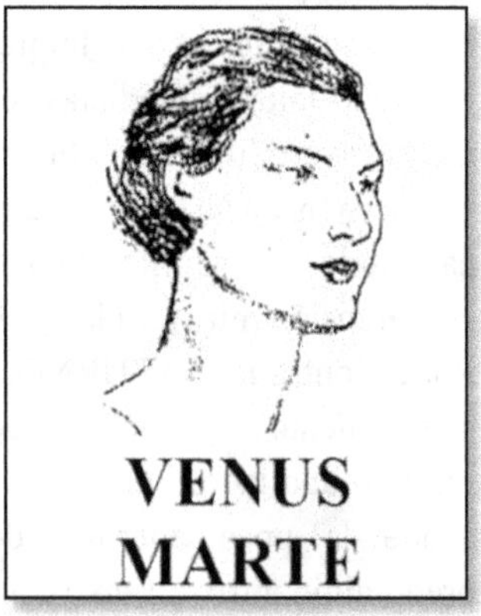

VENUS es una dilatada con tonicidad media, lo que le confiere un modelado suave, hecho de sinuosas curvas regulares. El perfil nos muestra receptores sensoriales abiertos, sin embargo esta apertura no es total, y por ello se añade un ligero enderezamiento de todas las partes del rostro, nos indica que es una mujer joven, en su expansión instintiva y afectiva, hay una cierta retención, moderación. No es pues una apasionada.

A la inversa, Marte muestra un rostro muy corto, anguloso, con una gran tonicidad. Su Cabeza es pequeña, pero Su rostro tiene una gran amplitud, muy salido, hacia delante, lo que nos indica más actividad que receptividad. Todas las líneas de este rostro son oblicuas, proyectadas hacia delante, signo de dinamismo pasional.

La aleación Venus, aparte tiene la estructura general de Marte, pero recibe de Venus una cierta suavidad en el modelado: carácter fogoso, evidentemente, pero con una fogosidad moderada.

Comparado a Venus, que es de carácter tranquilo, más bien sedentario, este es un Ser de movimiento. Es deportista, sobretodo le gusta la equitación. Anima a los demás. Tiene una gran independencia de carácter. Es una apasionada.

La inteligencia de su pequeña frente huidiza es primaria, pragmática. Apoyada en una vida instintiva- afectiva rica, se basa sobre todo en su sentido concreto de las realidades, su olfato, su intuición. Apunta a la eficacia, no piensa más que cuando actúa. No rumia nunca acerca del pasado, pero si está muy ocupada con el futuro. En todos los campos a los que Venus-Marte Se dedique, destacará esencialmente por su dinamismo, Su combatividad, su ambición y su deseo de superación.

VENUS - SATURNO:

Esta aleación es el encuentro de dos tipologías humanas de caracteres muy opuestos, y el problema de su equilibrio Se encuentra planteado ya de entrada.

VENUS tiene un modelado suave, hecho de redondeces y receptores abiertos, lo que, en conjunto, le confiere una fácil adaptación al mundo material y al mundo social, o sea que es un extravertido.

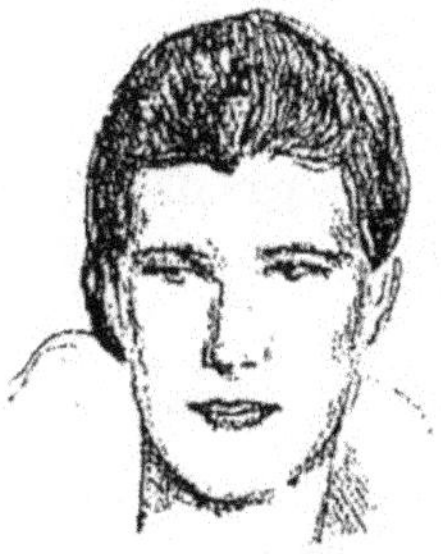

VENUS
SATURNO

SATURNO, a la inversa, tiene un modelado hecho de surcos y de salientes, y los receptores protegidos, incluso cerrados, donde hay una dificultad de adaptación, reduciéndose a un campo limitado, a un medio de elección, lo que lo hace un introvertido.
La expresión de Venus está de acuerdo con su humor, es serena y tranquila, a menudo incluso sonriente. Al contrario, la expresión de Saturno es grave, a menudo triste, expresando contradicción constante.
La aleación Venus Saturno descrita aquí, nos presenta una fusión de los dos componentes que en este retrato es armoniosa. Conserva de Venus las curvas redondeadas (notablemente redondeado el ángulo mandibular), la boca carnosa, los ojos grandes y ampliamente situados, Pero notad que esto se marca sobre todo en la zona inferior (la vida instintiva, que sólo se abre en un medio electivo), mientras que Saturno está sobretodo presente en la zona superior, en la estructura de la frente, estrechamente encuadrada por las sienes hundidas, y limitada arriba por la espiga de los cabellos, así como por el hundimiento de los ojos, situados a poca distancia, bajo cejas rectas, La influencia de Saturno se notará pues principalmente en el dominio del pensamiento, un pensamiento introvertido, que reflexiona, medita y esta llevado por el escrúpulo y la inquietud. Venus-Saturno necesitará un medio de elección donde el acuerdo entre pensamientos y sentimientos con las parejas juega un gran papel.
En el ámbito profesional, no es apto para un empleo en el que se necesite contacto con mucho público, pero será muy eficaz en un ambiente escogido, con un número de parejas (compañeros) más reducido.

VENUS - MERCURIO:

VENUS se opone a Mercurio por muchos de sus rasgos y Sin embargo se observa frecuentemente la aleación de los dos.
Venus, rostro oval, con curvas redondeadas y con receptores abiertos dispone de una amplia adaptación al entorno, a la realidad de los Seres y objetos de su medio familiar.

Es preciso señalar que también las dos zonas bajas predominan, esto hace que
Venus sea un ser de instinto, de olfato, donde los sentimientos cuentan más que la razón: sentido común, sentido práctico, sensorialidad.
Poca combatividad pero dulzura y seducción que le hacen capaz para encontrar su camino en la vida.
MERCURIO, al contrario, es un tipo con dominante cerebral.
Las otras dos zonas son más finas y más reducidas, tanto en el marco como en los receptores, pero tienen un modelado tónico, cuyo resultado es una actividad de ritmo rápido, la acción manual está aquí al servicio de una inteligencia viva. Si la sensibilidad, en tanto que reacciona a todos los acontecimientos, está en viva revancha, la afectividad es superficial y seca, sin ternura.

VENUS MERCURIO

Esta aleación Venus-Mercurio mostrada aquí, ofrece dominante Mercurio, pero Venus está, a veces, inscrita en una discreta expansión del marco del rostro, que es menos plano que el de Mercurio, más redondeado y más dulce. La acción es por cierto rápida pero con soltura.
La Sensibilidad es viva, la sequedad de Mercurio esta aquí moderada por la ternura de Venus.
La inteligencia tiene las capacidades lógicas de Mercurio, a veces alimentada por la sensorialidad de Venus.
Esta aleación, por su delicadeza, rechaza todo lo que sea grosero, material, no Se place más que en un mundo refinado y aprecia sobre todo la calidad tanto en los Seres como en los objetos.

VENUS - LUNA:

La aleación de Venus y Luna se encuentra a menudo, pues estos dos tipos son bastante parecidos.

VENUS es una dilatada de tono medio, con dominante instintivo - afectiva, de frente reducida en relación con las otras zonas, pero con grandes ojos que perciben bien las cosas, con buena adaptación práctica para las tareas familiares y excelente sensorialidad, pero con poca apertura para los problemas intelectuales propiamente dichos.
En ella, el sentimiento prevalece sobre la razón y comprende las situaciones más por intuición que por un razonamiento lógico.
Es poco combativa: triunfa más bien por la dulzura y la seducción.
LUNA también es un dilatado, pero muy marcado por la atonía. Por ello tiene, sobretodo, virtudes pasivas: dulzura, paciencia, dependencia, espíritu de sumisión y en cierta medida, también pereza.
La redondez de la frente indica una posibilidad de asimilación sensorial muy extensa pero poca reflexión y poco espíritu crítico. Lo irreal (sueño) reemplaza aquí el pensamiento lógico y, a menudo, la adaptación a la realidad es deficiente. En la aleación de Venus y Luna prevalece la dilatación pero un tono algo mejor que Luna. La apertura de los receptores sensoriales, junto a la estructura de la zona cerebral, determina una morfología muy próxima noción de un medio de protección es aquí esencial, Si esta joven es feliz en el seno de su familia- padres a la del niño pequeño. La característica de este rostro es pues la inmadurez, la tendencia a vivir en un mundo infantil de fantasmas, de caprichos y también con la necesidad constante de protección que es una de las inclinaciones mayores de esta joven.

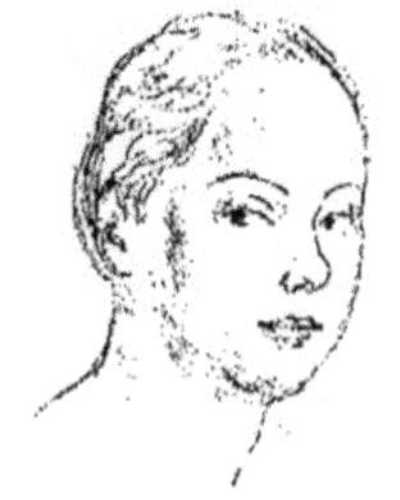

VENUS
LUNA

Esta noción de un medio de protección es aquí esencial. Si esta mujer es feliz en el seño de su familia -padres, esposo, niños- sueña poco, la actividad de las zonas instintivo-afectiva predomina sobre la actividad cerebral. Pero supongamos que se la frustre o decepcione, buscará un

refugio en su vida interior, componiendo unos bellos sueños compensadores, o bien en la lectura.
Hace falta también, en sus empleos, un ambiente que la sostenga y anime, no está hecha para la soledad ni para el trabajo en solitario.

VENUS - SOL:

La aleación de Venus y Sol es frecuente, en general los dos tipos armonizan bien.
VENUS aporta su dominante de dilatación, su modelado de líneas redondeadas, la preponderancia de su zona instintiva-afectiva, la frente pequeña y redondeada y la apertura de los receptores.

VENUS
SOL

SOL aporta una particular fineza de las estructuras, con un Modelado plano-ondulado y la expansión muy marcada del nivel cerebral, donde predomina la zona de grandes vuelos imaginativos. Los receptores están en parte cerrados sobre todo boca y nariz, pero por el contrario, presenta unos grandes ojos luminosos ligeramente protegidos.
La aleación Venus-Sol respeta los rasgos venusinos, atinándolos, y se une a la dominante cerebral del tipo Sol donde cabe señalarlos ojos por su luminosidad.
Psicológicamente la receptividad, la dulzura y la ternura corresponden al tipo femenino. Sol añade un elemento de delicadeza, de fineza, un sentido particular de la calidad de los seres y de las cosas, una visión estética de la realidad. La dominante cerebral confiere también cualidades intelectuales que no posee Venus, intuición para las cosas elevadas, aptitud particular para ver los problemas en todas sus implicaciones, para combinar proyectos y encontrar soluciones.

El carácter de este tipo de aleación Venus-Sol, visto en su conjunto, es el de una gran dama a la que repugna toda familiaridad y no se complace más que en un medio refinado, queriendo rodearse de cosas bellas y vistiendo con distinción.
Sus aptitudes le permiten ocupar puestos de cara al público, esencialmente en los ámbitos donde la calidad de vida es primordial, principalmente en el arte y la decoración.
Es adecuada para dirigir una exposición (un salón) y recibir artistas, escritores, pintores o músicos con los que le gusta relacionarse.

JÚPITER - SATURNO:

JÚPITER
SATURNO

El antagonismo de Júpiter y Saturno es, como se sabe una oposición típica. JÚPITER tiene el rostro ancho con forma de rectángulo con todos sus ángulos redondeados. La frente parece grande a causa de la calvicie, frecuente en este tipo, pero en realidad es de dimensiones medias con una redondez regular. Frente y sienes siguen en armonía. Los receptores están abiertos, Esta morfología indica la apertura al mundo, la extraversión, la facilidad de adaptación en la mayor parte de los medios y una inteligencia concreta, pragmática.
La amplitud de la zona mandibular indica, al mismo tiempo, los instintos del *"bon vivant"* y las capacidades del hombre de negocios.
SATURNO es el opuesto, pues la retracción domina en este rostro alargado, marcado de surcos y de salientes, con los receptores cerrados. La frente, en particular, esta diferenciada por todas partes, y con los ojos hundidos, indica la introversión del pensamiento, la espontaneidad frenada por una reflexión que va hasta la rumiación y la perplejidad. Poca apertura hacia la vida social, con una marcada tendencia hacia la soledad.

La aleación Júpiter-Saturno tiene aquí la expansión vital de Júpiter, sus grandes capacidades para resolver los problemas concretos. Pero Saturno, marcado por la apertura de los receptores, aporta un factor de elección, de análisis crítico, de reflexión y de serenidad que puede enriquecer las capacidades de Júpiter.

Conviene añadir, que en el retrato escogido, la gran frente con su amplia zona imaginativa, resulta del aporte de un tercer tipo, el tipo Sol, marcado también en la expresión de sus ojos.

Esta tercera componente, con la aleación, nos da un hombre valioso, dotado de capacidad intelectual fuera de lo común, asociando la voluntad de acción a una gran serenidad, de manera, que, si Júpiter, con sus aptitudes de buen gestor, comerciante o industrial, le permite dirigir una empresa o estar en contacto con sus empleados, el hombre de aleación tiene más envergadura v es capaz de hacer frente a los problemas que tengan un cariz de importancia. Puede también hacerse notar por su capacidad en las carreras liberales y en la enseñanza superior.

MERCURIO - LUNA:

El contraste entre Mercurio y Luna está muy marcado.

MERCURIO, efectivamente, tiene firmeza general en la conformación, un rostro de contorno preciso, indicando a la vez sensibilidad muy viva y tonicidad bien marcada, resultando un sujeto muy activo, con gran movilidad, de ritmo rápido, opuesto a la pesadez de Tierra, como ya se ha visto. Por otra parte, la delicadeza de los contornos y el ensanchamiento hacia lo alto, marcándose notablemente en la anchura de la nariz en su raíz y la posición alta de las mejillas. Alineados con el ensanchamiento de la frente en forma de trapecio, Modelado plano, indican una tendencia neta a la sublimación de la vida instintiva y de los sentimientos; esta sublimación le lleva incluso hasta la sequedad de la vida afectiva, transferida hacia el campo del pensamiento. De manera que, la inteligencia es viva y critica, pero profundiza poco en los problemas, teniendo todas las características de lo que se denomina “espíritu", en el sentido popular de la palabra.

Esto es completamente diferente a lo que aporta LUNA con su dilatación marcada por la atonía y Su expansión cerebral en la que la frente diferenciada y los ojos átonos indican un pensamiento irreal donde los fantasmas dominan; la estructura general de este rostro se aproxima al niño pequeño.

MERCURIO LUNA

En un caso extremo, la relativa frialdad sentimental de Mercurio, con la tendencia de Luna de ver la realidad a través de la bruma de la imprecisión puede engendrar conductas más perversas, y principalmente una tendencia a la mentira o a la estafa sentimental.

Es cierto que en este tipo de aleación hay disposición artística, no es que esta dama tenga aptitudes creativas, pero si para aquellas actividades que necesiten el gusto por las cosas delicadas, la fineza de las líneas y formas como las artes decorativas o los oficios relacionados con la moda. Tiene gusto, se vista y arregla con elegancia. Ama el lujo, y como tiene poca potencia de acción para alcanzarlo, buscará la protección de un hombre capaz de satisfacerla, incluso en sus caprichos.

Hay que subrayar que en este tipo de aleación hay, por Luna, una cierta fragilidad nerviosa. Si no está protegida, al contacto de una realidad hiriente, está expuesta a momentos de claudicación, bajo la forma de astenia o angustia nerviosa e incluso podría caer en la droga, para escapar a la realidad.

CAPÍTULO 12
CARACTEROLOGÍA "RENÉ LE SENNE"
ESTUDIO: MOISÉS ACEDO CODINA

René Le Senne (1882-1954):

Filósofo y psicólogo francés, cuya filosofía lleva el nombre de "ideo-existencial". Retomando el pensamiento de *Hamelin*, consideró la filosofía como metafísica e idealismo. En un intento de sintetizar inteligencia y corazón, pensamiento y realidad, llegó a la unidad *"ideo-existencial"* con la que el filósofo adopta una postura objetiva, pero sin pretender sistematizarla de modo perenne.

René La Senne.

Su filosofía es de inspiración esencialmente moral, y tiene por objetivos la contradicción, obstáculos y conflictos; en pocas palabras experiencias que exigen una continua superación hacia el Valor. El Valor es absoluto, único e infinito, y el hombre no puede alcanzarlo de forma inmediata, sino únicamente con valores particulares. En la psicología de René Le Senne también tiene presente la dialéctica de la determinación y de la libertad. Le Senne formuló 8 caracterologías que citaremos con dibujos y métodos morfopsicológicos.

Le Senne formuló 8 caracterologías de 2 subcategorías cada una, que a continuación citaré y explicaré con dibujos objetivos, métodos y análisis morfopsicológicos:

LOS APASIONADOS E-A:
Los Apasionados (E-A-S) - Los Coléricos (E-A-P)

LOS SENSITIVOS E-na:
Los Sentimentales (E-nA-S) - Los Nerviosos (E-nA-P)

LOS ACTIVOS A-nE:
Los Flemáticos (A-nE-S) - Los Sanguíneos (A-nE-P)

LOS AMORFOS nA-nE:
Los Apáticos (nA-nE-S) - Los Amorfos (nA-nE-P)

LOS APASIONADOS E-A

Tipo 1- Los Apasionados (E-A-S):

Que son aquellos que se caracterizan por ser ambiciosos, que realizan tensión extrema de toda la personalidad. Actividad concentrada a un fin único. Dominadores por naturaleza, son aptos para mandar. Saben dominar y utilizar su violencia conscientemente. Resaltan por ser serviciales, honorables, amantes de la sociedad. Con frecuencia resultan buenos conversadores u oradores. Demuestran tomar en serio la familia, la patria y la religión. Suelen tener un sentido profundo de la grandeza.
Su valor dominante: la obra por realizar.

Morfopsicológicamente:

La ambición podemos observarla en "el concentrado" con tendencia a acumular. Esto se traduce físicamente con un Marco ancho y receptores pequeños, a excepción de la nariz más carnosa y aguileña (imposición), para poder mandar o dominar a los demás con diplomacia y buen trato. La frente será más ancha que alta, dándole más capacidad de especialización o de metas objetivas. También existirán pómulos anchos que otorguen disposición y/o necesidad para representar o delegar grupos humanos. La zona emocional será por tanto, de dimensiones grandes con enormes valores humanos y parentela. La mandíbula será ancha para llevar a cabo los proyectos y la boca tónica

***Apasionados E-A-S.**

con tendencia a la pequeñez, concediendo un buen sentido de la administración, así como facilidad para la oración y el diálogo. El cuello también podría ser ancho para dar soporte a la acción o realidades concretas.

Tipo 2- Los Coléricos (E-A-P):

Representan a aquellos generosos, cordiales, llenos de vitalidad y exuberancia. Optimistas, generalmente de buen humor; carecen a menudo de gusto y de medida. Su actitud es intensa y febril, pero múltiple. Suelen interesarse por la política, aman al pueblo, creen en el progreso y son revolucionarios de buena gana. Dotados con frecuencia de aptitudes oratorias y llenos de impetuosidad, arrastran a las multitudes.
Su valor dominante: la acción.

Morfopsicológicamente:

El Marco o armazón del rostro será también dilatado, pero los receptores más grandes, abiertos, tónicos y algo abruptos, "petit et gran visage", por su tendencia a regalar cuanto poseen, ya que es un ser generoso, buen comunicador y no posee la ambición de "Los Apasionados E-A-S", compartiendo cuanto tiene con su prójimo (todo lo que va hacia fuera está para dar) aunque a veces desmesuradamente o con poco control (RL). Como es más innovador que conservador (respuesta rápida), sus tres zonas serán generalmente de RL (Retracción Lateral), pero sobre todo la superior e inferior, para ofrecerle inmediatez y espíritu de lucha. Su tonicidad global será alta. De igual modo podrá tener un amplio cuello que refuerce su eje poligonal, aportándole fuerza y resistencia, así como una zona emocional ancha y tónica, para atraer a las masas o grupos de personas a su cargo.

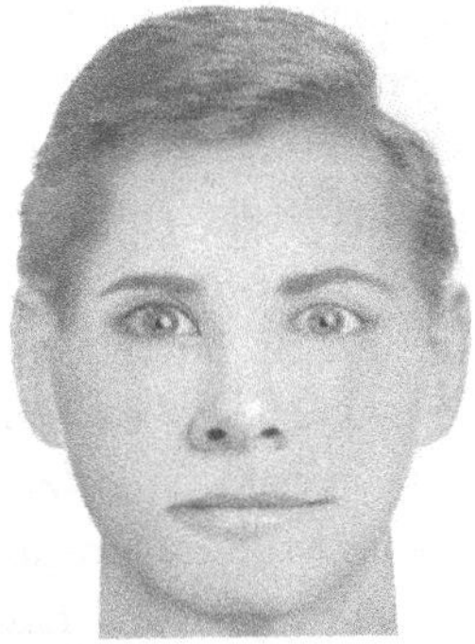

Apasionados E-A-P.

LOS SENSITIVOS E-Na

TIPO 1- Los Sentimentales (E-nA-S):

Suelen ser aquellos que no pasan más allá de la etapa de aspiración; son meditativos, introvertidos, torpes y a menudo frustrados. Melancólicos por naturaleza, se sienten disgustados y desconformes de si mismos. Tímidos, vulnerables y escrupulosos, alimentan su vida interior rumiando el pasado. No les resulta fácil relacionarse con el prójimo y pueden caer en la insociabilidad. Individualistas pero tienen un vivo sentimiento de la naturaleza.
Valor dominante: la intimidad.

Morfopsicológicamente:

Por su falta de actividad, su rostro se mostrará alargado y estrecho (retraído), con la frente también larga (abstracta) y zona inferior estrecha, débil y con tendencia al almohadillado, con las mandíbulas envueltas (atonía). Es un ser más mental que físico y su aspecto será *Isoscélico* invertido, con el cuello fino. Su falta de fuerza, valor, timidez inicial y poca confianza, la veremos en su zona Reptil retraída con perfil de mentón hacia dentro (tendencia al piñón - inhibición) y en el eje poligonal frágil de poca reserva energética. La depresión o tristeza recurrente, se reflejará con astenia en su zona media (nariz pesada) y RLN presente. Su soledad se expresará en el Marco estrecho, Filtrum "poción del amor" largo, ojeras visibles, arrugas horizontales de la frente "me esperaba más", posibles pliegues nasogenianos (línea de Marte) y RF superior (estatismo o inmovilidad). El receptor cerebral (ojo), será generalmente más tónico que el instintivo (boca), ya que no es persona de mucho hablar, pero sí de intercambiar pensamientos e ideas.

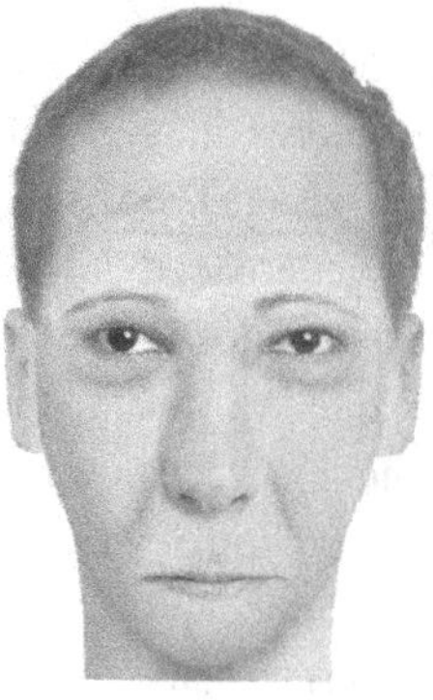

****Sentimentales E-nA-S.***

TIPO2- Los Nerviosos (E-nA-P):

Personas de humor variable y que les gusta llamar la atención. Muestran indiferencia por la mayoría de las cosas y por la objetividad. Intentan "embellecer" la realidad con ficción y un mundo de fantasía. Con castillos en el aire, les gusta lo extravagante, lo aterrador, lo macabro y generalmente lo negativo. Trabajan de forma inconstante y sólo si les gusta. Necesitan estimulantes externos para su actividad diaria. Inestables emocionalmente pero tienen necesidad de afecto.
Valor dominante: la diversión.

Morfopsicológicamente:

El humor cambiante, inestabilidad afectiva y posible bipolaridad, la observaremos en asimetrías faciales fuertes de altura, sobre todo a nivel de ojos y mandíbula, prognatismo superior y nariz átona con orificio izquierdo más cerrado que el derecho (siempre en un diestro). El protagonismo y necesidad de atención estará reflejado en el tamaño considerable de la zona media, nariz en RL y Filtrum o espacio naso labial corto. La falta de interés y vivencia de mundo propio con tendencia a la corrupción, se plasmará con la frente alta soñadora, con ojos pequeños y hundidos, el Marco retraído y átono y zona baja inhibida, mermada y retraída (inferior a la RF). La predilección por lo fúnebre y posible cinismo, se expresará con el tipo mitológico "Saturno" de forma Isoscélica invertida, pliegues nasogenianos y labios finos. La boca se encontrará generalmente entre abierta, debido a la dejadez y dependencia a medicamentos, posibles vicios y/o específicos externos.

**Los Nerviosos E-nA-P.*

LOS ACTIVOS A-nE

TIPO 1- Los Flemáticos (A-nE-S):

Hombres con buenos principios, conservadores, respetuosos, puntuales, dignos de confianza, objetivos y sensatos. Individuos estables y de carácter sereno, pacientes, tenaces y que no les afecta lo que opinen los demás sobre ellos. Su civilización o cultura es grande y sus religiones o creencias son de carácter ético y siempre honrado. Personas alegres y con buen sentido del humor. Prefieren los sistemas abstractos que los definidos o precisos.
Valor dominante: la ley.

Morfopsicológicamente:

Su condición innata de carácter tradicional y honrado, podremos observarla sobre todo en una zona superior de RF (vertical o secundaria), otorgándole extremo control y prudencia en su modo de obrar. Su mente idealista o abstracta, la veremos plasmada con una frente más alta que ancha, otorgándole esa capacidad o facilidad para la teoría. Su naturaleza tranquila y constante se verá reflejada en un Marco dilatado-medio, con la zona afectiva alta y una base sólida en cuanto a la anchura y tonicidad mandibular. Su Modelado será ondulado y le aportará buena adaptación a su entorno inmediato. Por sus valores humanos, la zona media o afectiva también jugará un papel muy importante, encontrándose equilibrada, tónica y con buena expansión principalmente en altura, con el tabique nasal ancho y alargado de nariz carnosa, denotando madurez emocional y altos valores morales.

** Los Flemáticos A-nE-S.*

Su alegría y optimismo se plasmarán con un rostro relajado, imperturbable y de matices tónicos.

TIPO 2- Los Sanguíneos (A-nE-P):

Son extrovertidos, exactos y personas prácticas. Aman a la madre tierra, con todo lo que les ofrece. Son educados, místicos, diplomáticos, sarcásticos y a veces incrédulos. Tienen don de gentes y saben llevar a los demás con cortesía. Sienten poco respeto por la política, sectas, grupos varios y comunidades, ya que lo que no experimentan por vías personales no lo creen. Son personas flexibles, decididos y con un buen sentido del oportunismo.
Valor dominante: éxito social.

Morfopsicológicamente:

La actitud sociable, extrovertida y con "espíritu de la fiesta", la veremos plasmada en un Marco dilatado o abierto, con los receptores grandes u "ofrecidos". Su buen contacto social y trato con los demás, en una zona emocional tónica, de nariz carnosa, en RL (proyectada) y vibrante. Su falta de interés en grupos públicos o gubernativos, la veremos en una RL general, sobre todo a nivel de la frente (inclinación), signo de constante innovación y poco tradicionalismo. El sentido de la oportunidad y la ocasión, se expresará en una mandíbula acolchada o envuelta, con mentón presente y diferenciado. El carácter adaptable y flexible lo veremos en un modelado redondo/ondulado. Por último, su simpatía por los grandes y pequeños placeres, la veremos dibujada con una boca diferenciada y carnosa y algo ofrecida, Filtrum 1er grado, y

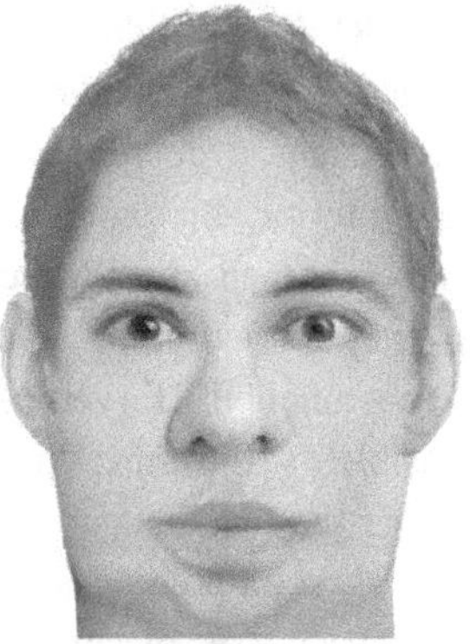

Los Sanguíneos A-nE-P.

zona instintiva en expansión, ya que la dominante, en todo caso será la emocional, por su necesidad de triunfo comunitario.

LOS AMORFOS nA-nE

TIPO 1- Los Apáticos (nA-nE-S):

Personas introvertidas e infranqueables, misteriosos y con una vida interior extremadamente intensa. Lúgubres, macabros y pesimistas, se ríen muy poco. Altamente rencorosos, rara vez perdonan. Son individuos algo oscuros o tenebrosos. Les gusta la conversación si es de su interés, ya que de otro modo se aislan por completo, amando su clausura. Habitualmente son honrados, conservadores e incluso a veces distinguidos. Suelen decir la verdad de las cosas y son personas legales.
Valor dominante: la tranquilidad.

Morfopsicológicamente:

Su rencor, sentido de conservación y honradez, los observaremos en una RF (verticalidad) a nivel superior, con una frente muy vertical de tendencia abollada, con sienes ahuecadas o de fuerte depresión hacia su interior. Su puntual aislamiento lo veremos en un Marco retraído o retraído extremo, con la zona emocional en RF (vertical), orificios no visibles y filtrum o "poción del amor" alargado indicando independencia afectiva. La predisposición a lo fúnebre o tétrico, se plasmará en una zona emocional inarmónica y triste, con unos ojos hundidos, además de todo lo citado anteriormente como el Marco retraído y sienes hundidas. La boca será tónica, bien cerrada y de labio superior fino, otorgándole fluidez verbal,

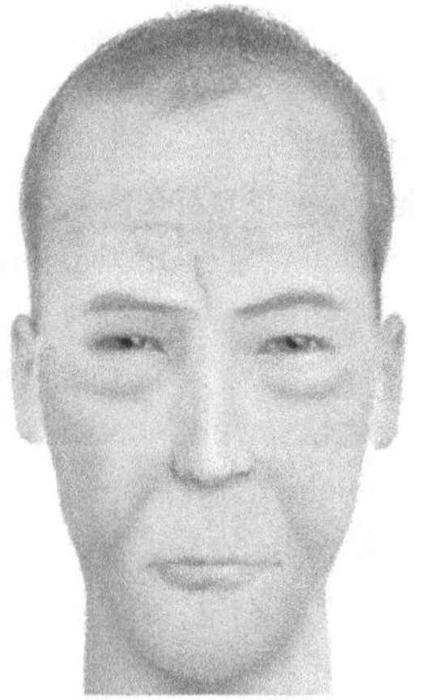

**Los Apáticos nA-Ne-S.*

siempre en su campo elegido por su extremada selectividad, terquedad y estrechez de miras. Como no son personas muy activas, su zona instintiva o baja será de tendencia acolchada o átona.

TIPO 2- Los Amorfos (nA-nE-P):

Aunque como los apáticos, dan prueba de terquedad y tozudez, son más tolerantes debido a su indiferencia. Son conciliadores y suelen estar siempre disponibles. Son los llamados comúnmente gente de "buen carácter", tolerantes y pacientes. También hay que decir, que son individuos perezosos, negligentes y de tendencia descuidada. No son conservadores de ninguna costumbre pasada, como tampoco tienen miras hacia el futuro. Poseen buenas aptitudes para el arte dramático y la música.
Valor dominante: el placer.

Morfopsicológicamente:

Debido a su holgazanería innata, su Marco será alargado y átono, ya que les cuesta mucho el inicio en las cosas. El sentido de la testarudez, se plasmará igualmente en una RF superior (verticalidad) pero de ojos átonos (caídos) ya que insistiendo pueden llegar a ceder y dejarse llevar por los demás. Su desinterés general, además del Marco alargado, se verá en los receptores de tendencia átona, con poca participación. De existir excesiva atonía, no le importará casi nada. Su capacidad de interpretación la veremos reflejada en los ojos átonos, con dilatada zona imaginaria o superior cerebral. El sentido de la musicalidad se manifestará con un caracol auditivo grande, lo que encaja con su nariz larga y personalidad con debilidad emocional.
La comodidad, placer y falta de actividad, lo veremos en un cuello y

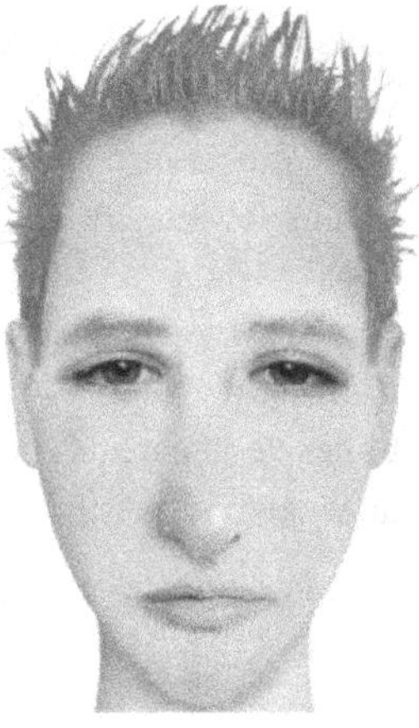

**Los Amorfos nA-nE-P.*

mandíbula delgados, así como posiblemente difuminados por papada o símil, con la boca entreabierta y carnosa. Recordemos que la boca es siempre un elemento que indica dejadez y abandono físico, de no ser que la persona sufra alguna enfermedad.

FUNCIONES DE JUNG – ESTUDIO

**Carl Gustav Jung.*

Carl Gustav Jung (1875-1961 - Suiza), fue un médico psiquiatra, psicólogo y ensayista suizo clave en la etapa inicial del psicoanálisis. Fundador de la escuela de psicología analítica, también llamada como *"psicología de los complejos"* o de la *"psicología profunda"*.
Se lo relaciona con *Sigmund Freud* de quien fuera colaborador en sus comienzos. Carl Gustav Jung fue pionero de la psicología profunda más leída del siglo XX. Su abordaje teórico y clínico enfatizó la conexión funcional entre la estructura de la psique, sus productos y manifestaciones culturales. Esto le impulsó a incorporar en su metodología nociones procedentes de la antropología, la alquimia, los sueños, el arte, la mitología, la religión y la filosofía. Él creó los 3 tipos básicos o funciones; **Pensamiento-intuición, Sentimiento y Sensación**, que se correlacionan con nuestros tres cerebros: humano, mamífero y reptil. A continuación mostraremos con fotografías y a través de la anchura, la predilección o predisposición del individuo en la zona donde se encuentra más realizado.

Pensamiento-intuición - Zona superior o cerebro humano (Córtex y Neocórtex):

En la persona con expansión superior prevalecerá el pensamiento y las ideas por encima de todo y su objetivo será "llegar a lo más alto".

Sentimiento - Zona media o cerebro mamífero (Complejo Sistema Límbico):

En el individuo con expansión media del rostro predominará el afecto, sociabilidad y sentimiento hacia los demás o entorno, y por tanto, su objetivo será "el amor".

Sensación - Zona inferior o cerebro reptil (tronco y cerebelo):

Las personas con expansión instintiva o reptil serán más apegadas al plano físico o material, siendo su objetivo el dinero, los placeres o en definitiva "la materia".

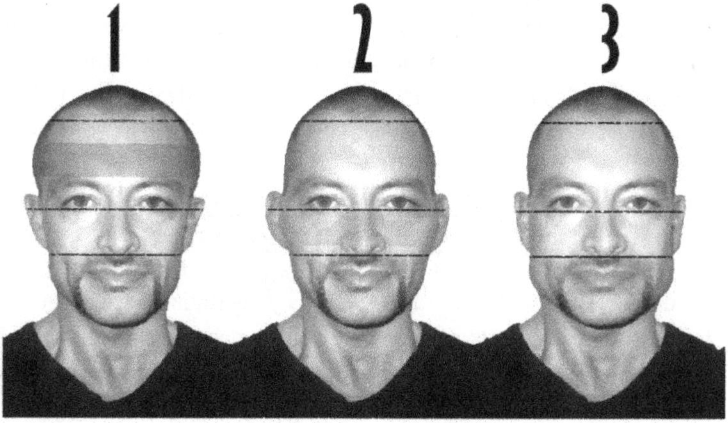

Las 3 funciones de Jung: alta, media y baja.

LAS COMPENSACIONES

Si un individuo, ya sea debido a debilidad física o psicológica, se ve incapaz de desarrollar algo, existe la posibilidad formarse la "*compensación*", que en la mayoría termina en "*supercompensación*". Explico: una persona con debilidad física, y por tanto con la zona inferior o instintiva mermada, podrá llegar con gran esfuerzo y dedicación ser un campeón gimnástico, sin embargo, el que de forma innata ya ha nacido con potencial físico, tendrá muchísimas más posibilidades de serlo, y es por ese motivo que quizás no llegue jamás a poner el ímpetu ni interés del individuo "débil", y es que como citaba el famoso autor *"siempre puede más la voluntad que los obstáculos"*. Entonces podemos decir que existirán dos aptitudes:

Conformación especial: es la capacidad innata o congénita, con predisposición al individuo para una actividad determinada.

Insuficiencia súper-compensada: que surge de la debilidad y las ganas de superación, logrando transformar algo frágil y decaído, en el más grande potencial del ser.

Entonces podríamos hablar de "dilatación electiva" de los retraídos, cuyas zonas más retractadas o mermadas, buscarán su expansión en el subconsciente. Con la práctica, seremos capaces de distinguir esas tendencias y las compensaciones a consecuencia de esta insuficiencia natural.

LAS FORMACIONES REACCIONALES: LÍMITES DE LA MORFOPSICOLOGÍA

Ya desde la infancia, nuestras tendencias y necesidades más primitivas (ello), son rápidamente prohibidas y censuradas por el medio (yo). El espíritu combativo y hambriento de la sinrazón se ve poco a poco paralizado por el entorno, pero nunca olvidado, quedando presente a modo perenne y sublimado en nuestro subconsciente. Aunque contenidas, esas necesidades intentarán salir a flote con toda su fuerza, pero surgirán con efecto de "cascarrabias" o "aguafiestas", como el patán que grita en medio de una celebración cortés y refinada. Estas son las formaciones que *Sigmund Freud* llama *"reaccionales"*. Ciertas personas de gran carácter, como por ejemplo los abollados, pueden llegar a *"supercompensar"* esas tendencias y experimentar un cambio drástico y completo, pudiendo observar a niños que durante su infancia han sido violentos y más tarde pacíficos, o grandes avariciosos transformados en espléndidos. Es por ello que no debemos precipitarnos en la evaluación rápida del rostro, ya que los cambios repentinos tardan tiempo de reflejarse en el mismo. Las tendencias más profundas nunca desaparecen por completo, y pueden dar pequeñas señales o manifestaciones a lo largo de la vida, si existen elementos que los propicien o el medio las incita. Una de las labores más complicadas pero no imposibles del morfopsicólogo, será determinar la importancia de estas *"formaciones reaccionales"* y las debilidades reprimidas. Podemos describir entonces la diferencia entre sublimación y represión:

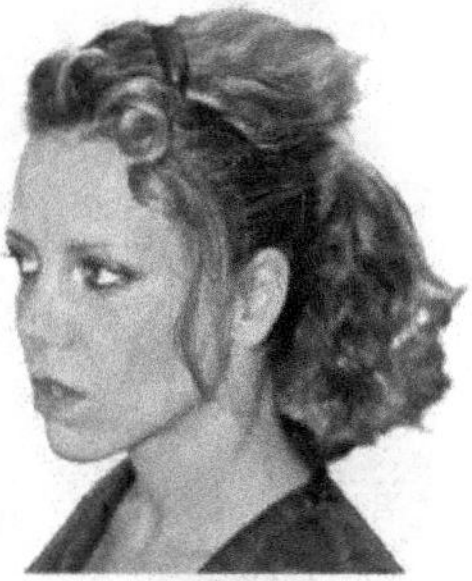

1

2

En la fotografía de la chica, modificada con editor (nº2), podemos observar la sublimación en la fotografía nº1; con equilibrio y control de sus necesidades, observándose unos labios finos y expresión del rostro serena, sin tensión. En el ejemplo nº2, existe represión, con más demanda por la carnosidad excesiva de los labios, solicitud que no puede satisfacer, dejando huella en las comisuras labiales hacia abajo "me esperaba más" y pliegue naso-geniano o línea marciana demasiado marcada para la edad "dolor afectivo". En definitiva un rostro de expresión inarmónica y tensa. En ambos casos, la nariz es corta, denotando poca paciencia.

Sublimación: se dibuja en un rostro armonioso, sereno, con estructura y receptores finos y RF (secundario) presente, que logra integrar el conjunto con una evolución equilibrada y sosegada.

Represión y formaciones reaccionales: existe una tensión facial, con zonas muy desarrolladas y elementos inarmónicos, como puede ser una boca cerrada fuertemente "en cremallera", RL (primario), asimetrías fuertes o signos de depresión. En definitiva, todos esos signos que indiquen posible perturbación, nerviosismo o inquietud.

EL "YO" EL "ELLO" Y EL "SUPER YO"

El *Doctor Sigmund Freud,* Médico y neurólogo austriaco, que fundó el psicoanálisis. *Sigmund Freud* explicó el funcionamiento psíquico humano, sosteniendo tres instancias; *el Ello, el Yo y el Superyó.* Gran parte de estos mecanismos psíquicos, son siempre inconscientes. A continuación explico en trazos básicos, su significado psicológico y su morfología:

Sigmund Freud.

El Ello – retracción lateral:

Son las necesidades más primarias o básicas de la persona. En el "ello" no habitan las leyes lógicas del pensamiento consciente, ya que solo busca la satisfacción de sus impulsos más elementales, y no existe el bien o el mal. Es solo una "máquina de crear necesidades".
Al no haber ni bien ni mal, no se encuentran conflictos, ya que lo único que hay son impulsos o pulsiones. Es el inicio de los pensamientos para satisfacer la necesidad del organismo.
En Morfopsicología los elementos que indican la necesidad irreflexiva del "ello" es la retracción lateral RL y receptores proyectados a flor de piel (primario, prognatismo o inclinación).

El Yo – retracción frontal:

Es lo que está en contacto con la real. Es la evolución del ello y la experiencia tomada de la realidad concreta. Es como si trabajamos en una fábrica de helados y nuestro "ello" comienza a dar órdenes de

comerlos todos. Rápidamente el "yo" saltará y nos dirá que no podemos comer helados de donde estamos trabajando, sin más.
En Morfopsicología los elementos que indican la integración del "Yo" son la retracción frontal RF y receptores resguardados (secundario, ortognatismo o verticalidad).

El Súper yo – retracción frontal, protección y otros detalles:

Es la conciencia universal que ha desarrollado el hombre, transmitida de generación en generación por nuestra familia y entorno. Es como un "yo moral" superior sintetizado por "un todo". Si el ser humano tuviera esta parte del Súper yo más desarrollada, viviríamos con mejor moral, ética y sobre todo paz.
En Morfopsicología los elementos que promueven la existencia del "Súper yo" son principalmente la retracción frontal RF, tonicidad y algunos rasgos como arrugas, pliegues, matices de diferenciación y protección de receptores, otorgando una consciencia superior en base a la experiencia (secundario, ortognatismo, verticalidad, tonicidad).

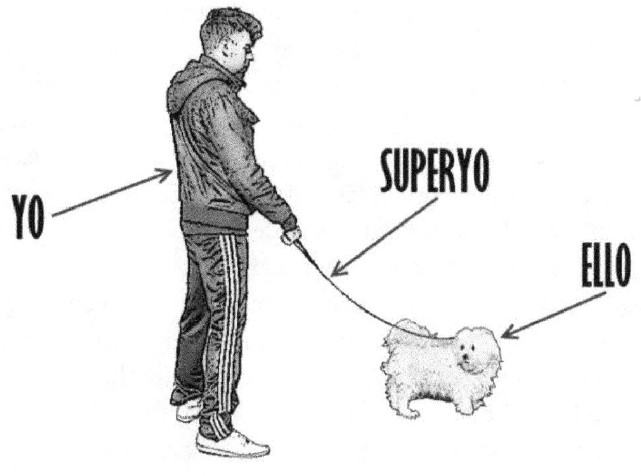

Representación del Ello (necesidades primarias), el Yo (toma de consciencia) y del Superyó (consciencia universal).

SEÑALES DE SUBLIMACIÓN O ESPIRITUALIDAD

En principio no tenemos signos precisos o aislados con los que se pueda ver claramente la espiritualidad, y tampoco existe en la actualidad ningún libro significativo de Morfopsicología del tema en respecto, más que el poder captar si la persona es "mental o física".

***San Juan Bosco.**

La espiritualidad la encontramos en los rostros equilibrados, es decir, caras donde no haya excesos de dominancias, de rostros y receptores ricos y armoniosos. Otra cosa será referirse a los santones y "falsos profetas", que se refugian en la religión por no poder ellos mismos realizarse completamente como hombres y mujeres, tras un manto de cobardía y falta de verdadero amor hacia el prójimo. Debe de haber tonicidad, pues la espiritualidad pasiva es inconcebible, así como también una buena zona instintiva pero sin exceso, para dar estabilidad a la persona, con apoyo y experiencia terrenal suficiente para poder canalizar y comprender a los demás, sino sería sólo un cúmulo teórico de sinrazón. Los receptores deben ser ricos, especialmente los ojos, que no deben tener excesiva RF a fin de poder enriquecerse de las experiencias de la vida, o asimismo, por lo menos existencia de RL superior en la frente. En Teresa de Calcuta, tuvimos a una mujer con gran expansión afectiva o de zona media, al igual que Gandhi o nuestro querido San Juan Bosco, quienes volcaron toda su energía hacia la acción desinteresada, pero tenían un apoyo mandibular ancho y con labios finos, indicando la total sublimación de instintos. En la fotografía "San Juan Bosco", observamos un tono global excepcional, de zona media o emocional larga, vibrante, con el tabique nasal ancho y pómulos altos, denotando madurez, generosidad incondicional y afectos trascendentales, con una zona instintiva ancha y fuerte que ofrece apoyo ilimitado a sus emociones de modo extraordinario. Su rostro nos habla de actividad, carisma y de valores humanos sin precedentes. Al igual que los Santos, también existen personas contrarias y de bajo valor moral, son personas que predican lo que no creen, o lo que es lo mismo "a Dios rogando y con el mazo dando", por falta de verdaderos principios y valor, que encuentran el refugio y el poder que necesitan en la iglesia u otras entidades. Este es el caso del "falso predicador", como muestro en el dibujo ficticio de más abajo. Allí podemos observar un Marco alargado de estrecha y débil zona instintiva, que en el caso es delgada pero podría ser igualmente obesa o átona (pereza y debilidad), pero con mucha demanda material (boca muy carnosa). Por tanto en este tipo de rostros no existe sublimación, sino solamente un abastecimiento de las necesidades propias o personales generalmente físicas, las cuales no pueden conseguir por sí solos, y que tarde o temprano alcanzarán a través del abuso de los demás, haciéndose pasar por mártires o fingiendo enfermedad. Estas son personas absolutamente inhábiles para escuchar la necesidad del prójimo (ojos extremadamente tónicos y pequeños), viviendo en su propio y corrupto mundo. Además, su zona emocional es átona y corta, sin saber transmitir afecto alguno y de carácter intransigente o poca paciencia. Son personas que han desarrollado gran inteligencia, única y exclusivamente para la satisfacción propia, haciéndose pasar por corderos, cuando no son más que hambrientos y despiadados depredadores.

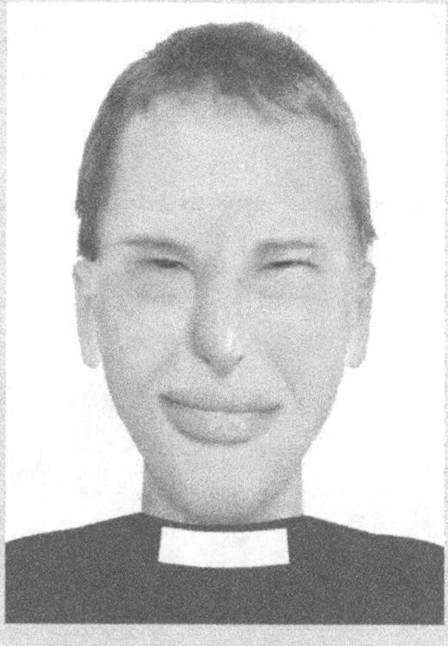

***Imagen del "falso predicador": "a Dios rogando y con el mazo dando". Una vez más la Morfopsicología nos puede indicar la tendencia innata, y por tanto, la vocación real de las personas.**

LOS GESTOS O LENGUAJE CORPORAL NO VERBAL

Aunque en el Siglo XXI y con extraordinarios avances tecnológicos e informáticos, hasta hace poco más de 100 años no se prestó digamos demasiada importancia o atención a la comunicación no verbal. En el siglo pasado, personajes de cine como *Charles Chaplin, Rodolfo Valentino o Harold Lloyd,* fueron pioneros en el arte de los gestos, siendo estos la única forma de comunicación. *Charles Darwin* fue de los primeros en realizar un estudio basado en el hombre y las bestias *"La expresión de las emociones en el hombre y en los animales (1872)"*. Cuando sentimos que podemos ser víctimas de una mentira, significa que de algún modo, el lenguaje corporal que vemos no coincide con lo que dicen. Como hemos estudiado en Morfopsicología, el lenguaje corporal nos hablar con gestos de apertura o cierre (dilatación o retracción) y las mismas leyes podremos aplicarlas en los gestos, ya que el ser relajado se expande y el tenso se encoge.

Los 3 monos japoneses: Mizaru, Kikazaru, Iwazaru, significan "no ver, no oír, no decir" o lo que es lo mismo "No ver el Mal, no escuchar el Mal y no decir el Mal". Dicha asociación se atribuye a Denkyō Daishi.

En el niño los gestos son evidentes y fácilmente deducibles, pero en un adulto, aunque exactamente los mismos, están evolucionados con movimientos más sutiles e imperceptibles. Cuando un niño no quiere

ver algo, se tapa los ojos directamente con ambas manos, pero un adulto se rascará finamente un ojo, apartando la mirada como expresando "yo no he visto, o no quiero ver nada". Un niño que oye algo que no le gusta, como el sermón de su madre, se tapará descaradamente los dos oídos con las manos; el adulto hará lo mismo, pero lógicamente menos perceptible, pellizcándose el lóbulo de la oreja, metiendo el dedo tipo "barrena", o si lo que escucha está muy lejos de su agrado, doblando el Hélix tapando totalmente el orificio.
A continuación mostraré los gestos más significativos con ilustraciones para su mejor entendimiento, que junto con nuestros conocimientos de Morfopsicología, será harto difícil nos puedan ocultar el sentimiento del momento, como también permitirnos conectar mejor a través de movimientos que provocarán de forma casi milagrosa y automática, positivos resultados y la aceptación automática en el subconsciente de los demás. Los resultados serán extraordinarios y en cuestión de segundos. Con la práctica diaria, nos convertiremos en auténticos profesionales para transmitir cuanto queramos, siendo más comprendidos como también aceptados por todos.

LA MENTIRA Y LA VERDAD EN LOS OJOS

Aparentemente puede parecer complicado, pero basta una poca de práctica para llegar a entenderlo. Lo usan psicólogos y psiquiatras para saber la verdad, sin necesidad de incomodar a nadie. Nuestros ojos tienen la tendencia de posicionarse según lo que pensamos, es por ello de sumo interés e importancia su cabal interpretación. También hay que considerar, que en un zurdo será a la inversa. Generalmente toda mirada que se dirige a la derecha será síntoma de creación momentánea, mientras que la que se dirija a la izquierda, será veraz y recordará todo lo vivido. El iris también se encoge cuando estamos mintiendo, sin embargo con la verdad se dilata. A continuación citaré 8 significados básicos.
El dibujo de la siguiente página representa una persona que tengamos delante de nosotros:

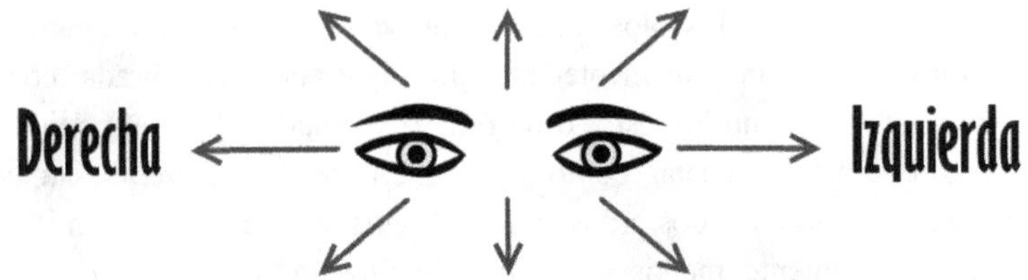

**Por regla general mirar a la derecha es crear y a la izquierda recordar.*

Arriba: desprecio, aburrimiento o sarcasmo. También puede ser mirada religiosa.
Arriba a la izquierda: recuerdo de imágenes reales o vividas.
Arriba a la derecha: creación de imágenes inventadas.
A la izquierda: recuerdo de sonidos reales o vividos.
A la derecha: creación de sonidos inventados.
Abajo a la izquierda: recuerdo de sentimiento real o vivido.
Abajo a la derecha: dialogo interior. Creación de sentimiento.
Abajo: sumisión, incomodidad o timidez.

3 MIRADAS PARA CONSEGUIR EL OBJETIVO

Además de la Morfopsicología que ya hemos estudiado a través de los ojos átonos (A: caídos y con facilidad para mentir) o tónicos (B: rasgados y sinceros), aplicaremos la *"psicología gestual"* conjuntamente, ganando así el entendimiento, comprensión y convivencia con las otras personas, únicamente cambiando nuestro modo de mirar. Solo cuando cruzamos nuestros ojos con otros, existe una forma de comunicación directa y real. Algunos individuos nos transmiten confianza con su mirada, pero lamentablemente otros todo lo contrario.

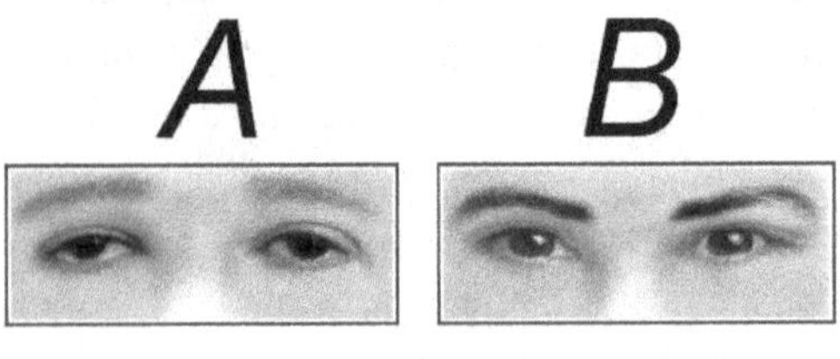

A: Ojo átono (caído) o del mentiroso – B: Ojo tónico (rasgado) o sincero.

¿A qué se debe?

Generalmente no sólo nuestra intuición permitirá "captar" la energía que nos transmiten, sino que el espacio de tiempo de la mirada, también jugará un factor determinante en la confianza. La persona honesta suele sostener su mirada 2/3 partes del tiempo con la nuestra, mientras que la del mentiroso menos de 1/3. Por ese motivo las personas tímidas, que sostienen su mirada "tipo mentiroso" seguramente sin serlos, rara vez se les otorgue plena confianza. Es importante aprender a desarrollar las 3 formas de mirar que explicaremos a continuación, y que nos podrán ayudar notablemente a mejorar nuestra relación hacia con los demás. Estas señales serán captadas inmediatamente de forma no verbal, y el que las reciba las interpretará muy positivamente dentro del subconsciente. Con la práctica podremos llegar a dominar esta increíble pero sencilla técnica, que tan sólo consta de 3 formas o modos de mirar.

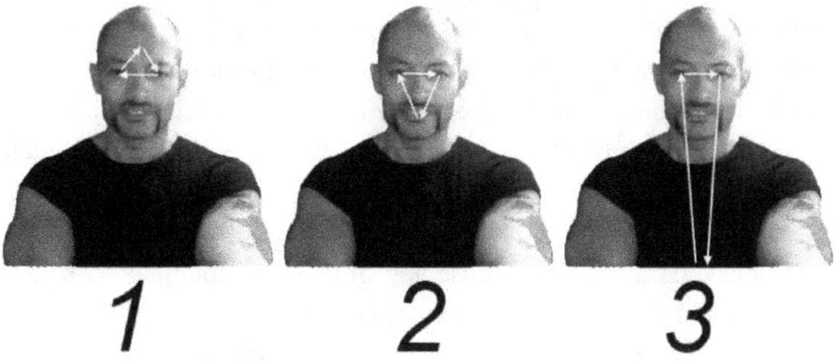

**1: Mirada de negocios – 2: Mirada social – 3: Mirada íntima.*

1 - MIRADA DE NEGOCIOS: cuando estemos hablando de temas laborales o de comercio, imaginaremos un triángulo en la cara de la otra persona, que irá de ojo a ojo y subirá hasta la media frente para volver al ojo, siempre con el mismo recorrido e intentando no mirar por debajo de los ojos si no queremos perder el control de la situación. Tras seguir este recorrido, la otra persona nos tomará en serio.

2 - MIRADA SOCIAL: esta vez tendremos que imaginar el triángulo entre ojo y ojo hasta bajar a la boca. Este tipo de examen visual, ofrece a los que lo captan, confianza y apertura suficientes para relajarse y que haya fluidez de comunicación. Esta mirada es válida tanto en amistades como en grupos de personas que estén próximos.

3- MIRADA ÍNTIMA: es la mirada que recorre un ojo hasta el otro, para bajar pasando por el mentón, pudiendo llegar hasta la zona genital. Tanto hombres como mujeres utilizan este tipo de ojeadas para demostrar que están interesadas en la otra persona, y por tanto es de su profundo agrado. Si somos atractivos para la persona que observamos, recibiremos el mismo modo de mirar de su parte hacia nosotros, sino adoptará rápidamente la mirada social, o si existe gran rechazo, la de negocios o incluso su ausencia.

TAPAR O FROTAR LOS OJOS. "YO NO HE VISTO NADA"

Frotarse el ojo con los dedos y generalmente el índice, se utiliza básicamente para "no ver" la maldad o decir "yo no he visto nada", como haciendo el despistado. Es un intento inconsciente de bloquear el engaño mentalmente, para no tener que mirar a la cara de quien lo ha dicho. Si la fricción es grande así será también la mentira, en cual caso se mira hacia el suelo o fuera del área. En el niño, esta señal es más desvergonzada, tapándose los ojos en su totalidad con ambas manos (1). El adulto se frotará un ojo (2).

1

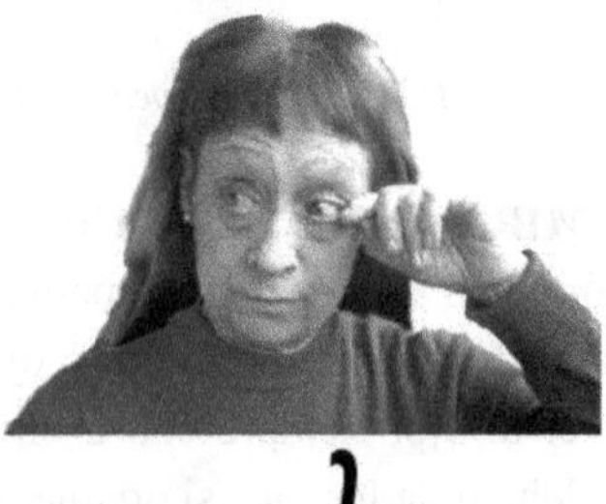

2

Cuando el niño no quiere ver, se tapa con ambas manos. Un adulto se frotará un ojo indicando su desinterés o disimulo ante algo negativo u oculto.

TOCARSE LOS OÍDOS. "NO QUIERO ESCUCHAR ESO"

El individuo que lo efectúa "no quiere oír lo malo" o se hace el despistado. Es un movimiento para "encerrar" las palabras del que miente o de lo que no se quiere escuchar, introduciendo un dedo en la oreja tipo "taladro" normalmente con el dedo meñique. Existen muchas variantes, como coger el lóbulo con los dedos, rascarse alguna parte determinada de la misma, o si el oyente ya ha escuchado bastante, tapándose el orificio directamente doblando el Hélix hacia el centro. Cuando el niño no quiera escuchar algo o sienta miedo de lo que oye, hará este mismo movimiento tapándose las orejas con las dos manos.

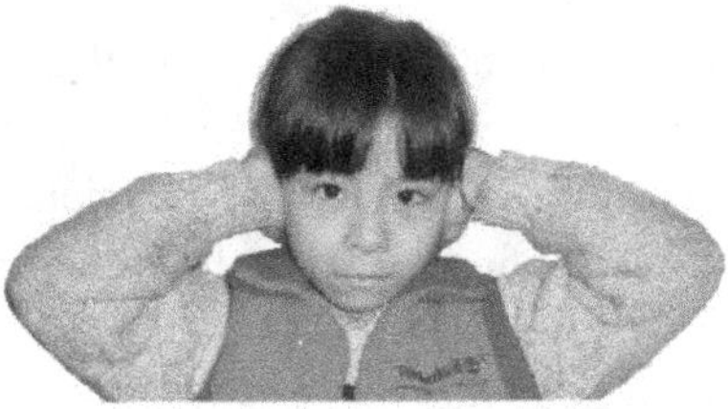

1

2

Si el niño no quiere oír, se tapara las orejas directamente, sin embargo, el adulto se tocará la oreja en diversidad de formas, para dar a entender lo mismo.

TAPAR LA BOCA O TOCAR LA NARIZ. "YO MIENTO"

Es un gesto habitual tanto en niños como en los adultos, aunque generalmente, la persona mayor termina optando por tocarse la nariz, con uno o varios toques, para que el hecho no sea tan descarado. En un principio la mente ordena que nos tapemos la boca, pero en una última instancia, un acto casi reflejo nos hace desviar hacia la nariz. Además, es curioso saber que las mentiras producen picor en las terminaciones nerviosas de la nariz. Tanto el tocarse la boca como la nariz (versión más disimulada), son gestos que traducen nuestras dudas o mentiras.

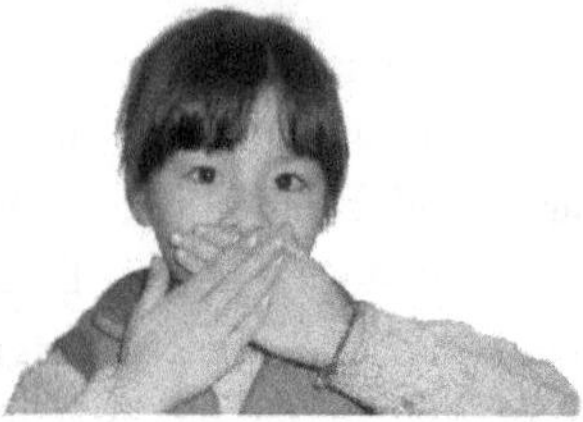

1

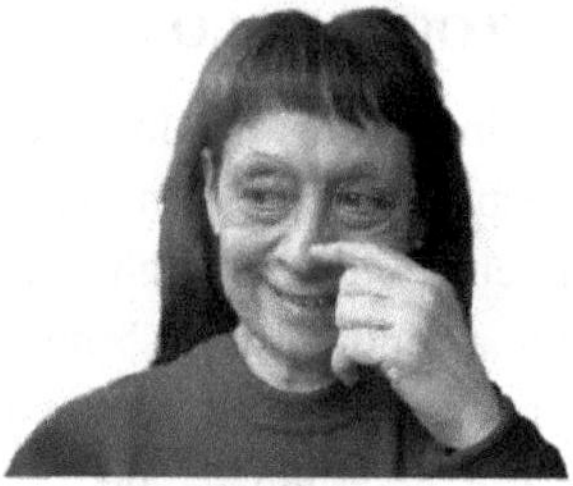

2

Si el niño miente, se tapará la boca con las manos. El adulto lo hará más sutilmente, desviando un último instante la mano y tocándose la nariz.

TOCAR NUCA Y CABEZA. "MENTIRA O CRISPACIÓN"

El individuo que efectúa el gesto de acariciarse la nuca, significa que miente o algo le causa "dolor de cabeza". Si es una mentira, además de la fricción se evitará la mirada directa. Si es una irritación, se usarán palmadas, ya sea en la nuca o cabeza, indicando un castigo simbólico. Por ejemplo cuando alguien nos ha defraudado, nos daremos unos toques diciendo "usted es un dolor de cabeza". También si nos percatamos de un error, nos daremos esos golpes o pequeños toques. Las personas que suelen frotarse la nuca, son más críticos y con puntos de vista de tendencia negativa, mientras que los que se tocan la cabeza o frente, son más resolutivos a la hora de enfrentar los problemas.

Frotarse la nuca o la cabeza, es lo que Calero denomina "dolor en la nuca". Son signos de mentira, incertidumbre, disimulo o incluso crispación.

TOCARSE EL MENTÓN. "DECISIÓN O DUDA"

Todo vendedor debería conocer este gesto y sus variantes, para conocer cuando se debe zanjar el asunto. Brazos o piernas cruzadas con puños cerrados, significa protección y desacuerdo, pero si hay separación con las palmas abiertas, es señal de interés. Tocarse o rascarse el mentón, es una señal de evaluación, que será positiva o negativa, según delaten sus movimientos posteriormente:

La mano toca o rasca el mentón (1), pero poco a poco la cara va reposando sobre la misma (2). Este acto denota aburrimiento y falta de interés y tendremos que hacer participar a la persona y estimularle con nuevas palabras.

1

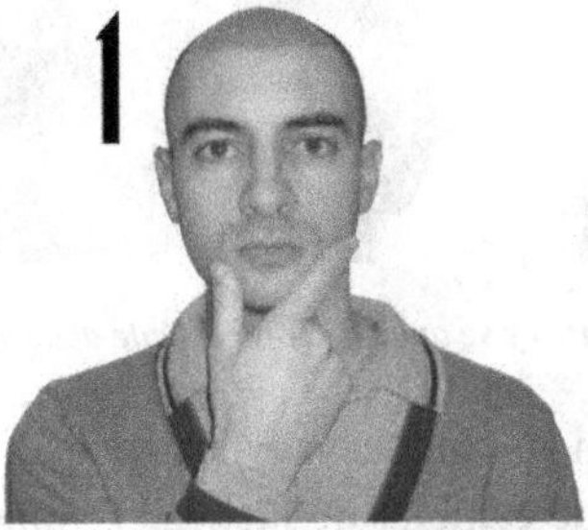

2

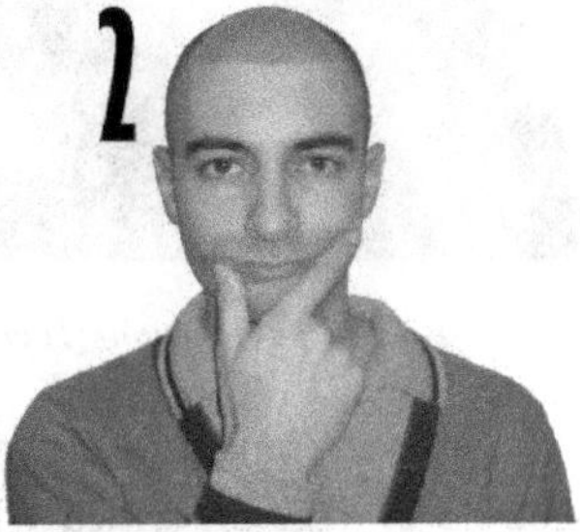

Si por el contrario, después de rascarse el mentón o barbilla (1), sonríe con sus palmas abiertas inclinándose hacia delante (2). La venta está hecha. Hemos ganado la batalla.

1

2

Si tras rascarse el mentón (1) muestra las manos y sonríe (2) está de acuerdo.

Si tras rascarse el mentón (1), el comprador cruza los brazos o las piernas y se inclina hacia detrás (2). Es señal de un "NO" rotundo. En este caso habrá que preguntar directamente que es lo que desea y no insistir mucho, ya que una retirada a tiempo puede ser una futura victoria.

Si tras rascarse el mentón (1) cruza brazos y se aparta (2) no está de acuerdo.

Abajo, el dedo pulgar toca el mentón y el índice va hacia arriba (2). Es signo de evaluación crítica y hay que cambiar de táctica. También es buena solución hacer participar al comprador. Si el pulgar está fuera del área del mentón y el índice próximo o tocando la sien (1), es apertura y buena señal. Será hora de ir cerrando el asunto.

La figura nº1 es una posición positiva, mientras que la figura nº 2 no.

INCLINAR CABEZA O RASCAR CUELLO. "DE ACUERDO, NO SÉ SI ESTOY DE ACUERDO"

Cuando durante una conversación, observemos que la persona poco a poco inclina su cabeza hacia un lado (1), significa que está de acuerdo y se encuentra cómodo con nosotros. Este gesto también podemos practicarlo nosotros mismos, sin inclinar demasiado la cabeza, para ganar confianza y acercamiento en los demás. Debe ser un gesto lo más natural posible y leve, ya que si es exagerado puede llamar excesivamente la atención.

El acto de rascarse el cuello, justo debajo de la oreja (2), indica que el sujeto esta dudando y todavía no sabe si está de acuerdo. Es un gesto parecido a tocarse el mentón y normalmente se rascará unas 5 veces. Es un gesto de duda e incertidumbre.

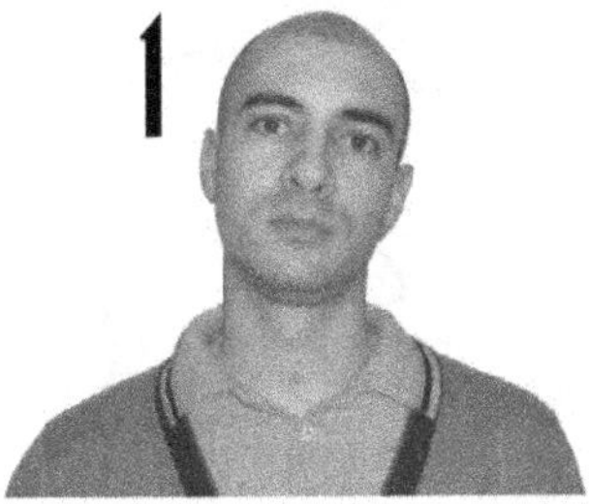

Inclinar la cabeza "de acuerdo" (1), o rascarse el cuello (2) "no estoy seguro".

FUMAR. "CONFLICTO INTERIOR Y EVALUACIÓN"

Llevarse cosas a la boca siempre indica inseguridad. Estos gestos involuntarios de tapar la boca o apretar algún objeto contra los labios y dientes, son heredados ya desde la infancia a través del chupete o el seno materno, aportando tranquilidad al cerebro reptil cuando se protege su receptor instintivo (la boca), y por tanto dándonos más confianza y amparo. Fumar o inhalar humo, siempre es una señal de una lucha interna o duda. Los no fumadores también lo hacen mordiéndose las uñas, tocándose el pelo o sacando y metiendo un anillo, entre otras. Cabe mencionar que a los fumadores de pipa no les gustan las prisas. Son personas tranquilas, por el tiempo que conlleva preparar el ritual propio de la pipa, tomando más tiempo en ordenar sus ideas y decisiones. El golpeteo continuo del cigarrillo en el cenicero denota inseguridad, o si el comprador apaga el cigarro casi completo, significa que la conversación ha terminado; si advertimos esta señal, podemos acabar la entrevista y dar la impresión que la idea ha sido nuestra. Generalmente y durante la conversación, si el fumador exhala el humo hacia arriba (1) significará que tiene una actitud positiva y serena, pero si el humo es expulsado hacia abajo (2), será negativa y tendrá sospechas; no hay que confundir el humo exhalado por la nariz hacia abajo de las fosas nasales, ya que contrariamente significa seguridad y confianza, como el humo expulsado hacia arriba. El humo hacia el medio sería neutro. Los jefes de grupos echan el humo hacia arriba en señal de autoridad y control.

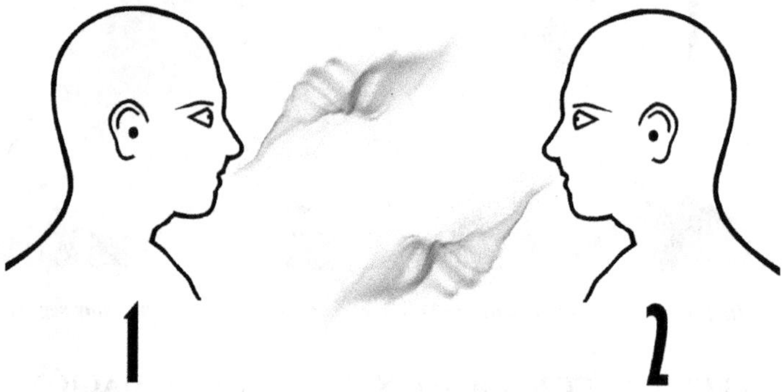

El humo hacia arriba es simpatía o mando (1), hacia abajo hostilidad o miedo (2).

GAFAS. "INSEGURIDAD, CRÍTICA Y DECISIÓN"

Como fumar pipa o rascarse el mentón, llevarse la patilla de las gafas a la boca (2) significa inseguridad y que se está evaluando la situación, como el que se las pone y quita constantemente. Si guarda sus gafas indica que quiere finalizar, pero si se las pone de nuevo es que "quiere ver otra vez las cosas".

1 2 3

Las gafas en boca denotan inseguridad o incertidumbre (1), "mirar por encima de las gafas" produce efectos negativos y críticos (2). Lo correcto es sacarse las gafas cuando se escucha (3) y ponérselas cuando se hable.

Mirar "por encima de las gafas" (2) sin quitárselas es una actitud de crítica, que muchos la efectúan por error sin saber que ejerce mal efecto, y puede hacer sentir al enjuiciamiento al que la recibe, que automáticamente tomará una actitud defensiva cruzando los brazos.
Lo correcto sería quitarse las gafas cuando se está escuchando (3). Esto hace sentir más cómodas a las personas que lo rodean. De igual modo, ponérselas cuando se esté hablando. Esta actitud está leguas de distancia a "mirar por encima de las gafas" que aunque se hace muchas veces por comodidad, es mal recibida.

LA MORFOPSICOLOGÍA APLICADA AL DEPORTE

A modo breve y conciso, intentaré explicar con mi experiencia de morfopsicólogo y deportista que soy, cómo afecta la fisiognomía del rostro en el ejercicio físico a efectuar.
En el deporte, existen 2 zonas o pisos básicos a considerar:

La zona media o emocional (fondo, resistencia y juegos de equipo).
La baja (deportes de fuerza explosiva).

El *"eje poligonal"*, explicado en capítulos anteriores, también ejercerá un papel imprescindible en la resistencia y fuerza física.

Zona media (fondo):

Esta zona grande y sobre todo, larga, ofrecerá mucha resistencia o fondo en deportes como: maratón, ciclismo, atletismo o deportes como se suele decir "cardio". Es una zona que conecta con los pulmones y el corazón y que por tanto brinda mucho aguante físico al que posee la zona con buenas dimensiones, tanto en anchura de pómulos, en reserva o profundidad de perfil, como en altura con una nariz alargada, de generalmente orificios grandes para obtener una mayor oxigenación.

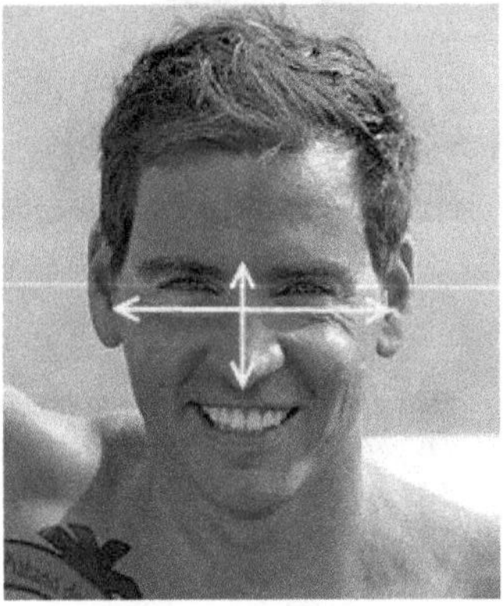

Zona media dilatada.

Zona baja (fuerza bruta):

Los individuos con un desarrollo instintivo importante de la zona baja, sobre todo en anchura, serán aptos para deportes de fuerza bruta o explosiva. Cuanto más ancha sea la mandíbula y el cuello, mayor será el nivel de Testosterona.

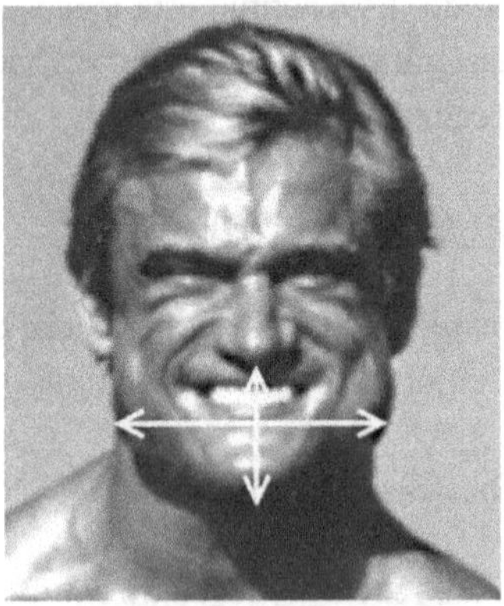

Zona baja dilatada.

Esto generará un incremento de masa del músculo esquelético, imprescindible para deportes como: halterofilia, culturismo, fútbol americano y todos aquellos deporte en los cuales se necesite un arranque inmediato de fuerza. Las personas con mandíbula estrecha que quieran dedicarse a este tipo de deportes, deberán al menos poseer un cuello sólido (refuerzo del eje poligonal), sino más tarde o más temprano acabarán desistiendo.

Otros rasgos de ineterés en el deporte:

Los rasgos morfopsicológicos "dispersos" de unos receptores grandes, restarán precisión y energía por ejemplo a la hora de marcar un tanto (gol) en deportes de equipo, siendo más aconsejable una disposición más concentrada con receptores protegidos y Marco dilatado, así como ojos más bien pequeños, protegidos y de cejas próximas para mayor precisión. El mentón es un elemento importante a considerar, ya que de estar "partido" o con hoyuelo (dudas), puede hacer fallar con facilidad al jugador en el último momento (1), y quizás sea un momento decisivo de penalti final. En este caso debería disputar la situación un jugador con mentón liso (2), y si es posible, Espiga de Saturno y ojos concentrados, que sin lugar a dudas llevará el balón a buen puerto.

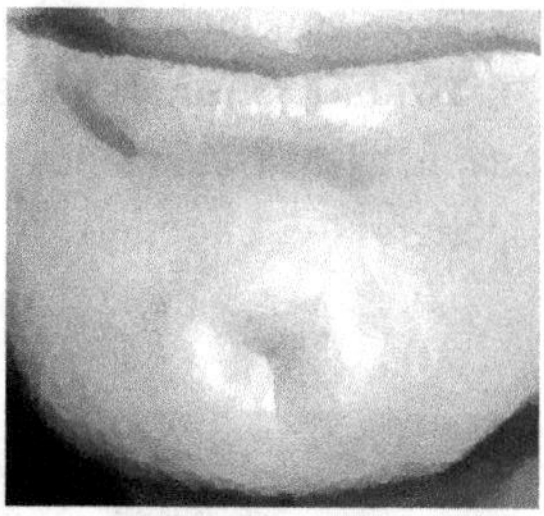

Mentón partido:
Duda y excesiva prudencia.

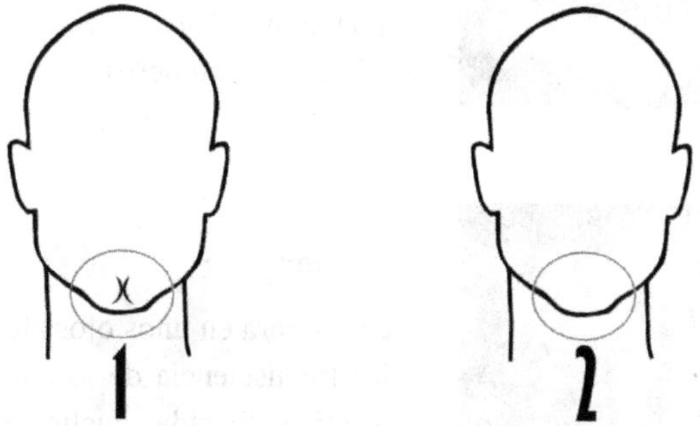

Mentón partido "duda y prudencia" (1) y mentón liso "seguridad e impulso" (2).

LA MORFOPSICOLOGÍA EN LA POLICÍA

Es a lo largo de todo el libro, que el profesional de fuerzas y cuerpos de seguridad podrá evaluar, y en base a su propia experiencia, las tendencias naturales de cada individuo, es decir, saber si una persona será propensa o no a cometer un determinado delito. En todo caso, podremos "ver" la predisposición para cometer el acto. Hay que evitar sentencias inflexibles como "ha sido este", ya que existen múltiples elementos a evaluar y caeríamos en un error. Recordemos que la Morfopsicología es "tendente a…" y no concluyente, pues el hombre está en constante cambio. También tenemos que considerar, que si el individuo posee sienes muy hundidas (fanatismo) o mandíbula asimétrica (reacciones inesperadas), su comportamiento será más peligroso. Expongo a continuación los rasgos más básicos de malhechores y delincuentes, con su respectiva morfología facial:

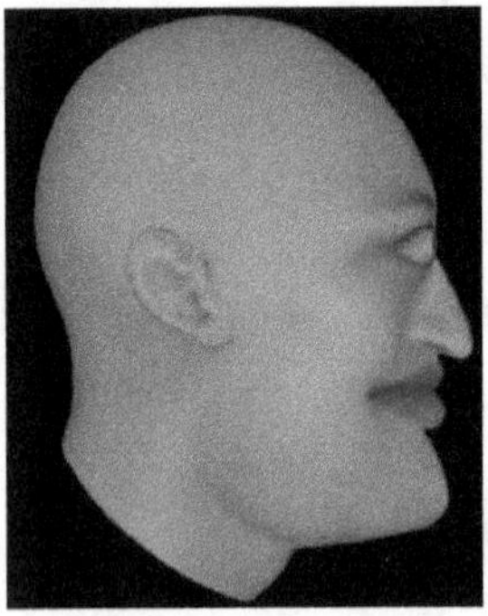

Ladrón:

Lo veremos principalmente en una zona baja en expansión y boca carnosa (necesidad de materia), frente en RL (primero actúa y después piensa), ojos saltones (descontrol) y nariz introducida en la zona física que no le pertenece (olfato para el dinero).

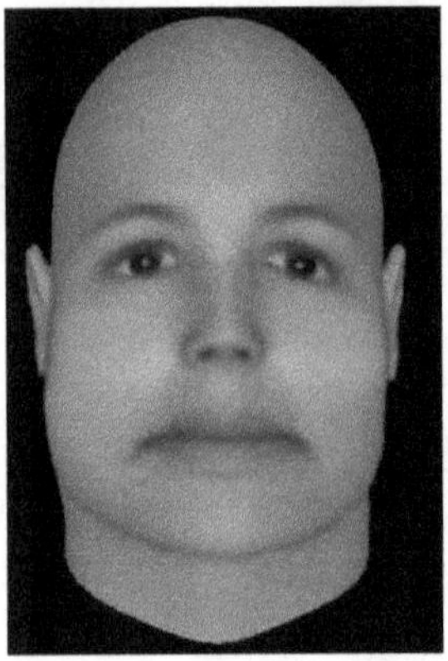

Violador:

Se plasmará en unos ojos átonos o caídos (débil consciencia de lo que hace), zona instintiva dilatada, cuello ancho y boca grande, de labios muy carnosos (gran demanda sexual), con las comisuras de la boca hacia abajo, signo que no ha podido abastecer la gran necesidad carnal, y por tanto, manifestando así el "dolor".

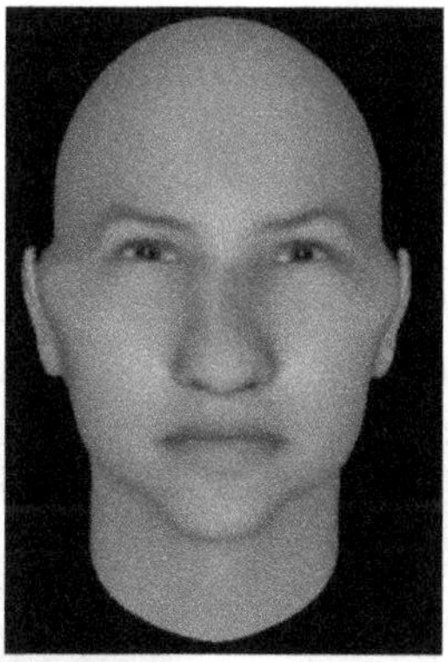

Violento o agresivo:

Se dibujará en un modelado abollado y sienes ahuecadas (gran tensión, ideas laberínticas y pasión), mostrando un carácter "amor - odio" sin existir las medias tintas. La zona emocional será dilatada y de pómulos anchos (imposición de su voluntad). Es interesante remarcar que la zona emocional excesivamente desarrollada, en un abollado, tiende a otorgar violencia. La mirada será dura y de cejas encrespadas, de ojos hundidos (vive su mundo propio). Podrá tener orificios nasales redondos (brutalidad) y RL general (impulsividad).

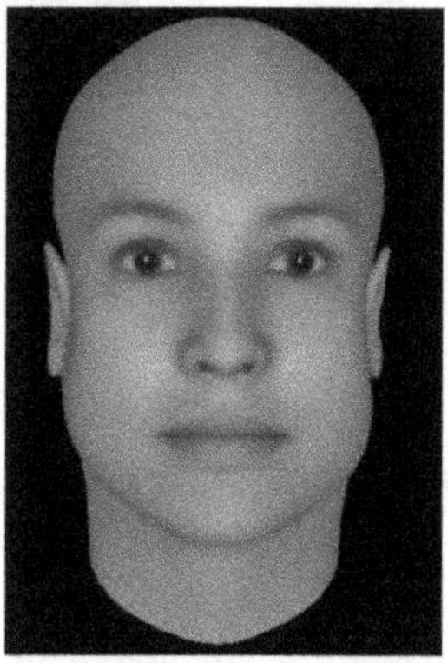

Psicópata o sádico:

Las personas que padecen psicopatía, cosifican a los demás (tratan como cosas), sin sentimientos. Ello se plasmará en una zona media inhibida, con los pómulos hacia dentro, dando la forma de un reloj de arena. La expansión es cerebro-instintiva (alta y baja) con lo cual son seres extremadamente listos y que saben conseguir todos sus objetivos, pasando desapercibidos entre la multitud.

LA MORFOPSICOLOGÍA EN EL VIDENTE

¿Pueden existir signos de clarividencia, adivinación o de médium en un rostro humano?

La cara es el reverso del cerebro, y si una persona posee capacidades innatas para la intuición, podemos decir que sí que existen este tipo de elementos que nos permiten conocer la predisposición. Recordemos que todo lo átono es pasivo y receptivo, por tanto este será el primer dato a considerar. También todo lo redondeado es receptivo, por eso la mayoría de radares o antenas son circulares, captando así más hondas y vibraciones. Por este motivo el rostro de los niños es también más sensible por sus formas curvas, y por tanto más sensibles que los adultos, con el rostro más abrupto.

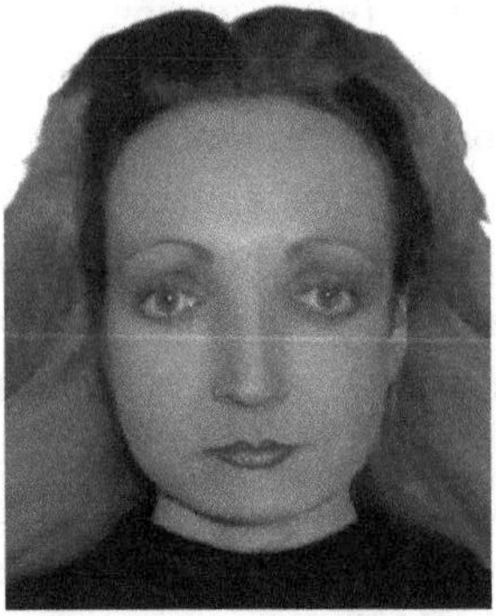

**Rasgos faciales del vidente.*

Los ojos del vidente suelen ser caídos y separados, dejando lugar a un "tercer ojo". Su color juega un factor importante, siendo siempre los claros más pasivos, receptivos y con más acceso al subconsciente, y las cejas también estarán dispuestas separadas. La zona instintiva debe ser de anchura normal pero corta en altura. En la ilustración he querido plasmar lo que podría ser la tipología de un buen médium, que por norma global suele darse más en las mujeres que en los hombres.

LA MORFOPSICOLOGÍA EN EL NIÑO

Aunque el rostro del niño no se puede evaluar hasta cumplidos los 4 años de edad, es de suma importancia y un verdadero milagro, poder comprender su comportamiento con echarle un vistazo a su cara. De igual modo, la ubicación en clase jugará un papel fundamental, para la obtención de un resultado final óptimos. En este apartado y a modo resumido, intentaré explicar algunos factores básicos de pedagogía.

La hiperactividad TADH y el déficit de atención:

El niño hiperactivo, no puede prestar atención a una sola cosa, es muy nervioso e interactúa con todo lo que le rodea, debido a la gran atracción que siente por todo su entorno, casi sin control. A este tipo de niño es lo que llamamos en Morfopsicología como *"disperso reaccionante"* (dibujo nº2), esto se traduce, como ya dijimos en capítulos anteriores, en un marco dilatado (gran cara) y receptores grandes (pequeña cara), que podrá ser con déficit de atención o no, según la disposición de su frente si está en RL (primario o inquieto) o RF (secundario o estático). En cualquier caso, este tipo de niños deberán estar sentados en primeras filas, o junto a otros niños opuestos como el *"concentrado"* (dibujo nº3), de marco o cara ancha y receptores pequeños. El niño con RL superior (frente inclinada), en todo caso, podremos hacerlo participar con más salidas a la pizarra, ya que su necesidad de movimiento puede restándole concentración si está mucho tiempo sentado, y más si es disperso reaccionante, con lo cual les otorgaremos ese pequeño privilegio de salir. Tenemos que considerar que si un niño disperso lo sentamos detrás, aun sin problemas iniciales, se desconcentrará por tener al resto de la clase delante. A continuación ilustraré cada ejemplo con esta preciosa niña sin modificar (dibujo nº1), retocada informáticamente:

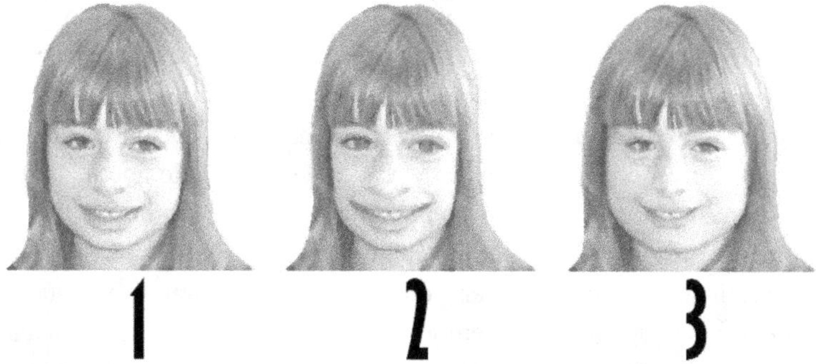

dibujo nº1: niño normal, dibujo nº2: disperso reaccionante, dibujo nº3: concentrado.

La lectura y concentración:

Será fácilmente observable y deducible ver que niños tienen más facilidad para la lectura. El niño de ojo átono o caído (dibujo nº2) aun teniendo mucha imaginación, se cansará mucho antes de leer que el niño de ojo tónico o rasgado (dibujo nº3). El nº2 es el típico niño que se dice "¡si el niño es listo, suspende porque quiere!", pero tenemos que ser conscientes realmente del por qué, y facilitarle por todos los medios, más descansos que al resto de niños, por ejemplo mandándole a buscar alguna cosa fuera del aula, y que parezca que el profesor lo ha elegido al azar, para que el resto de la clase no se queje.

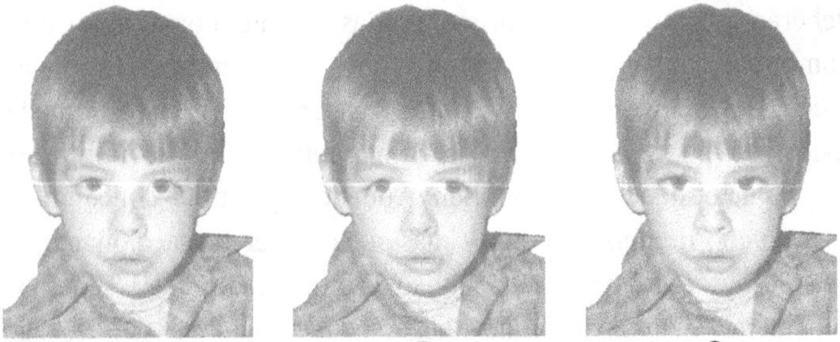

1 2 3

***dibujo nº1: niño normal, dibujo nº2: ojos átonos, dibujo nº3: ojos tónicos.**

Lo importante es que seamos conscientes que este niño no puede rendir durante tanto tiempo. Esto no significa que sea más o menos listo, sino que su predisposición a la lectura es inferior. No obstante y como contrapartida, el ojo átono ofrece más imaginación e intuición, pudiendo ver con imágenes todo lo que se piensa. Este tipo de niños o personas, ya ven las cosas como serán antes de terminarlas. De los ojos átonos nacieron genios como *Albert Einstein.* No debemos subestimar a nadie, sino tan solo comprender, obrar, y facilitar los medios del aprendizaje siempre y cuanto esté en nuestras manos. Muestro los 2 tipos, con el primero como referencia no modificada:

El deporte en el niño:

A la hora de evaluar que tipo de deporte necesita el niño, tendremos que fijarnos en la anchura de su rostro, como ocurre en *el "disperso reaccionante"* (estrecho) o *"concentrado"* (ancho).
Un niño de cara ancha (dilatado) indica mucha reserva de energía, que debe expulsar con deportes fuertes como el fútbol o atletismo, pero si el niño tiene el rostro estrecho (retraído), la deporte deberá ser más

sutil o de inferior duración, ya que la reserva energética es menor, y por tanto su necesidad como la resistencia también. A los niños de cara ancha o mandíbula dilatada, jamás habrá que castigarles sin deporte, ya que existe una necesidad biológica tan grande en ellos, que sería una corrección o sanción absolutamente incorrecta y que solo empeoraría los resultados, pudiendo llegar a un extremo de violencia y posteriores desequilibrios.

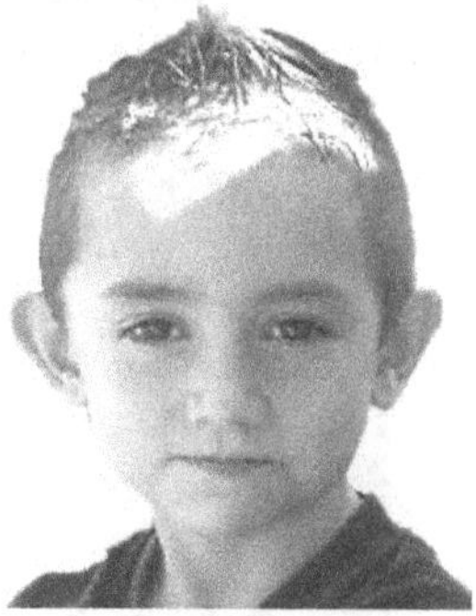

Rostro ancho:
mucha energía y resistencia.

La disciplina en el niño:

Si en algún momento damos un cachetazo inofensivo en el trasero del un niño por su mal comportamiento (como hacen muchas madres como último recurso y nervios a punto de explotar), tendremos que considerar su rostro: un niño con la cara ancha puede "soportar" ese cachetazo sin más problemas, ya que al rato ni se acordará y estará riendo nuevamente, pero a un niño de rostro estrecho, ese mismo cachetazo puede dejarle marcado para toda la vida. Eso se traduce a que el niño estrecho es más introvertido y las experiencias exteriores las retendrá durante más tiempo en su interior, sin embargo, el niño ancho y más extrovertido, rápidamente integrará esa mala experiencia sin preocuparse más. Existe un factor a tener en cuenta o valorar para ver las posibilidades tenemos de triunfar; si el niño posee la frente inclinada (RL) de perfil (dibujo nº3), nos será fácil hacerle entender las cosas y llegar a un acuerdo, pero de ser muy vertical (RF) en su perfil (dibujo nº2), existirá más cabezonería y tendremos que tener más paciencia, ya que los niños en RF (secundario) son muy testarudos y rebeldes, diciendo a todo "NO". Recordemos que cada uno de nosotros nace con distintas características, y no tiene culpa de ser así, por eso siempre tenemos que "comprender y nunca juzgar".

Ilustro con imágenes los dos tipos de niño el "testarudo" (nº2) y "dócil (nº3), siendo la ilustración nº1 la imagen original sin modificación:

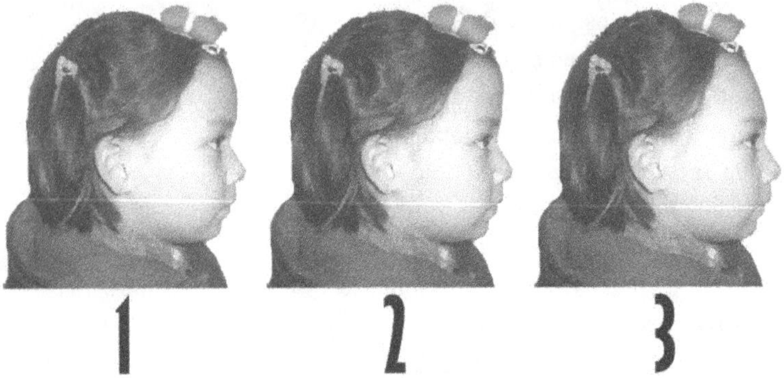

**Dibujo nº1: normalidad, dibujo nº2: testarudez, dibujo nº3: fácil de convencer.*

Trabajos en grupo:

No todos los niños, al igual que los adultos, son válidos para ser jefes de equipo ni tienen capacidad para el liderazgo. Este espíritu de cabecilla, podremos observarlo en una zona emocional o "piso medio" dilatado con muchos pómulos, y nariz con tendencia pequeña (dibujo nº2); en estos chicos la necesidad de representar o de líder será grande, y suelen ser buenos jefes de equipo, porque les gusta. Sin embargo, el niño de poco pómulo y nariz más grande (dibujo nº1), aun siendo muy sociable y cariñoso, no poseerá esa capacidad ni tampoco la necesidad de ser cabecilla de nadie. Tendremos en cuenta estos datos a la hora de elegir un representante del grupo. La perfección no existe, y en Morfopsicología no hay nada mejor ni peor, sino solo elementos o personas con capacidades innatas. Ilustro con 2 imágenes los ejemplos: nº1 de poco pómulo y nº2 de pómulo ancho.

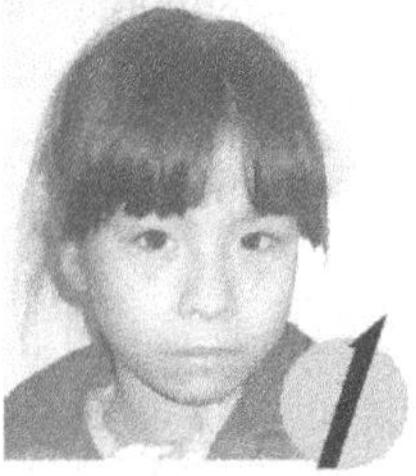

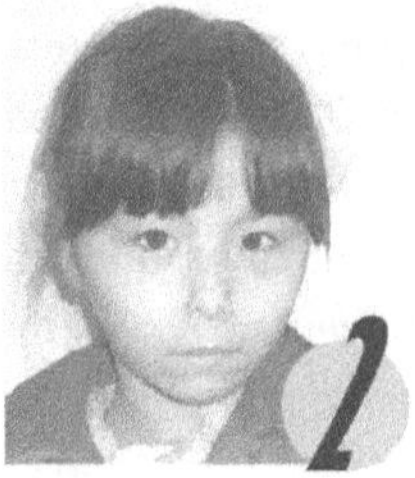

La timidez:

La vergüenza o "cobardía" (por así decirlo) del niño, podremos verla mayormente con una característica común, la zona baja "en piñón" o lo que es lo mismo, el mentón en retroceso. El mentón es lo que da empuje, valor y coraje a la persona. En peleas durante la hora del recreo, podremos visualizar el prognatismo mandibular o proyección del mentón hacia delante, cuando el niño vaya a efectuar un acto físico generalmente bruto o fuerte, normalmente visible en las peleas. Por este motivo, el niño de mentón proyectado con RL aerodinámica (dibujo nº2), será siempre más valiente, atrevido o impulsivo. El de mentón inhibido o retraído (dibujo nº3), al no tener ese "empujón" o pulsión innata, se mostrará inicialmente más cobarde, tímido, pero a la vez también será más prudente. Este dato es de suma importancia para ver si el niño es realmente cobarde o tímido, o por contrariamente, nos está tomando el pelo. En todo caso será un factor valiosísimo para el conocimiento del profesional, a la hora de tomar y evaluar decisiones. Expongo a continuación el niño cobarde y el valiente, tomando en cuenta la primera imagen como original:

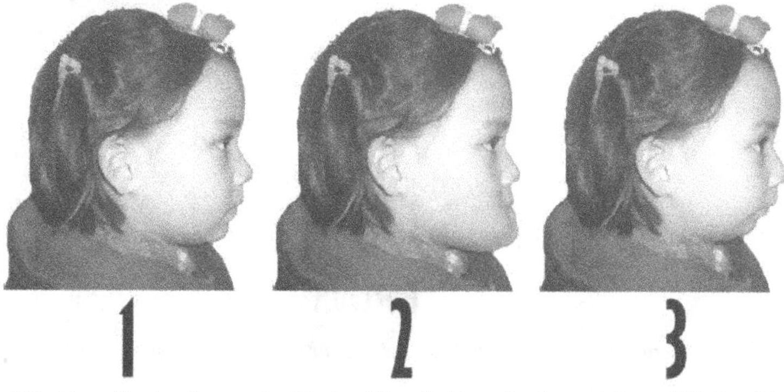

El niño valiente o insensato (dibujo nº2) y el niño cobarde o prudente (dibujo nº3). El dibujo nº1 nos muestra la imagen real sin modificación informática.

El entorno del niño o del alumno:

Numerosos estudios indican que cuanto menor es el aula, mayor es el rendimiento del alumno. Los colores también influyen en el estado emocional y de atención, tomando como preferencia colores cálidos como naranjas o amarillos pálidos, y por último los fríos como azules o verdes. La iluminación también juega un factor importantísimo e imprescindible, ya que una clase con luz tenue dificulta el estudio, siendo siempre una iluminación brillante, pero tampoco cegadora, ya que entonces producía estrés. Si dejásemos elegir al alumno su propio lugar en clase, seleccionarían el área acorde a su comportamiento. El niño activo escogería la zona de participación, y el pasivo o tímido la de menor. Si nosotros cambiamos esta ubicación, recogeremos inminentemente mejores frutos del escolar. A continuación, expongo un esquema del lugar de mayor participación en clase, la cual deberíamos reservar a niños distraídos o con problemas de aprendizaje. Niños de boca grande (necesidad de hablar), ojos grandes (distracción) o figuras como el "disperso reaccionante" entre otros, deberían ocupar el área de participación:

**Área de mayor participación de una clase, apropiada para niños con dificultad.*

El profesor:

La comunicación profesor/alumno, es igual que "médico/paciente", viéndose gravemente afectada de existir un escritorio o mesa por medio, separándolos a ambos. La mesa representa como una pared o "barricada" que resta fuertemente confianza en el paciente o estudiante. Está demostrado que en hospitales donde el médico no tenía mesa, el paciente colaboraba más y se recuperaba antes, sintiéndose mucho mejor que con médicos que tenían mesa de por medio, donde estaban incómodos, deseando abandonar la consulta en todo momento. Es muy recomendable que el profesor, en la medida de lo posible, no utilice escritorio, ya que el resultado y colaboración de los alumnos será mejor. De igual modo, el maestro deberá evitar posturas como piernas/brazos cruzados o puños cerrados, que son interpretados por el subconsciente del alumno o receptor como un escudo o gesto defensivo, al igual que el escritorio situado en medio de ambos. Contrariamente, deberá efectuar posturas de acercamiento, con leves inclinaciones hacia delante. La diplomacia y simpatía en el trato deberán estar presentes en todo momento, pero sin dejar la firmeza de lado, evitando ser "un colega más" ni "codearse", ya que entonces se perdería el respeto de maestro/alumno por completo.

LA MORFOPSICOLOGÍA EN EL REINO ANIMAL

Tabique nasal largo o corto: "la paciencia sentimental"

La Morfopsicología nos ha enseñado que a través de la forma física, podemos descubrir "el alma" o psique del ser vivo. Esta ciencia es aplicable también en el reino animal, compartiendo idénticos cerebros a la especia humana, conocido hoy como nuestro conjunto *"Cerebro Triuno" (Paul McLean 1913-2007 - Cerebro Reptil, Mamífero y Humano).* El tabique nasal forma parte del Cerebro emocional o zona media, dando "altura" a la misma. En Morfopsicología, lo alargado es siempre más tranquilo o pasivo que lo corto, más activo e intransigente.

En este caso, si el tabique nasal es largo nos habla de paciencia afectiva. En multitud de ocasiones hemos podido observar a niños pequeños jugando con perros, los cuales han sido capaces de soportar las peores "perrerías" (nunca mejor dicho) de los pequeños; estirándoles el pelo, subiéndose encima, pisándoles... aguantando todo sin quejarse, por considerar miembro o jefe de manada al pequeño ser humano. Sin embargo, el tabique o longitud nasal del gato es corta y muy inferior a la del perro, por tanto la paciencia no será precisamente una virtud en esta especie, que muchísimo menos, soportará el más mínimo contacto brusco, aunque sea jugando y sin ninguna mala intención, con posibilidades incluso de agresión por parte del animal hacia nosotros.

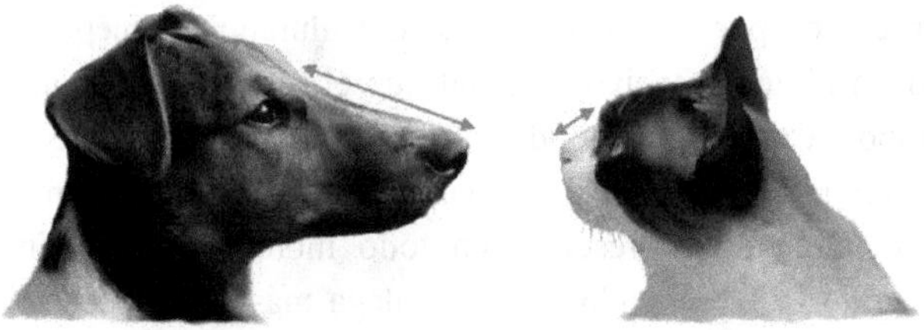

Lo largo es más relajado, por tanto el tabique largo ofrece paciencia.

TABIQUE LARGO: aporta paciencia en el terreno social e íntimo. Quien posee el tabique largo mantiene relaciones duraderas, con gran dependencia afectiva. En el ser humano el tabique nasal alargado, resta espacio "naso labial" o "poción del amor", motivo más de dependencia afectiva.

TABIQUE CORTO: poca paciencia emocional. Crispación. Se salta rápidamente a la defensiva.
Independencia. Relaciones de corta duración e intransigencia afectiva. El tabique nasal corto prolonga el espacio "nasolabial" *o "poción del amor"*, aportando intranquilidad y restando serenidad a la persona.

¿LA CIRUGÍA PUEDE CAMBIAR NUESTRO CARÁCTER?

Nuestras ideas y proyectos, así como el origen de nuestro comportamiento, reside en el interior de nuestro cerebro, en un mundo de realidad inmaterial. Estas ideas necesitan plasmarse en realidades concretas en el mundo físico a través de nuestro cuerpo. Una persona con necesidad de contacto físico, como por ejemplo el beso, se plasmará en unos labios carnosos, con posible mandíbula y cuello anchos, y el control de ese mismo beso, lo veremos en una boca con labios finos. Recordemos que todo lo que va hacia afuera va a la búsqueda y lo retraído, se resguarda o controla. Desde el feto materno el cerebro se va formando y recibiendo estímulos, que paulatinamente irá plasmando en el rostro, que es el reverso del cerebro, por consiguiente habrá que evaluar seriamente la Morfopsicología, para cualquier operación de cirugía estética, sino queremos sufrir graves consecuencias con posibles depresiones posteriores. ¿Por qué? Pondré un ejemplo sencillo y claro: una persona cariñosa que ha sido "diseñada" para dar calor humano, y por tanto, de nariz carnosa y tónica, se somete a cirugía estética por razones puramente de imagen y le disminuyen considerablemente la carnosidad de su nariz, que además le dejan átona. ¿Qué ocurrirá? Desgraciadamente se creará un antagonismo que afectará su equilibrio como persona, ya que su cerebro dirá *"necesito dar cariño"* y su receptor emocional la nariz responderá *"yo no"*. Es como si un pianista pierde la mano... los efectos pueden ser devastadores. Por este mismo motivo, en muchísimos casos de cirugía estética, aun habiendo ganado imagen, la persona regresa al médico y le dice que no se encuentra bien, experimentando sensaciones de difícil explicación, con depresiones periódicas, y en algunos de casos, si el antagonismo es fuerte y no integra en la personalidad por falta de RF (secundario o *"yo"* unificador), cabrá la posibilidad de un posible suicidio.

No obstante y aunque siempre en su minoría, hay que decir que también existen cambios favorables, que pueden beneficiar al individuo tras una operación de estética. Tenemos que pensar que cualquier cambio posterior a lo ya "consolidado" por nuestra mente, será de muy complicada o imposible integración. A continuación podemos ver en las imágenes, una persona tras una operación estética de la nariz. Sin lugar a dudas hará mella en su carácter, con un cambio de comportamiento que en el mejor de los casos, sólo volverá a la persona más fría en el terreno emocional. En la chica de la fotografía, puede existir una buena integración, ya que aunque no se aprecie en la foto de frente, existe RF superior y ojos tónicos resguardados (verticalidad de la frente y secundaria), y por tanto buena asimilación y fusión de los nuevos elementos, aunque estos sean igualmente desestabilizadores y contraproducentes.

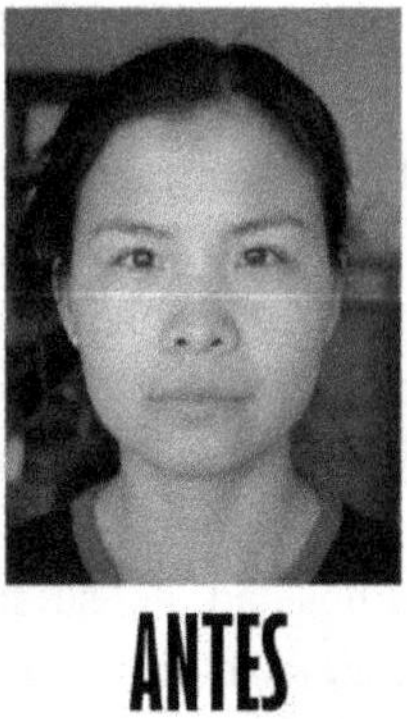

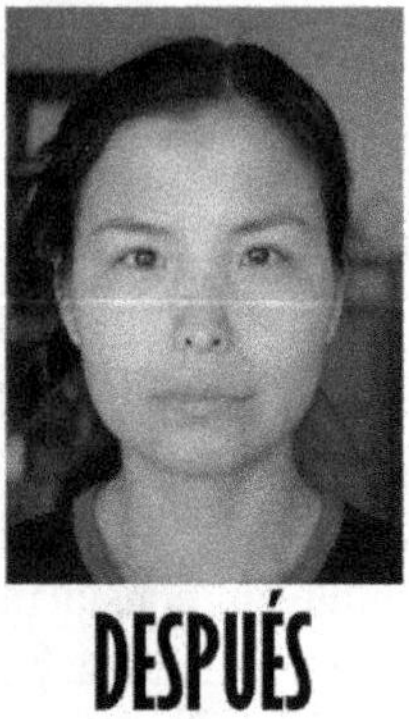

El antes y el después de una operación de estética nasal. Este cambio en el receptor emocional "la nariz", volverá a la persona más seca y fría en el trato.

LA MORFOPSICOLOGÍA Y LA SALUD

Generalmente tendremos que ser nosotros mismos, y en base a nuestra práctica, que poco a poco iremos tomando consciencia de ciertos desequilibrios del rostro y su efecto en la salud. Personalmente, he experimentado que la gran mayoría de dolencias, sobre todo a nivel mental, son debidas a asimetrías faciales y trastornos de la zona emocional dañada. Al igual que la "*iriología*" (presente en el libro) tendremos que observar detalladamente cualquier detalle que se nos presente como "anormal" o que termine de integrar en el conjunto. A continuación expongo algunas enfermedades o anomalías y su localización morfológica facial:

Alexitimia: falta de anchura de pómulos. Expansión "cerebro-instintiva". Generalmente nariz pesada o átona.

Alergias: perfil en piñón. Posible disperso reaccionante. Las alergias son producidas por temor.

Amigdalitis e irritabilidad: nariz con el tabique nasal "a lo Chopin".

Miedo a ser aceptados: erupciones cutáneas en la cara y frente.

Apetito voraz: cara dilatada y boca pequeña. Posible zona emocional dañada "falta de satisfacción emocional".

Bipolaridad: asimetrías grandes, sobre todo en altura y profundidad.

Bulimia: véase resfriados, asma, corazón y depresión. Señal de depresión profunda.

Cáncer: véase resfriados, asma, corazón y depresión. zona emocional muy dañada: arrugas del dolor. Suelen ser personas con mucha carga familiar.

Caspa: sienes muy hundidas y fuerte RF superior. La caspa es producida por acumulación de muchos pensamientos innecesarios laberínticos.

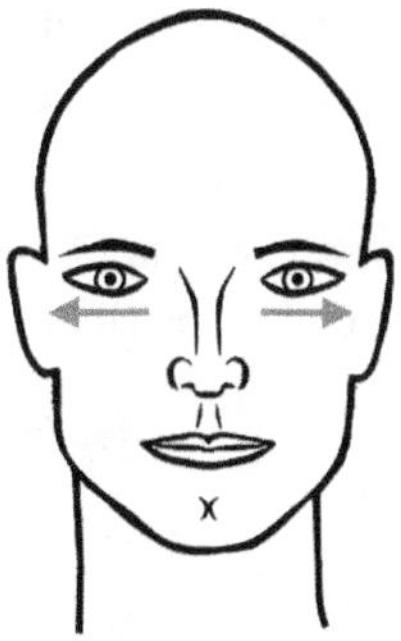

**ojos muy separados: propensión a migrañas.*

Caries: dientes con manchas negras. Personas con problemas familiares.

Cuello y tiroides: ojos saltones. Zona instintiva en expansión. Gran tonicidad global.

Couperosis: Personas tónicas y muy activas, de mejillas sonrojadas.

Dolor de oídos: suele darse en orejas muy pegadas: "ya he escuchado bastante", es una queja del subconsciente. No quiere oír.

Drogadicción o alcohol: zona instintiva en expansión asténica. Ojos átonos o muy hundidos. Asimetrías faciales o gran elemento del otro sexo que no integra por excesiva RL (inclinación) superior. Boca carnosa y entre abierta.

Dolor de cabeza: ojos muy separados entre si, frente no diferenciada, con sienes abombadas. Tendencia de zona baja débil y átona. Frente alta: "problemas para realizar lo abstracto".

Esquizofrenia: Ojos extremadamente pequeños y hundidos.

Falta de memoria: Croix de Polti et Gary muy pobre en su parte trasera (0.5/2.5).

Mal gusto: falta de Filtrum y por tanto, mala o nula percepción de la realidad física o concreta.

Miedo: zona instintiva en piñón o retraída.

Ojos: el dolor de ojos puede ser por comer en exceso, con zona instintiva expansiva, o zona instintiva en piñón o inhibida, por no querer afrontar la realidad.

Resfriados, asma, corazón y depresión: predisposición en personas aquejadas emocionalmente. Zona límbica o media dañada. Pliegues naso-genianos presentes, ojeras, párpado superior en "semi luna", arrugas del dolor, nariz átona, RLN inhibidora, brillo en los ojos de tendencia a llorar. Comisuras de la boca hacia abajo.

TOC (Trastorno Obsesivo Compulsivo): ojos muy hundidos, sienes muy huecas o apretadas y posible línea de paro profunda; todo el conjunto produce un "lazo" ideas laberínticas que pueden desencadenar en locura y obsesión.

Vísceras dañadas: granos presentes, sobre todo en la frente. Impurezas cutáneas. Ojos rojos y ojeras tipo bolsa. Color amarillento.

CAPÍTULO 13
FRENOLOGÍA

Franz Joseph Gall 1758-1828 París, perfeccionó un sistema craneal de 35 diferentes partes cerebrales, y su pertinente correlación con el comportamiento. En 1804 se asoció a *Spurzheim,* continuando sus investigaciones anatómicas y fisiológicas del cerebro, definiéndolo como una agregación de órganos que corresponden a facultades intelectuales, instintos y afectos. Según la forma que tenían estas protuberancias, así sería el individuo. Aunque posiblemente con alguna coincidencia territorial, en la actualidad es un sistema obsoleto y lejos de la realidad. De estas 35 zonas se atribuyen: 9 instintos, 11 sentimientos y 15 intelectos.

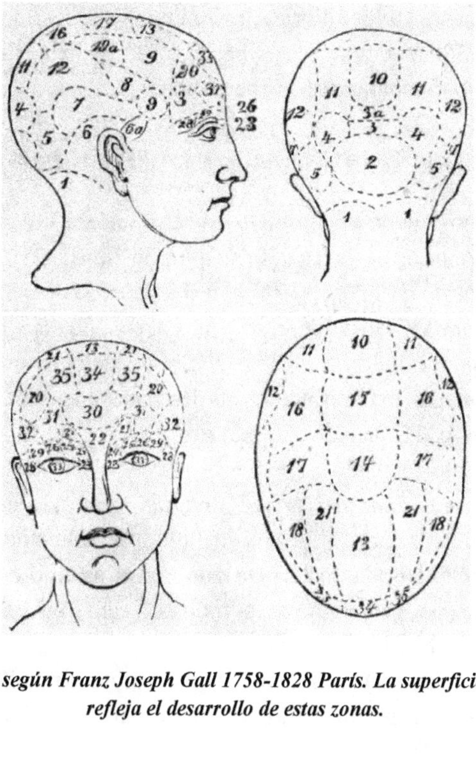

***Frenología según Franz Joseph Gall 1758-1828 París. La superficie del cráneo refleja el desarrollo de estas zonas.**

Instintintos:

1- amor físico, 2- amor a la progenie, 3- amor al país natal, 4- amistad, 5-combatividad, 6- destructividad, 7- sentido de lo concreto, 8- sentido de la posesión, 9- espíritu constructivo..

Sentimientos:

10- orgullo, 11- vanidad, 12- circunspección, 13- bondad, 14- veneración, 15- firmeza, 16- consciencia, 17- esperanza, 18- sentido de lo maravilloso, 19- sentido de lo ideal, 20- causticidad, 21- imitación.

Intelectos:

22- sentido de la individualidad, 23- sentido de la forma, 24- sentido de la distancia, 25- equilibrio, 26- color, 27- toponimia, 28- cálculo, 29- orden, 30- memoria de los hechos, 31- tiempo, 32- sonidos, 33- lenguaje, 34- comparación, 35- causalidad.

INTRODUCCIÓN A LA FISIOGNOMÍA

No olvidemos que la Fisiognomía fue el inicio de la Morfopsicología, fuente de riqueza de la cual se inspiraron muchos autores y genios como *Leonardo da Vinci*, *Aristóteles* o *Johann Kaspar Lavater.*
La Fisiognomía es más intuitiva, y nos acerca de manera casi mágica, a lo más profundo de cada ser, llegando a unos resultados asombrosamente extraordinarios y detallados. Estudia los pequeños detalles de cada facción de nuestro rostro, llegando a extremos increíblemente detallados.
La fisiognomía viene del griego *"physis"* (naturaleza) y *"gnomon"* (juzgar, interpretar) es considerada actualmente como una pseudociencia, basada en la idea que por el estudio de la apariencia externa de una persona, sobre todo su cara, puede conocerse el carácter o personalidad de ésta.
El primer tratado sistemático de los que sobreviven al día de hoy sobre Fisiognomía, es un pequeño volumen llamado *"Physiognomica"*,

atribuido a Aristóteles, aunque probablemente pertenezca a algún miembro de su escuela y no a al filósofo mismo.

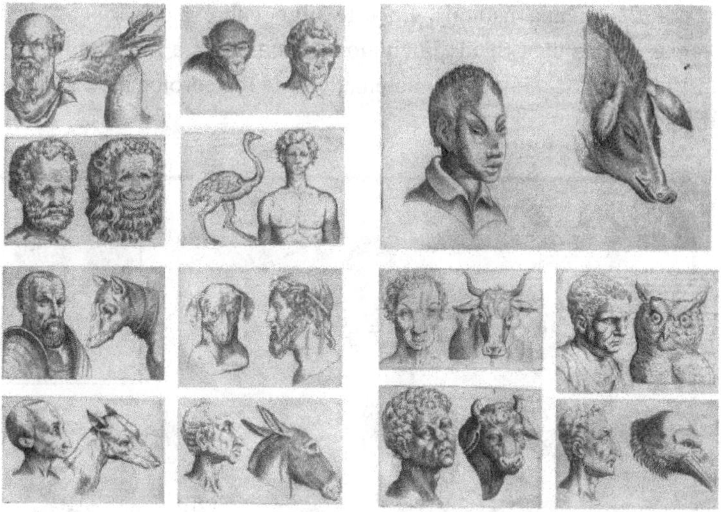

Ilustraciones de Giambattista Della Porta.

Otros autores que han estudiado la fisiognomía fueron entre otros: *Johann Kaspar Lavater, (1741-1801),* Essays on Physiognomy, *Giambattista della Porta (1535-1615),* el médico y filósofo inglés *Sir Thomas Browne (1605-1682),* cuya *Religio Medici* fue muy leída y alabada, y *Charles Le Brun (1619-1690)* con su tratado sobre Fisiognomía.

La popularidad de la fisiognomía creció a partir del siglo XVIII, hasta todo el siglo XIX.

Della Porta (año 1538-1615) fue un estudioso italiano, erudito y dramaturgo que vivió en Nápoles, en el momento de la revolución científica y la Reforma.

Fue el tercero de cuatro hijos de *Nardo Antonio Della Porta*, hombre con un enorme afán de aprendizaje, y que rodeo a sus hijos de filósofos, matemáticos, poetas y músicos, se preocupo mucho de su

educación, es en este ambiente en el que se desarrolla la infancia de Giambattista moldeando al hombre renacentista que llegaría a ser.
Su obra más famosa, publicada por primera vez en 1558, fue *Magiae Naturalis* (magia natural). En este libro cubre una variedad de los temas que ha investigado, incluido el estudio de: la filosofía oculta, la astrología, la alquimia, las matemáticas, la meteorología, la física y la filosofía.

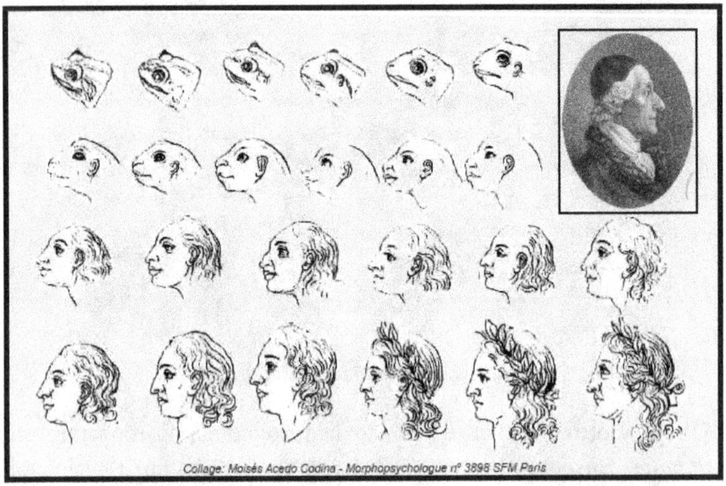

Johann Kaspar Lavater "Frog & Apollo": de la rana al hombre.

Algunas otras de sus obras son: *De furtives Literarum Notis* una obra sobre criptografía en 1563, *De humana Physiognomonia* en 1586 y *De Refractione Optices*, una obra de óptica en 1589.
Johann Caspar Lavater (Zúrich, 15 de noviembre de 1741- 2 de enero de 1801) fue un teólogo y escritor protestante suizo de lengua alemana.
Alcanzó notoriedad sobre todo gracias a su obra sobre la fisionomía: El arte de conocer a los hombres por la fisionomía (1775-1778). *Goethe,* que fue amigo suyo, era un gran admirador de su obra. Hay que considerarle fundador de la Fisiognomía y de la Morfopsicología.

EZECHIA CESARE LOMBROSO (1835-1909)

Delincuencia facial ¿Por qué matan?

Aunque en la actualidad los estudios de *Lombroso* están considerados como obsoletos, de nulo valor moral, y para muchos de un racismo y Xenofobia sin precedentes, rememoraremos en este capítulo el "modus operandi" de este emblemático y sinuoso personaje.
Desde la condesa *Báthory* hasta los asesinos de nuestros tiempos; detectives, científicos y estudiosos en homicidios han tratado de desentrañar cómo funciona la personalidad, cuerpo y mente de asesinos seriales, así como cuales factores influyen en sus vidas para transformarlos de ciudadanos respetables, en máquinas de matar sin sentimientos, caníbales y torturadores.
Ezechia César Lombroso nace en Verona en el año de 1835 y muere en 1909. Estudio medicina en la universidad de *Pavia* y luego en la de Viena. *"En 1870 llevaba yo realizando desde hacía varios meses investigaciones en las prisiones y manicomios de Pavía sobre cadáveres y personas para determinar la existencia de diferencias sustanciales entre los dementes y los criminales, sin demasiado éxito. Súbitamente, una sombría mañana de diciembre, descubrí en el cráneo de un delincuente una gran serie de anomalías atávicas... el problema de la naturaleza y el origen de los criminales quedó para mí resuelto; los caracteres de los hombres primitivos y de los animales inferiores debían estar reproducidos en nuestros tiempos". Gall*

La clasificación de los delincuentes:

En este centro docente conoce el método experimental que aplicaría a sus investigaciones. Terminada la licenciatura, ejerce como médico militar en el ejército del *Piamonte*, donde realiza investigaciones sobre el tatuaje de los soldados.
Fue profesor extraordinario en *Pavia*, director del Manicomio de *Pessaro* y a partir de 1876, ocupó la cátedra de Medicina Legal de la Universidad de Turín.

Lombroso es influido por *Charles Darwin* y con base en el estudio de un famoso delincuente de su época, cuyo cráneo presentaba ciertas anormalidades, que fueron comunes en los primeros.

Lombroso llego a una conclusión en la que *"el delincuente es el eslabón perdido"* en la evolución de la especie, y es el simio que se convierte en hombre, pero queda un pequeño espacio que es en donde entra el hombre delincuente, este es un ser que no llegó a evolucionar adecuadamente, y por lo mismo se quedó en una etapa intermedia entre el simio y el hombre.

Originalmente Lombroso no buscaba una teoría criminogenética, sino un criterio diferencial entre el enfermo mental y el delincuente, pero al toparse con este descubrimiento, principia a elaborar lo que llamaría Antropología Criminal.

***Museo Lombroso en Turin.**

En 1872 publica el libro *"Memoria sobre los Manicomios Criminales"*, dice que hay necesidad de que existan manicomios para criminales y la necesidad de que los locos no estén en las prisiones, sino que entren a instituciones especiales.

Pero también hay necesidad de que si los enfermos han cometido alguna conducta antisocial no se les mande con los demás psicóticos, porque son una amenaza, si no que existan Manicomios especiales para criminales.

En este mismo año escribe un libro llamado *"El Genio y la Locura"*, donde expone que en realidad todos los genios están locos, que el genio es un anormal, y expone como *"del Genio a la Locura y de la locura al Genio"*, en realidad no hay más que un paso.

El 15 de abril de 1876 se puede considerar que es la fecha oficial en que nace la Criminología como ciencia, ya que ese día se publica el *"Tratado Antropológico Experimental del Hombre Delincuente"* que aquí el expone su teoría.

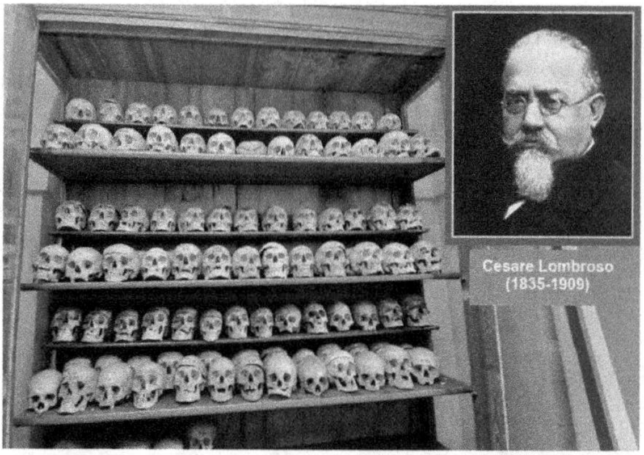

**Museo di Antropologia Criminale Cesare Lombroso – Turín.*

1- el criminal nato:

César Lombroso aporta al *Derecho Penal* y la *Criminología* su Teoría del criminal Nato.

Esta teoría fue criticada severamente por interpretaciones inadecuadas, traducciones malas y personas que no aceptaban en reconocer las verdades y aciertos de sus estudios. Ciertamente la teoría referida tiene sus aspectos criticables, pero se debe de reconocer que el primer estudio científico realizado, aportó interesantes conclusiones que lograron fortalecer al derecho penal y permitieron el surgimiento de la ciencia criminológica. La teoría Lombrosiana del criminal nato se resume de la siguiente forma:

Se preocupación por el comportamiento humano, sobre todo por el comportamiento criminal. Trató con enfermos mentales y elaboró una serie de notas de las que extrajo, entre otras, las características de distintos tipos de delincuentes, a quienes clasificó de acuerdo con su carácter antropológico y psicológico.

En 1871 un acontecimiento viene a producir un cambio radical en la vida de Lombroso y en la historia de la ciencia, cuando se observa el cráneo de un delincuente famoso (*Villella*), una serie de anomalías que le hicieron pensar que el criminal lo es por deformidades craneales, y la similitud con ciertas especies animales.

Lombroso al examinar distintos delincuentes, llegó a la conclusión que el criminal no es un hombre común, sino que por sus característicos rasgos morfológicos y psíquicos, constituye a un tipo especial, haciendo referencia antropológica general según la definición de *Quatrefagues,* signos de inferioridad orgánica y psíquica.

Tipologías criminales de Lombroso:

Estudios de Lombroso.

Físicamente:

Menor capacidad craneana.

Mayor diámetro bizigomático.

Gran capacidad orbitaria dilatada (superciliares).

Escaso desarrollo de las partes anteriores y frontales.

Contrastando con el gran desarrollo facial y maxilar (progmatismo o RL). Abultamiento del occipucio.

Desarrollo de los huesos parietales y temporales.

Frente hundida.

Psicológicamente:

La insensibilidad moral y la falta de remordimientos.

La imprevisión en grado portentoso.

Una gran impulsividad. Lombroso al investigar dice que el criminal nato, idéntico al loco moral, posee fondo epiléptico, siendo atávico de tipo biológico y anatómico especial.

De aquí pasa a el estudio del delito y la prostitución entre los salvajes, indicando que se prostituyen con mayor facilidad, y que viven en la promiscuidad, cometiendo fácilmente homicidios, robo, matando a niños, viejos, mujeres y enfermos, cuyas penas son terribles, y le llama particularmente la atención de su canibalismo por: necesidad, religión, prejuicios, piedad filial, guerras, glotonería, vanidad, etc. Compara y ve como muchas de estas actitudes, son comunes al tipo de delincuente nato, comparando a este con un salvaje; al cual le complace tatuarse, la superstición, le gustan los amuletos, y prefiere los colores primarios. Después habla de la teoría del niño, vinculada con el delincuente nato, lo cual destruye el concepto del niño como una blanca paloma, al que después se le llamara *"perverso polimorto"* por *Freud*, coincidiendo mucho en: Cólera , venganza, celos, mentiras, falta de sentido moral, escasa efectividad, crueldad, ocio y flojera, caló, vanidad, alcoholismo, juego, obscenidad e imitación.

2- delincuente loco moral:

La descripción que Lombroso da de este loco moral son las siguientes: Es su escasez en los manicomios, y su gran frecuencia en cárceles y prostíbulos.

Son sujetos de peso de igual o mayor a la normal. El cráneo tiene una capacidad igual o superior a la normal, y en general no tienen diferencias significativas con los cráneos normales.

En algunos casos se ha encontrado carácter comunes del hombre criminal (mandíbula voluminosa, asimetría facial...)

La sensibilidad psíquico moral es por tanto, una sublimación de sensibilidad general.

Son astutos y rehúsan utilizar tatuajes ya que saben que es una aplicación criminal.

Son muy precoces o contra natura, precedidos y asociados de una ferocidad sanguínea.

Son personas antipáticas que no conviven con nadie, odian con o sin motivos.

Son excesivamente egoístas, y usan el altruismo como una forma de perversión de los afectos.

La vanidad es propia de los criminales natos, como de los locos morales *"vanidad morbosa"* para dar elegancia a sus vidas.

Se dice por varios autores que son inteligentes, ya que sus delitos pueden justificarlos siempre. Son personas bastante excitables, crueles sin disciplina.
Tienen una gran pereza para el trabajo y son hábiles en la simulación de la locura.
Tanto el nato como el moral, datan de la infancia o de la pubertad.

3- delincuente epiléptico:

Este tipo de homicidas tiene reacciones violentísimas, en la que después de haber cometido el delito quedan tranquilos y sin aparentes remordimientos. Dicen que sienten vértigos en la cabeza, y que les gira o da vueltas. Ahora Lombroso encuentra una tercera forma de criminalidad, y hace la analogía del epiléptico con el criminal nato, llegando así a la tercera tipología. Las características según Turín en los criminales epilépticos son:
Tendencia a la vagancia. En ocasiones tendencia a deambular involuntariamente. Amor a los animales.
Sonambulismos, masturbaciones, homosexualidad y depravación. Precocidad sexual y alcohólica. Facilidad y rapidez de cicatrización. Destructividad. Canibalismo. Vanidad. Grafomanía. Doble personalidad para escribir. Palabras o frases especiales. Tendencia al suicidio. Tatuajes. Junto con los locos morales son los únicos que se asocian. Simulación de locura o ataque epiléptico. Cambios de humor. Amnesia. Auras.

La epilepsia se puede presentar de dos formas:

Epilepsia Real: es aquella en la que hay ataques, el sujeto cae al suelo, echa espuma por la boca, con movimientos compulsivos e incluso llega a morderse la lengua.

Epilepsia Larvada: es aquella en la que se presentan los mismos sucesos aunque sin ataques, estos criminales son más peligrosos que los locos morales.

Andrei Romanovich Chikatilo nació el 16 de Octubre de 1936 (Ucrania). Conocido como el carnicero de Rostov, uno de los peores criminales en serie del mundo, que asesinó hasta 53 muchachas y muchachos jóvenes en Rusia, desde 1982 hasta 1990. Fue condenado a pena de muerte, con un tiro en la cabeza en 1994. Él mismo ofreció su cerebro a la ciencia, para que una cosa así no volviese a ocurrir. Descripción: El Marco Abollado de asimetrías importantes, es un preciso indicador de fanatismo y desequilibrios. Su perfil de tendencia "pignon", le aportó prudencia en los actos, por ello la policía tardó 8 años en darle captura. Sus ojos azules, tónicos, hundidos y de cejas crispadas, hablan de vivencia de un mundo propio, lejos de la realidad. Como su zona en expansión es la Instintiva, su mente se puso al servicio de ella, para abastecer su gran demanda de apetitos físicos. La nariz gruesa, proyectada y de orificios redondos, con RLN y zona emocional extremadamente abollada y corta, aporta violencia de acción rápida sin escrúpulos, que puede salir de forma explosiva. La boca, cerrada en cremallera, indica crueldad y tensión contenida, quizás debido a su duro pasado, esperando el momento para salir con toda la fuerza. Podemos observar en sus últimos días de vida, la boca entre abierta, la mirada perdida y psicología gestual desencajada, signos de una persona con locura, miedo, falta de control y abandono absoluto.

4- el delincuente loco (pazzo):

Lombroso hace una diferencia entre los delincuentes locos y los locos delincuentes (enloquece después del acto). Los locos delincuentes son enfermos dementes, sin capacidad de entender o querer, que cometen algún crimen sin saber lo que hacen. Sin embargo, el delincuente loco, es el sujeto que ha cometido un delito y posteriormente enloquece en prisión.

Dice *Lombroso* que los jueces, al no conocer nada de psiquiatría, les llaman *"los locos criminales"*, escapando así a su justo castigo.

Lombroso considera como caso especial, tres tipos de delincuente loco: *el alcohólico, el histérico y el mattoide.*

a) delincuente alcohólico:

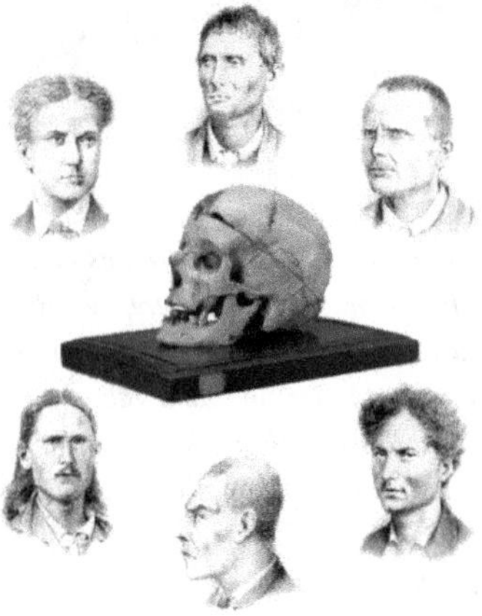

Arquetipos de delincuentes.

El alcohol es un excitante que paraliza y que narcotiza hasta los sentimientos más puros o nobles, transformando incluso al cerebro más sano en enfermo.

Lo caracteriza de la siguiente manera:

Casos degenerativos congénitos, aunque frecuentemente con vida anterior honestísima. Extraña apatía e indiferencia, que a veces llega a ser bastante violenta. La embriaguez aguda aislada, da lugar por si sola al delito: arma el brazo, enciende las pasiones y nubla la mente. Tienden al cinismo humorístico, con fuertes tendencias al robo, aunque después llegan a un profundo sueño, y quizás hasta a la amnesia o peor aún, a un posible suicidio. *Lombroso* estudia varias formas de alcoholismo como el hereditario, el de otras enfermedades, el crónico, etc.

b) delincuente histérico:

Sus características comunes son las siguientes:
Se dice que es más común en las mujeres que en los hombres.
Tiene herencia análoga a los epilépticos, aunque pocos caracteres degenerativos.
La mitad de su inteligencia es intacta.
Es egoísta en su carácter.
Es muy cambiante o *"lunático",* lo que le hace colérico, feroz y fáciles simpatías o antipatías súbitas irracionales.
Es vengativo escandalosamente y hace denuncias y falsos testimonios.
Tiene una verdadera necesidad de mentir y gran tendencia al erotismo.
Puede tener delirios, alucinaciones, suicidios y fugas para prostituirse.
Existen delitos múltiples, aunque los más comunes son la difamación, el robo, faltas morales y homicidios.

c) delincuente mattoide:

La palabra mattoide proviene de *"matto"* que significa loco, y matoide quizás quiera decir textualmente *"Locoide".* Vendría a ser que el sujeto no está loco, pero casi. Las características del *Mattoide* serían:

Escasean entre las mujeres.
Son raros en la edad juvenil.
Abundan extrañamente en las grandes civilizaciones.
En los países que tienen cultura extraña o gran velocidad.
Entre los burócratas, teólogos, médicos, pero no entre militares.
Tienen poquísimas anomalías morfológicas.
Afectivamente son hasta altruistas, conservan la sobriedad, son muy éticos y muy ordenados.
Intelectualmente no hay anomalías, suplen la inteligencia por notable laboriosidad, escriben de forma compulsiva.
Psicológicamente: se caracterizan por una convicción exagerada por sus propios meritos y existe bastante vanidad.
Inventan teorías nuevas generalmente extravagantes.
Sus crímenes son impulsivos normalmente y realizados en público.

Tienen delirio persecutorio, persiguen y son perseguidos.
Son querellantes y les encanta litigar.

5- delincuentes pasionales:

Un delincuente pasional no es un delincuente loco, ni tampoco tiene aspectos atávicos, epilepsia o locura moral, por tanto es un sujeto con otras características y estas son:

Rareza (5 a 6 %) entre los delitos de sangre.
Edad entre 20 y 30 años.
Sexo: 36 % de mujeres, el cuádruple de los demás delitos.
Cráneo sin datos patológicos.
Belleza de la fisonomía, casi completa ausencia de carácter criminal y loco.
La belleza del cuerpo responde la honestidad del alma.
Afectividad exagerada.
Anestesia momentánea en el momento del delito.
Conmoción después del delito.
Suicidio o tentativa inmediatamente después del delito.
Confesión: al contrario de los delincuentes comunes, no oculta el propio delito y lo confiesa a la autoridad judicial, para calmar el dolor y el remordimiento.
Son los únicos que son correctos en el trato.
El delincuente pasional siempre es inmediato, y la pasión que lo mueve es una pasión noble, distinguiéndose de las bajas pasiones que impulsan a los delincuentes comunes.

Lombroso clasifica a los delincuentes por pasión en tres tipos:
Duelo, infanticidio y pasión política.

6- delincuente ocasional:

A los delincuentes ocasionales Lombroso los divide en: *pseudo-criminales, criminaloides y criminales habituales.*

a) delincuentes pseudo-criminales:

Están constituidos en los tres 3 subgrupos:

Aquellos que cometen delitos involuntarios, que no son reos a los ojos de la sociedad o antropología, pero no por ello son menos penados.

Los autores de delitos en los cuales no existe ninguna perversidad, y que no causan ningún daño social, pero que son considerados ante la ley como tales, cometidos por necesidad o dura necesidad.

Los culpables de hurto, incendio, heridas, duelos, en determinadas circunstancias extraordinarias, como la defensa del honor de la persona, subsistencia de su familia, etc.

Los delincuentes *pseudo-criminales* se encuentran también en los delitos de falsedad.

b) criminaliodes:

Son aquellos en que un incidente les lleva al delito *"la ocasión hace al ladrón"*.

Producido a consecuencia de: La imitación, la cárcel como medio que les lleva a asociarse al crimen y la corrupción., y finalmente están los que son apresados por engranajes de la ley.

c) delincuentes habituales:

Son aquellos que no reciben una buena disciplina ni educación en su infancia por sus parientes, amigos, escuela (Epigenética).

La educación les llega desde temprano a la adecuación para el delito.

Pueden llegar a ser peligrosos hasta cierto límite, sin llegar a cometer delitos.

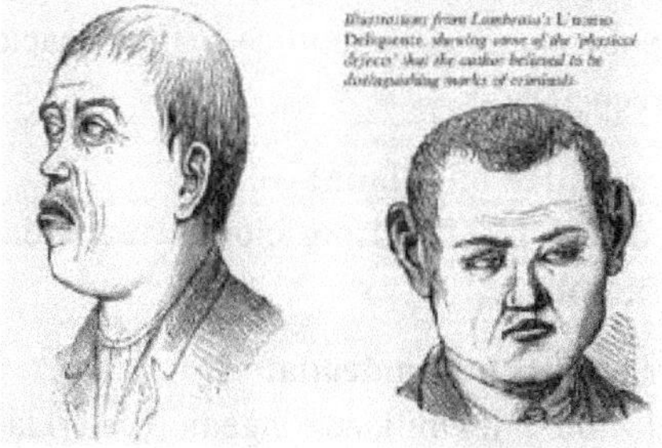

***Tipologías de criminales según Lombroso llamados "cara simios" mayormente.**

TIPOLOGÍAS DE FRENTES ACTUALES

En el croquis gráfico de diferentes formas de la frente, he plasmado las tipologías inspirado en *Edward Laidrich.*

La estructura de los laterales temporales del cabello, según *E. Laidrich*, tenía relación directa y estrecha con la morfología de la frente, ayudando a descifrar el comportamiento y ratificando el tipo de frente al cual pertenecen.

A continuación explico la breve interpretación psicológica y el porcentaje de población que las posee:

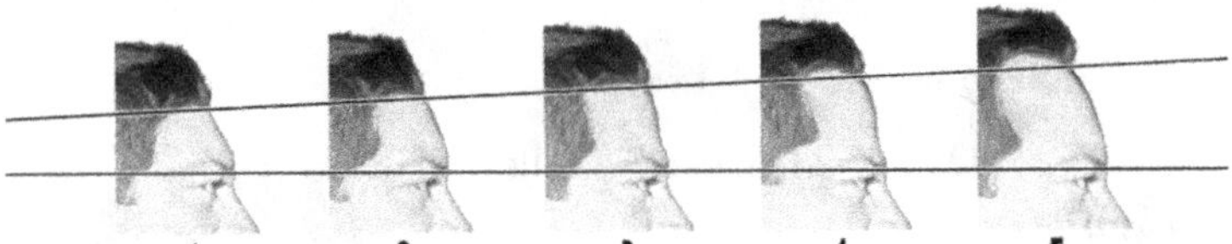

1 2 3 4 5

Tipologías de frente de la población actual.

1- Frente concreta RL abollada:

28% de la población. Obstinación, practicidad, actividad, reflexión, observación.

2- Frente concreta RF plana:

33% de la población. Susceptibilidad, especialización, pragmatismo, irreflexión, pereza.

3- Frente concreta-abstracta RF y RL ondulada "frente normal":

38% de la población. Adaptabilidad, imaginación, dinamismo, meditación, percepción.

4- Frente abstracta RF ondulada:

1% de la población. Predisposición, creatividad, moderación, introspección, filosofía.

5- Frente abstracta RL redondeada:

1% de la población. Flexibilidad, ingenio, celeridad, impulsividad, intuición.

A continuación, he querido plasmar en ocho tipos de frente básicos, y de acuerdo con las leyes morfopsicológicas estudiadas, el significado de las regiones enumeradas. Así deduciremos fácilmente el significado de cada una de ellas.

8 TIPOLOGÍAS DE FRENTES BÁSICOS

Se han plasmado ocho tipos de frente básicos habituales entre la población. De acuerdo con las leyes de Morfopsicología y fisiognomía estudiadas, podremos descifrar fácilmente y de forma objetiva, el significado de cada una de ellas.

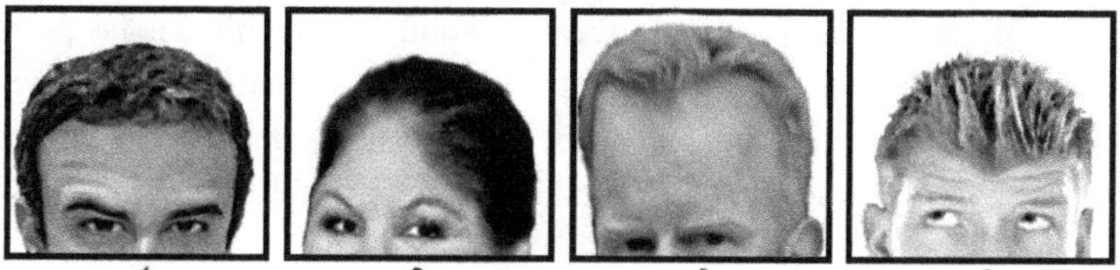

1 2 3 4

***Tipologías de frentes básicos o más abundantes en la población.**

1-LA FRENTE ANCHA: en esta frente predomina la anchura sobre la altura. Se trata de personas que valoran más la práctica que la teoría. Generalmente en este tipo de frentes, la zona alta o abstracta está poco desarrollada, de aquí su tendencia a la practicidad y a las realidades concretas.

2-LA FRENTE ESTRECHA: su gran característica es la ausencia de frente en la zona temporal. Muestran una notable falta de sentido práctico y habilidad manual. La capacidad de síntesis es asimismo reducida. Son personas que analizan los hechos, pero el resulta difícil establecer relaciones o canalizarlos.

3-LA FRENTE ALTA: se caracteriza por una gran desproporción en las medidas, siendo una frente muy alta. De acuerdo con las leyes morfopsicológicas y fisiognómicas, esta frente corresponde a personas más teóricas que prácticas, más idealistas que realizadoras. La mayor o menor desproporción entre ambos parámetros (perceptible desde un punto de vista estético) nos informará sobre el equilibrio o desequilibrio de la persona: si la desproporción no es grande y el modelado de la frente es hermoso, puede ser que nos encontremos con un pensador teórico importante, mientras que si la desproporción entre altura y anchura es muy grande, se tratará de un soñador, una persona poco práctica cuya charla es interesante y divertida, pero que carece de sentido de la realidad.

4-LA FRENTE BAJA: se caracteriza lógicamente por la falta de altura frontal. Naturalmente aquí la idealización es más bien pobre. Se trata de personas que han aprendido en la práctica pocas cosas, pero saben que son ciertas y las aplican continuamente en todas las facetas de su vida. Son gente monótona, sin ideas. Cuando la altura de la frente es muy reducida, nos encontramos con personas neuróticas, obsesivas, con ideas fijas y difíciles de hacer cambiar de opinión.

5-LA FRENTE RECTANGULAR: aunque existe un equilibrio de las zonas, corresponde a una mente metódica, científica, aunque rígida, "cuadriculada". Si está bien diferenciada, su *"modus operandi"* será muy estricto y rozando la perfección.

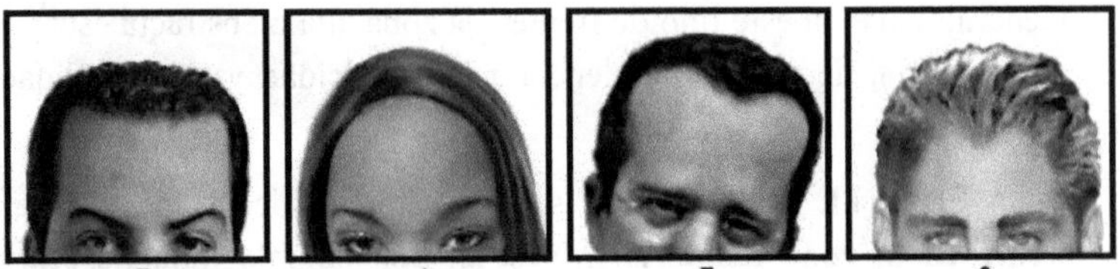

5 6 7 8

**Tipologías de frentes básicos o más abundantes en la población.*

6-LA FRENTE OVALADA: supone características opuestas a la frente rectangular. Se trata de la oposición de lo masculino, las líneas rectas, angulares y abolladas. Por tanto, este tipo de frente redonda y que suele poseer un sólo seno frontal, corresponde a una persona imaginativa, mística, "intuitiva", receptiva, romántica, a veces soñadora y algo infantil. Si los ojos son algo átonos (caídos), muy separados entre si, y la cabeza termina "en punta" sobre la zona superior, estaremos delante de un auténtico clarividente o "radar" intuitivo.

7-LA FRENTE TRAPEZOIDAL IDEALISTA: se caracteriza por poseer un máximo desarrollo en anchura y modelado de la zona superior. En consecuencia, corresponde a personas idealistas, con capacidad de abstracción y fluida imaginación. Generalmente muestran 2 senos frontales en la parte superior.

8-LA FRENTE TRAPEZOIDAL REALISTA: se caracteriza por un máximo desarrollo en anchura y modelado de la zona inferior (superciliares), dando forma de trapecio. En consecuencia, corresponde a personas prácticas, apegadas a lo material, realistas, frecuentemente sin escrúpulos. Este tipo de frente se rige por las cosas físicas y realidades concretas "si no lo veo no lo creo". Si poseen espiga de Saturno serán rigurosos en su forma de obrar.

MÍMICA Y CARÁCTER (PSICOLOGÍA GESTUAL)

El movimiento muscular estar relacionado con los distintos estados de ánimo. A continuación exponemos 24 gestos faciales:

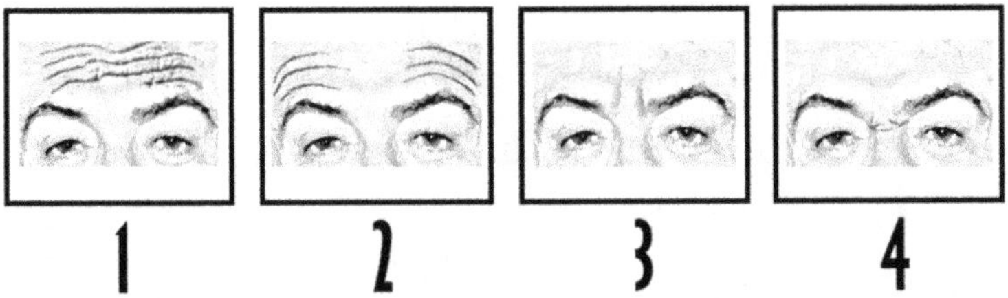

La mímica y arrugas muestran el proceder o estado actual de las personas.

1-FRONTAL:

Físicamente: Eleva las cejas, formando arrugas horizontales en la frente.

Psíquicamente: Indica sensibilidad ante situaciones y hechos. Preocupación. Como se suele decir en *Morfopsicología "el mundo no es como yo quiero"*.

2-FRONTAL EXTERNO:

Físicamente: Eleva la parte superior de los extremos de las cejas, formando las arrugas arqueadas a los lados de la frente.
Psíquicamente: Puede indicar la capacidad de sorpresa. También relacionado con la curiosidad intelectual que encontramos en los sabios, inventores y creadores.

3-SUPERCILIAR O SUPRACILIAR:

Físicamente: Presiona la parte alta de las cejas, acercándolas entre ellas. Produce dos arrugas de interciliares verticales, que podrán ser a veces muy profundas.
Psíquicamente: Indican concentración, meticulosidad, afición a la lectura. Atención sostenida durante largo periodo de tiempo. Reacciones rápidas a las impresiones exteriores.

4-SUPERCILIAR VERTICAL:

Físicamente: Acerca las cejas de modo que forma una o dos arrugas horizontales interciliares en la raíz de la nariz.
Psíquicamente: Indica obstinación y tozudez. También puede indicar tenacidad y perseverancia en las ideas. Es la arruga de la ira y la crispación. En Morfopsicología *"anillo de león"*.

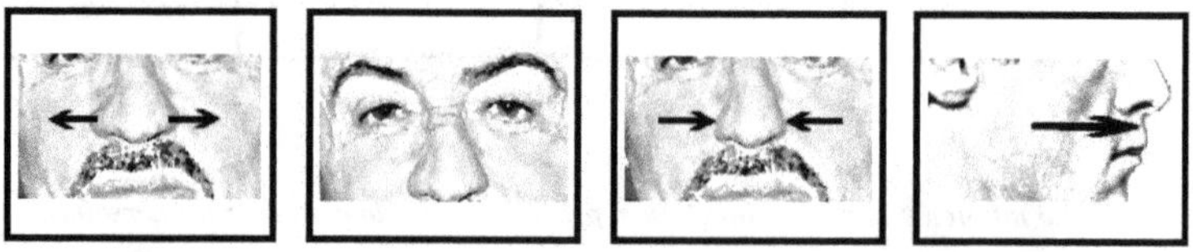

5 6 7 8

La mímica y arrugas muestran el proceder o estado actual de las personas.

5-DILATADOR NASAL:

Físicamente: Abre las aletas nasales hacia la mejilla, aumentando el el tamaño de las mismas. Suelen ser aletas "vibrantes".
Psíquicamente: Indica deseos profundos de sentir en el plano afectivo. La reacción con lo que el individuo experimenta, la delata este músculo. En las relaciones amorosas, ayuda a la expresión de los sentimientos e indica si la sensación es compartida.

6-PIRAMIDAL:

Físicamente: Empuja hacia abajo la raíz de la nariz, formando pequeños pliegues.
Psíquicamente: Puede indicar sensibilidad de la persona. No hay que confundirla con el anillo de león.

7-TRANSVERSAL DE LA NARIZ:

Físicamente: Produce un aplastamiento de la nariz.
Psíquicamente: Indica crispación y protección. Es un signo de nerviosismo. En Morfopsicología forma parte de la RLN y hace que la persona acumule tensión. Aporta fidelidad.

8-MITIFORME:

Físicamente: Proyecta el Pallium o espacio naso-labial (Filtrum). De perfil se puede apreciar perfectamente su proyección.
Psíquicamente: Oposición o capacidad de rechazo. Desacuerdos y contradicciones.

9

10

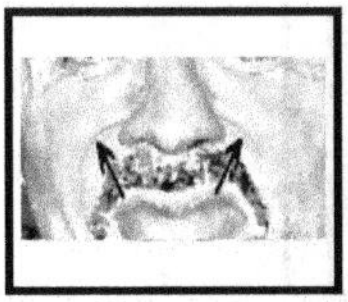
11

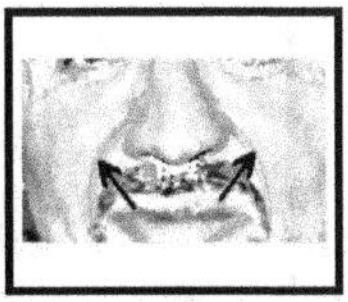
12

La mímica y arrugas muestran el proceder o estado actual de las personas.

9-AURICULAR POSTERIOR:

Físicamente: Pega la oreja al rostro, dando la sensación de ser más alargado.
Psíquicamente: Indica capacidad de adaptación. Suele crear dependencia de los demás.

10-ELEVADOR SUPERFICIAL:

Físicamente: Empuja hacia arriba la nariz, produciendo arrugas verticales en la raíz o "Plano de Marte".
Psíquicamente: Percepción de lo desagradable. La persona capta fácilmente las situaciones difíciles. Otorga la capacidad de percibir los defectos. Es señal de amargura, disgusto y falta de optimismo.

11-ELEVADOR PROFUNDO:

Físicamente: Eleva el labio superior, mostrando el músculo canino. Al mismo tiempo, también baja la punta de la nariz, dando un aspecto borbónico.
Psíquicamente: Indica rechazo y despecho. Acción de ofensa y de ataque al exterior.

12-CIGOMÁTICO MENOR:

Físicamente: Parecido al anterior, con la diferencia que también empuja hacia afuera el labio superior. Contribuye a la expresión de la tristeza.
Psíquicamente: Indica sufrimiento y molestia. Siempre indica dolor moral y psíquico.

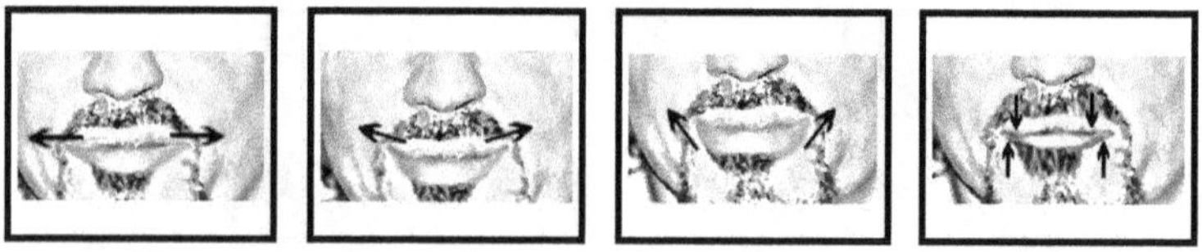

13 14 15 16

***La mímica y arrugas muestran el proceder o estado actual de las personas.**

13-RISORIO:

Físicamente: Empuja las comisuras de la boca hacia atrás, agrandándola.
Psíquicamente: Indica independencia en la forma de actuar y objetividad. Este músculo no interviene en la sonrisa ni alegría.

14-GRAN CIGOMÁTICO:

Físicamente: Empuja las comisuras bucales hacia arriba y atrás.
Si el Buccinador y el Zigomático mayor se contraen al unísono, producen la sonrisa, que variará según la intensidad de la contracción.
Psíquicamente: Señala sensación de placer, generalmente moral y sentimental.

15-BUCCINADOR:

Físicamente: Empuja el saliente del labio inferior hacia arriba, atrás y afuera a la vez.
Psíquicamente: Es indicador de un placer físico. Colabora en la sonrisa del labio inferior.

16-ORBICULARES INTERNOS:

Físicamente: Aprieta y comprime los labios hacia adentro.
Psíquicamente: Es un movimiento de auto defensa. Es indicador de que no se aceptan las influencias ni pensamientos externos.

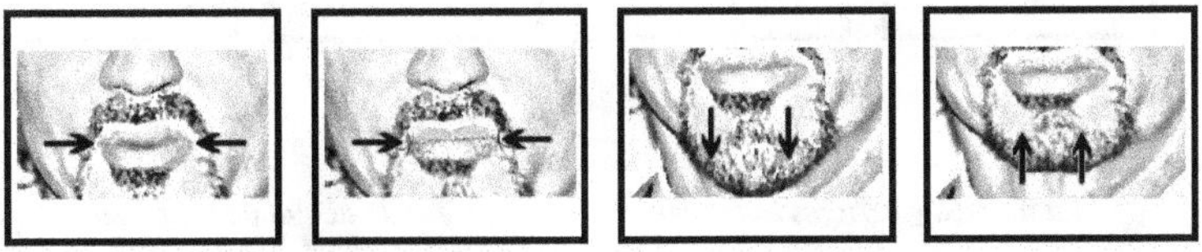

17 18 19 20

17-ORBICULARES EXTERNOS O INCISIVOS:

Físicamente: Acerca las comisuras entre si, como ocurre cuando besamos o soplamos, empequeñeciendo la boca.

Psíquicamente: Siempre es indicativo de algún deseo, dando la apariencia de esperar algo. Es de tendencia infantil.

18-CANINO:

Físicamente: Su encogimiento eleva las comisuras del labio inferior, formando un abultamiento en forma de aceituna en las comisuras.
Psíquicamente: Indica la satisfacción de uno mismo, altivez, engrandecimiento.

19-CUADRADO DEL MENTÓN:

Físicamente: Impulsa el labio inferior y el mentón hacia el exterior.
Psíquicamente: Es el músculo de los osados y valientes.
Energía y buena vitalidad para emprender los proyectos.

20-BORLA DEL MENTÓN:

Físicamente: Eleva el labio superior, provocando el encogimiento de la barbilla y en según el caso, algunos surcos en el mentón.
Psíquicamente: Indica dudas y la persona no se decide a dar el primer paso. También otorga prudencia.

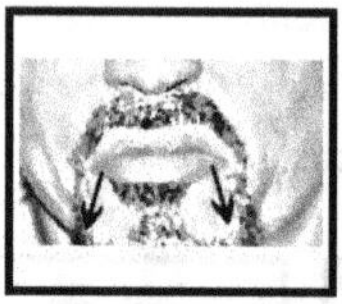

21

22

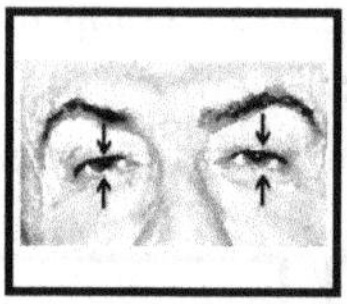

23

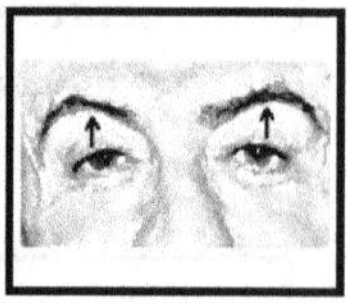

24

****La mímica y arrugas muestran el proceder o estado actual de las personas.***

21-TRIANGULAR:

Físicamente: Empuja las comisuras de la boca hacia abajo.
Psíquicamente: Indica desilusión y pesimismo. Es el músculo de la desesperanza e indica que la persona se esperaba más.

22-CUTÁNEO DEL CUELLO:

Físicamente: Impulsa la piel bajo el mentón hacia abajo, causando inflamientos a los laterales de este y arrugando el cuello con pliegues verticales.
Psíquicamente: Son arrugas de la edad madura (biliosa-nerviosa) y otorgan consciencia de los obstáculos presentes.

23-TARSALES:

Físicamente: Los músculos *Tarsal superior e inferior* hacen cerrar el ojo. También puede cerrarse separadamente e intervienen en el pestañeo.
Psíquicamente: Es algo infantil y expresa una atención momentánea. Puede significar un disimulo para escapar y pasar desapercibido.

24-ELEVADOR DEL PÁRPADO SUPERIOR:

Físicamente: Desliza el párpado superior sobre el globo ocular.
Psíquicamente: Cuando cae en "semi luna" sobre el iris la depresión es inminente, pero si el párpado está demasiado abierto puede indicar enfermedad.

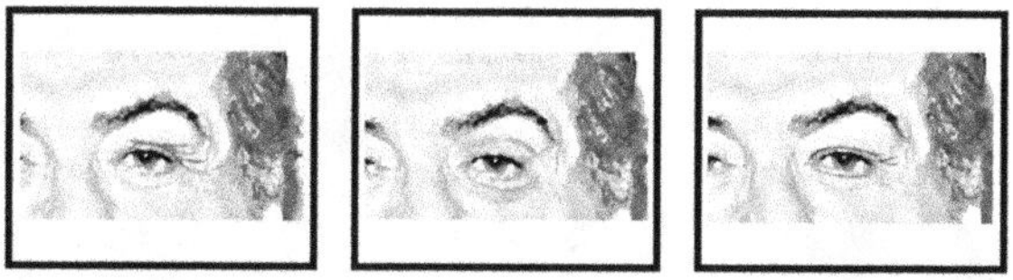

25 26 27

25-ORBICULAR:

Físicamente: Es un pliegue sobre el párpado superior que cierra el hueco palpebral del ojo.
Psíquicamente: Indica que la persona se protege y preocupación. Demasiada concentración. También aporta creatividad y sentido de la estética.

26-PRESEPTAL:
Físicamente: Bordea el ojo a 1 o 2 centímetros de distancia.
Psíquicamente: Indica fatiga mental y posible depresión.

27-PRETARSAL:
Físicamente: Forma un contorno o rebaba que da vivacidad al receptor cerebral.
Psicológicamente: Energía positiva y ganas de vivir. Denota alegría, felicidad y ganas de ayudar y escuchar al prójimo.

CAPÍTULO 14
METODOLOGÍA DE ANÁLISIS DE LA S.F.M.

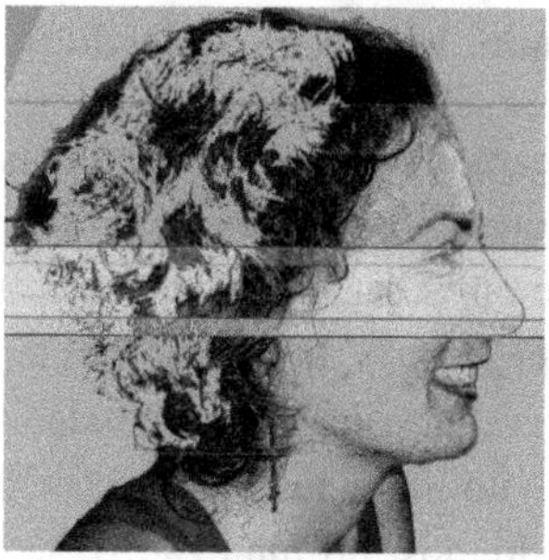

En la actualidad (año 2013) existe un análisis metodológico confeccionado por la sede y madre de la Morfopsicología "SFM - Société Française de Morphopsychologie". Este análisis comienza por la descripción morfológica del individuo, terminando por la psicológica en su segunda parte. Consta de estos 5 puntos básicos:

Primera impresión (4, 5, 6 o más palabras, definiendo al sujeto)

1-ANÁLISIS MORFOLÓGICO:

El marco.
Receptores (protección, finura, RF, RL): Ojos, Nariz, Boca, Orejas.
Relación entre el marco y los receptores.
El modelado.
Tipos Jalón (por orden de importancia): RF, RL, Dilatado, Retracción.
Relacion frente/perfil - Hemifacias - Componente de otro sexo - Croix de Polti et Gary - Zona en Expansión y Dominante - Antagonismos - Armonía e inarmonía.

2-DEDUCCIONES PSICOLÓGICAS BREVES.

3-DESCRIPCIÓN DE LAS ZONAS FÍSICAS:

Zona cerebral, Zona emocional, Zona instintiva.

4-PSICOLOGÍA DE LAS ZONAS:

Aptitudes cerebrales, emocionales e instintivas.

5-CONCLUSIÓN:

Puntos fuertes, Puntos débiles, Puntos negativos.

EJEMPLOS DE ANÁLISIS

ANÁLISIS MORFOPSICOLÓGICO COMPLETO – SFM

Análisis RRHH para empresa: Fernando, 186cm, 38 años, diestro

Expongo esta demostración de estudio, para evidenciar que el análisis morfopsicológico está años luz por delante de cualquier otro tipo de *coaching* (sin menospreciar el trabajo de otros profesionales). Esto se debe a que todos los elementos del rostro humano, pasando desapercibidos por casi todos, nos revelan sin lugar a dudas la información absoluta del individuo. Si no sabemos interpretar las formas básicas faciales, raramente podremos profundizar o sacar grandes conclusiones, con gran posibilidad de caer en engaños o veredictos totalmente erróneos. Una persona inteligente puede engañar a un psicólogo, pero a un morfopsicólogo no podrá jamás.

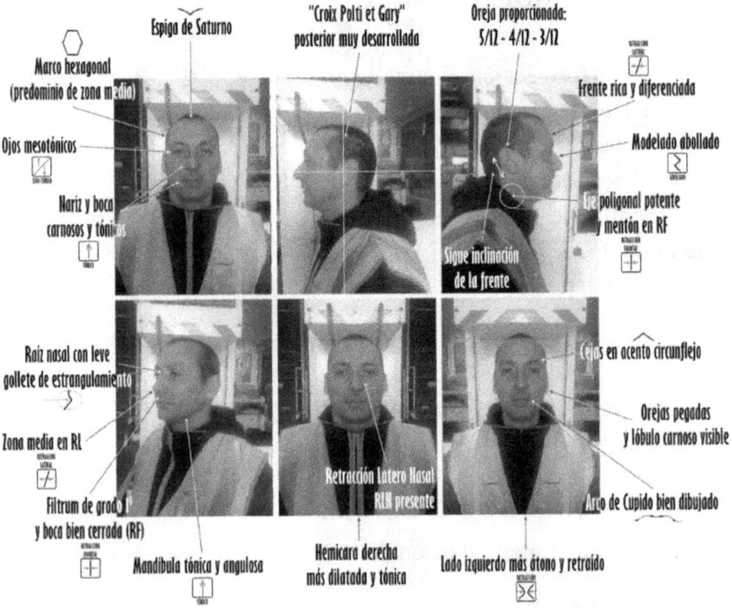

Análisis morfopsicológico según el procedimiento actual de la SFM París.

PRIMERA IMPRESIÓN:

Imaginación, audacia, sociabilidad, movimiento, generosidad, fuerza.

1-ANÁLISIS MORFOLÓGICO:

Marco: Hexagonal de buena tonicidad, marco medio. *Este tipo de Marco nos habla de una predilección del terreno afectivo o social, por tanto será una persona sentimental y humana.*

RECEPTORES:

Ojos: Tamaño normal, semi resguardados, mesotónicos (plano horizontal), iris oscuro. Las cejas están dispuestas o dibujadas en acento circunflejo y la distancia hasta el ojo es la normal. *Este tipo de ojos nos hablan de fluidez en la comunicación y control de sus actos. Sabe exponer sin problema sus ideas y proyectos. Es despierto y observador, sin que nada se le pase por alto, con gran memoria fotográfica. También nos hablan de buena creatividad e imaginación.*

Nariz: Tamaño normal (equilibrio), carnosa, RL (proyectada), tónica (vibrante), convexa (abollada). *Este tipo de receptores emocionales indican sociabilidad y búsqueda de contacto hacia los demás. Diplomacia, ética, tacto, educación y valores humanos. La nariz convexa ofrece pasión y entusiasmo a la persona.*

Boca: Tamaño normal, protegida, tónica, labios normales. *La boca es el receptor-emisor de nuestro cerebro instintivo o material. Fernando posee un tamaño normal que nos habla de buena administración. Este tipo de boca indica sensualidad y buen gusto en la realidad concreta o material, así como para la cocina. Facilidad del habla.*

Orejas: Tamaño normal (medida de la nariz), pegadas al rostro, lóbulo grande y diferenciadas. Siguen la inclinación de la frente. *Las orejas son un mundo aparte, pero a modo resumido, sus orejas nos hablan de buena salud, longevidad, actividad, movimiento y equilibrio cerebral. Al estar algo pegadas a veces le costará oír, es decir, si la conversación es aburrida o fuera de su interés, será anulada de modo automático.*

RELACIÓN ENTRE MARCO Y RECEPTORES:

Existe un equilibrio vital entre "la gran y la pequeña cara". *Cuando el marco y los receptores son equilibrados, nos habla de fuerzas armónicas y de estabilidad psicológica.*

EL MODELADO:

En general oscila entre el "ondulado-abollado". *Este tipo de modelado o contorno del rostro, nos habla de muy buena adaptabilidad al entorno, pero con puntual tendencia a la testarudez si el entorno es hostil.*

TIPOS JALÓN (POR ORDEN DE PREFERENCIA):

RF: Diferenciación de la frente, RLN, doble juego nasal, boca y mentón. *Prevalecerá la reflexión y control.*
RL: Inclinación de la frente, ojos y nariz. *Indica actividad.*
Dilatación: Parte del Marco, carnosidad nasal, zona afectiva y cuello. *Buena adaptación, resistencia y diplomacia.*
Retracción: Parte del Marco, labio superior. *Selección.*

RELACIÓN FRENTE/PERFIL

Hemicaras: No existen diferencias significativas.
Componente de otro sexo: Ojos y modelado en hexágono. *Los elementos femeninos nos hablarán de creatividad y riqueza en los puntos de vista.*
Croix de Polti et Gary: Casi la misma medida. Extraordinaria capacidad receptiva pasiva. *Muy buena memoria y capacidad de retentiva.*

ZONA EXPANSIVA Y ZONA DOMINANTE

Zona en Dominancia: Emocional (zona media). *En él gobierna el afecto o lado humano.*
Zona en Expansión: Cerebro-afectiva (Zona superior y media). *Indica un crecimiento electivo en aras de la mente y del corazón.*

ANTAGONISMOS

No existen diferencias que afecten el equilibrio o la harmonía.

2-DEDUCCIONES PSICOLÓGICAS

Fernando es una persona espontánea, gran imaginación y aunque también es conservador, con miras hacia el futuro y progreso constante. De pensamiento rápido, creativo, estratega y algo testarudo a veces. Excelente memoria, observación y capacidad fotográfica.

Selectivo a nivel global. De trato amable y diplomático hacia los demás. Los sentimientos forman la parte más importante de su vida, con necesidad de compartir cuanto posee de forma incondicional. Es sociable y necesita relacionarse con las personas, trabajar en grupo y sentirse querido. Tiene facilidad de palabra y para la oración. Goza de buena salud, con extraordinario caudal energético y reservas físicas.

3-DESCRIPCIÓN MORFOLÓGICA DE LAS ZONAS

Zona cerebral: tónica y en RL (inclinación). Frente concreta ligeramente alargada, diferenciada, sienes aplanadas, Espiga de Saturno y superciliares desarrollados. Ojos semi protegidos, mesotónicos, iris oscuro, cejas en acento circunflejo y párpado superior algo caído.

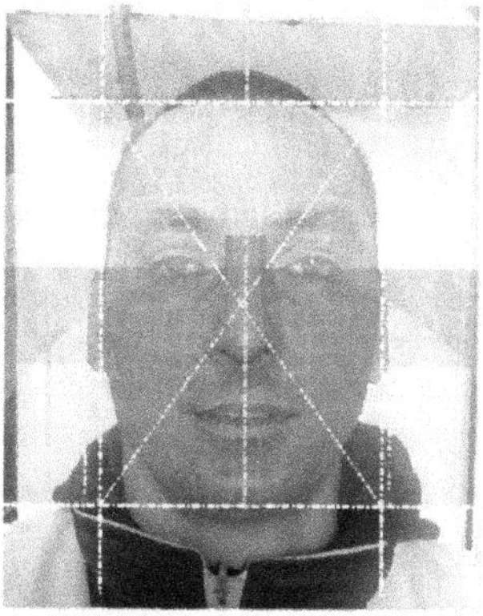

Zona emocional: Tónica y de RL (proyección), tabique nasal sólido, ancho, convexo y largo, de nariz carnosa, vibrante y orificios poco visibles. Pómulos anchos y RLN presente.

Zona instintiva: Tónica y de RF (verticalidad). Boca tónica de tamaño normal y labio superior más fino. Fíltrum largo de grado 1°. Mentón, mandíbula y cuello potentes.

4-ESTUDIO EN PROFUNDIDAD – SÍNTESIS

Aptitudes cerebrales:

Capta la información de forma precisa, selectiva y rápida. De ideas dinámicas, ágiles y respuestas inmediatas. Le importa y afecta lo que piensen los demás de él. Muy buena capacidad creativa, inventiva y para la improvisación o espontaneidad. Fernando es organizado, metódico y riguroso a la hora de plasmar sus proyectos, aunque le gusta hacer las cosas a su modo. Posee una memoria fotográfica excepcional capaz de "ver" todo lo que piensa. En definitiva es rápido, imaginativo, reflexivo y con buena adaptación global.

Aptitudes emocionales:

Los sentimientos forman una parte muy importante y son clave en su vida. Es prudente pero generalmente será él quien dé el primer paso en el campo afectivo y social para darse a conocer o "romper el hielo". Sabe y necesita comunicarse con los demás y trabajar en grupo, siendo capaz de tener personas a su cargo o representarles, preocupándose por ellos y tratándoles con diplomacia en todo momento. En su intimidad es fiel y cariñoso, compartiendo todo cuanto posee con sus más allegados. A veces podrá acumular ligera tensión a lo largo del día, que podrá liberar tanto en aras mentales o espirituales, como con el ejercicio o movimiento físico.

Aptitudes instintivas:

Tiene facilidad de palabra, de respuesta directa y fluidez verbal. Posee la boca tipo "gourmet", lo que significa que no se conformará con cualquier cosa y será selectivo tanto en la mesa, como distinguiendo perfectamente la calidad de las cosas en el terreno físico. Tiene muy buen caudal enérgico y fuerza física, lo que le aportará resistencia y le permitirá rendir sin problema en momentos necesarios. Buen sentido de la administración. Goza de buena salud general.

5-CONCLUSIÓN

Puntos fuertes: imaginación, rapidez, espontaneidad, memoria, improvisación, observación, meticulosidad, precisión, sentimiento, selectividad, y fuerza.

Puntos débiles: nada relevante como para considerarlo. Quizá su punto más débil es precisamente su punto más fuerte, es decir, los sentimientos; donde si es agredido, pueden causarle mucho daño.

Puntos negativos: aunque no se podría considerar negativo, algo de terquedad.

Mitología: existe un predominio entre Marte y Tierra, lo que aportará a Fernando combatividad de guerrero, fuerza y estabilidad.

Función de "René Le Senne": influencia de función "sentimiento", ratificando su carácter sentimental y pasional. En las funciones "intuición, pensamiento y sensación" existe un equilibrio, quizá con inclinación a la intuición, con un olfato especial para captar las impresiones.

Aptitudes laborales: Fernando es una persona rigurosa con capacidad para tener personas a su cargo, y por tanto eficaz como jefe o responsable, ya que sabrá dirigir a los demás de forma positiva, ética y diplomacia. Es una persona sociable y con capacidad de adaptarse a las circunstancias, improvisar y resistir. Es un hombre de acción, y prefiere trabajar en movimiento antes de estar estático. Podría trabajar como: jefe en áreas de almacenaje, comercial, vendedor, o todos aquellos trabajos donde se requiera estrategia, improvisación y movimiento. Terminaremos por remarcar su inteligencia creativa, memoria, optimismo, innovación, fuerza física y humanidad.

¿QUÉ NOS DICE EL ROSTRO DE MIREN?

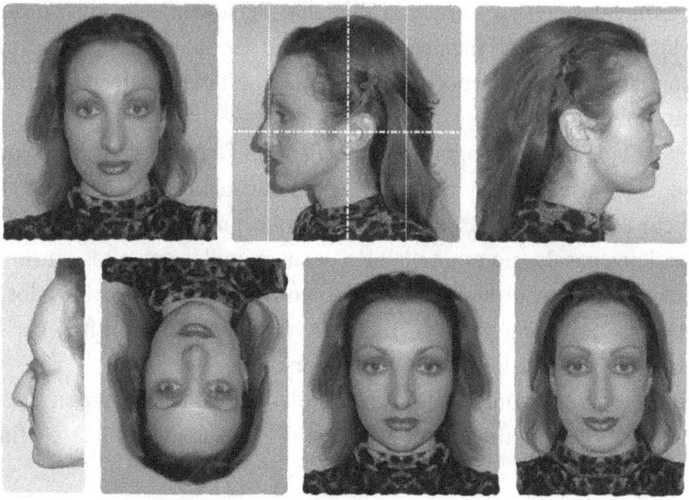

Breve análisis: Miren, 34 años, 1.62cm, diestra:

Su marco alargado retraído tipo hexagonal, con puntas redondeadas, tónico y modelado mayormente ondulado, indica intuición, selectividad, adaptación, refinamiento, feminidad, amor, sensualidad y finura. La frente de retracción lateral RF (inclinada), nos habla de innovación, movimiento, iniciativa, creatividad y miras hacia el futuro. La finura de sus ojos grandes algo átonos (ojo del artista), junto a la frente redonda y de excelente memoria pasiva "Croix Polti et Gary", son elementos receptivos, que permitirán captar información inconsciente de modo casi automático, agraciando a Miren con gran imaginación, sensibilidad, intuición, y sobre todo, de abundante capacidad para las bellas artes como el dibujo, la escultura y todo lo relacionado con lo estético.

Su posición de oreja baja, junto a la forma del marco, indica su tendencia o predilección mental/espiritual, aunque no sin experiencia física (cierta anchura mandibular), con facultad para comprender a los demás, ya que la espiritualidad sin práctica en el mundo terrenal no se puede concebir. Su oreja de caracol grande junto a su nariz alargada (zona emocional dilatada), nos habla de buena predisposición musical; es curioso ver en grandes maestros músicos, una declinación sentimental con su estructura dilatada. Personalmente, pienso que la música y los sentimientos siempre van de la mano, ya que de lo contrario, la música no tendría fuerza y estaría destinada al fracaso absoluto.

El tabique nasal descubierto de perfil "a lo Chopin", indica que puede ser algo susceptible, y por tanto, habrá que decirle las cosas con cierto tacto en determinadas ocasiones, ya que puede sentirse herida. Los orificios nasales no están visibles, y sus pómulos son altos, mostrando selectividad en el ámbito afectivo, con sentimientos idealizados, sin dejarse embaucar por la materia, sino por el espíritu, carisma, personalidad y lado humano de las personas.

Su boca es semitónica, carnosa, cerrada y de labios finos, con "arco de Cupido" bien dibujado; indicando sensualidad, tacto, finura,

precaución, prudencia, facilidad para hablar y buen gusto hacia las cosas físicas o la buena mesa.
Su rostro es la combinación mitológica *"Marte/Mercurio/luna"*, que junto a su función de *Jung "sentimiento"*, otorgará fortaleza, lucha, voluntad y temple, en los momentos que la ocasión lo requiera, consiguiendo cualquier meta que se proponga, y aun más tratándose de ayudar a las personas que aprecie. Además del tabique nasal alargado, su Filtrum o *"poción del amor"* (espacio naso labial) es corto, denotando necesidad de afecto, y por consiguiente con preferencia a las relaciones largas o duraderas.

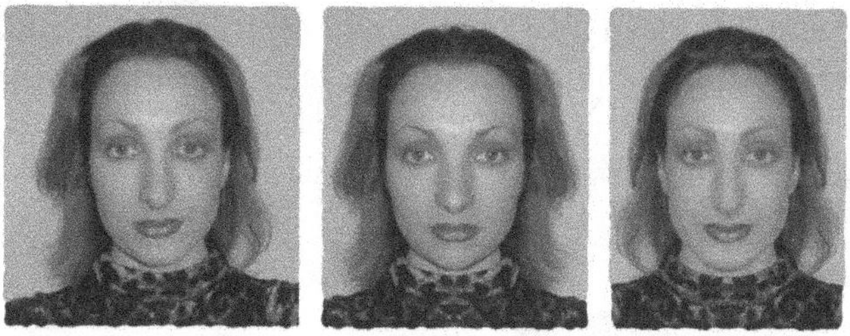

Foto normal (primera), junto a sus hemicaras derecha (segunda) e izquierda (tercera). Ejercicio imprescindible para la evaluación de asimetrías. Su hemicara derecha es algo más dilatada, hablándonos de un desarrollo progresivo favorable (desarrollo natural del diestro).

En resumen, Miren es una chica intuitiva, creativa, soñadora, artista, innovadora, elegante, refinada, pasional, cariñosa, sensible, servicial, selectiva, amable, cortés, ágil, activa y sobre todo, con gran corazón.

BREVE MORFOPSICOLOGÍA EN FAMOSOS

Breve Morfopsicología y análisis: Félix Rodríguez de la Fuente

Félix Samuel Rodríguez de la Fuente (Poza de la Sal, provincia de Burgos, 14 de marzo de 1928 – Shaktoolik, Alaska, 14 de marzo de 1980), conocido como Félix Rodríguez de la Fuente, fue un famoso naturalista y divulgador ambientalista español, pionero en el país en la defensa de la naturaleza, y realizador de documentales para radio y televisión, destacando entre ellos la exitosa e influyente serie *"El Hombre y la Tierra (1974-1980)"*. Licenciado en medicina y autodidacta en biología, fue un personaje polifacético de gran carisma cuya influencia ha perdurado a pesar del paso de los años. Su saber abarcó campos como la cetrería y la etología, destacando en el estudio y convivencia con lobos. Casado en primeras y únicas nupcias con *Marcelle Geneviève Parmentier.* Rodríguez de la Fuente ejerció además como expedicionario, guía de safaris fotográficos en África, conferenciante y escritor, además de contribuir en gran medida a la concienciación ecológica de España en una época en la que el país todavía no contaba con un movimiento de defensa de la naturaleza. Desgraciadamente murió en Alaska-Estados Unidos, junto con dos colaboradores y el piloto al accidentarse la aeronave que los transportaba mientras realizaban una filmación aérea para uno de sus documentales.

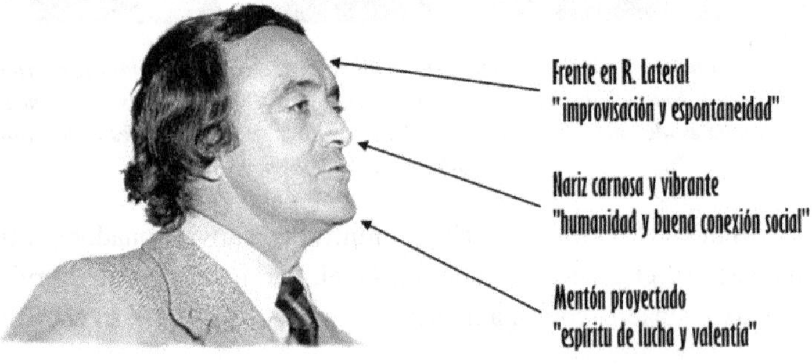

Morfopsicología:

Podemos observar una dilatada zona cerebral, ancha y aerodinámica; signos de espiritualidad, innovación, espontaneidad e imaginación. El mentón proyectado en retracción lateral RL (inclinación), ofrece valentía y coraje para descubrir el entorno con valentía. Amante de los retos, por mandíbula en escuadra y Prognatismo inferior, indica capacidad para conseguir asombrosos resultados donde otros muchos pueden abandonar. Elementos como las cejas en arco circunflejo, párpado superior caído, o potente zona superciliar, ofrecen gran memoria fotográfica, imaginación, así como un sobresaliente sentido de la observación.

El receptor emocional tónico y carnoso, otorga excelente conexión social, diplomacia y amabilidad con los demás. Podemos observar un reflejo del carácter optimista, en las "líneas de Venus" laterales de los ojos, coloquialmente llamadas *"patas de gallo"* o *"pliegues de la alegría"*. Su boca tónica y diferenciada, permite facilidad extraordinaria en los discursos, de mensajes detallados, adornados, precisos y espontáneos debido a su RL (inclinación) superior de la frente. La dilatación de sus zonas junto a sus receptores finos y resguardados, nos hablan de buena administración como de sublimación, es decir, satisfaciendo antes al prójimo que la necesidad propia. Prueba de ello, está toda su carrera dedicada a seres vivos y la protección de la naturaleza y animales. El armazón del rostro o Marco *"le gran visage"* junto la nariz en R. Frontal, indican la necesidad puntual de momentos de aislamiento o interiorización, para organizar metódicamente sus quehaceres y proyectos. El cuello sólido ligado a su vigorosa zona instintiva, refuerza el eje poligonal energético, ofreciendo resistencia o fondo físico.

Terminaremos por ensalzar su desbordada creatividad, metodología, espontaneidad, improvisación, rigor, alto grado de observación, concentración, humanidad, diplomacia, sentido de justicia, valentía, espíritu constante de lucha, y sobre todo, su capacidad única y excepcional oratoria.

BREVE MORFOPSICOLOGÍA Y ANÁLISIS:
Frank Sinatra

Marco en forma de triángulo casi equilátero, con expansión Cerebro-Emocional de pómulos anchos, Modelado abollado de tonicidad alta, sienes algo ahuecadas y frente concreta (más ancha que alta), Receptores finos, protegidos, bien dibujados y tónicos, a excepción de los ojos, algo átonos; Esto nos habla de imaginación, buen caudal energético, rigor, perfeccionamiento, especialización, precisión y agilidad física (forma de triángulo).
La mirada caída, junto con la frente concreta y cejas próximas al ojo, aporta grandes dotes para la interpretación, y capacidad de concentración para conseguirlo.
En estos tipos Jalón, abollados tónicos de sienes ahuecadas, son tendentes a la obstinación, y NO CESAN hasta conseguir sus fines. Su zona emocional, de pómulos prominentes, nos habla de la necesidad para representar, y del reconocimiento de los demás hacia él. Su boca de alta tonicidad, labios carnosos y ancha, junto con las *orejas "en asa"*, de tamaño pequeño y Caracol profundo, indican necesidad y facilidad para hablar, cantar, y un oído muy fino. El destino de esta persona no podía ser otro que el de la fama, ya que su gran lucha, actividad incansable, especialidad, rigor y ganas de interpretar y cantar, no podían terminar de otro modo. En su tercera edad (época Nerviosa de Hipócrates), podemos observar, que el rostro de Frank Sinatra se ha dilatado, resultado de una persona que ha alcanzado su meta, y puede por fin relajarse.

Frank Sinatra "la voz".
Su destino estaba escrito en el rostro.

EJERCICIOS PRÁCTICOS

En este práctico ejercicio, debéis averiguar cual posee los elementos negativos y los positivos. Las respuestas están seguidas al dibujo (intentad hacerlo sin mirarlas).

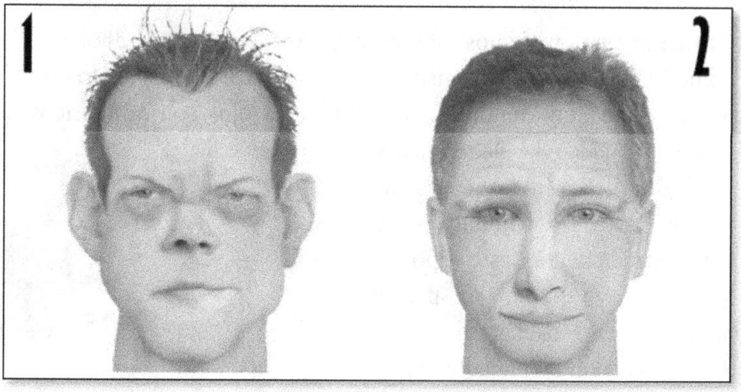

"ASPECTOS POSITIVOS Y NEGATIVOS"

ELEMENTOS POSITIVOS (figura 2):

Observamos un Marco ovalado ancho, casi dilatado, de Modelado ondulado y zona emocional grande; eso nos habla de sociabilidad, buena adaptación al entorno y sobre todo, de carga afectiva, generosidad y paciencia, por la nariz larga de tabique ancho. Sus receptores son de tamaño normales, tónicos y bien diferenciados; indican finura de contacto y comunicación en todos los ámbitos. Su zona Instintiva, aunque ancha, es corta en altura, y eso junto con la zona emocional grande de pómulos altos, nos habla de sublimación y satisfacción personal ayudando y dando todo a los demás. Las "*arrugas Venusinas*" (patas de gallo), nos hablan de una persona alegre y romántica, las del músculo gran cigomático o surcos *"naso-genianos"*, traducen la alegría del sentimiento (línea Marciana), y los pliegues de la frente, horizontales y simétricos, indican que ha vivido los problemas de la vida afrontándolos de forma positiva. La boca bien cerrada, tónica y de tamaño normal, nos habla de prudencia, control y alegría. Las ligeras asimetrías que posee y elementos femeninos como la carnosidad de sus receptores, enriquecen su personalidad, aportándole más creatividad e imaginación.

ELEMENTOS NEGATIVOS (figura 1):

Primeramente, podemos observar el Modelado muy abollado; eso indica fanatismo y extremismo. Además, su frente es abstracta y las sienes están muy hundidas. Sus diminutos ojos son asimétricos; eso provoca ideas laberínticas, dándole vueltas a las cosas sin llegar jamás a ningún sitio. Desgraciadamente, este tipo de personas, viven en su propio mundo sin escuchar a nadie, corruptos y muy alejados de la realidad, llegando a padecer trastornos importantes, como TOC e incluso locura. Podemos afirmar que casi el 100% de los grandes asesinos en serie poseen las sienes muy huecas. Por ejemplo: *Charles Manson*, *Jeffrey Lionel Dahmer*.

***En Charles Manson podemos ver TOC.**

A estos rasgos morfológicos, debemos añadir la corta altura y gran anchura de la zona emocional (de final de los ojos a punta de la nariz); indicador de impaciencia y de capacidad para pasar al acto rápidamente con gran fanatismo o desenfreno, que será brutal por los orificios de la nariz redondos y su potente mandíbula con mentón en RL (proyectado). La mandíbula suele ser muy asimétrica y esto provoca reacciones inesperadas e incontrolables, que en este ser serán violentas y tendentes a la negatividad. La boca de labios finos desencajada, junto las orejas deformadas "en asa", con *"Espiga de Saturno"* tan marcada (pico superior del cabello) en este rostro nos habla de desequilibrio, sadismo y crueldad.

El HONRADO Y EL LADRÓN

En estos dibujos quizá algo exagerados, hemos querido plasmar los extremos entre 2 rostros: el honrado y el ladrón. Intentad ver los puntos morfológicos y tendencias psicológicas de cada figura antes de mirar las soluciones.

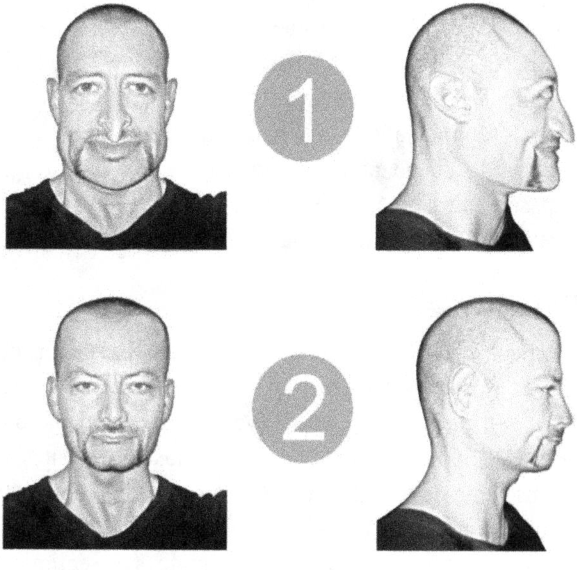

LADRÓN O CLEPTÓMANO:

Observamos un Marco en forma de trapecio, con la zona Instintiva más dilatada, expansiva y en RL (proyectada); mandíbula ancha, boca grande, carnosa y cuello grueso; todo ello indicadores de gran solicitud de realidades físicas y exigencias materiales de relevancia. Además esa gran demanda física está totalmente descontrolada, ya que la zona Cerebral carece de diferenciación, como de RF (verticalidad) o línea de paro medio. *"Los caballos van sin el carrero"*, además de tener su receptor (ojo) a flor de piel y átono; indicadores de carencia total de control, débil conciencia de si mismo y falta del *"Yo"* unificador, dejándose llevar ciegamente por la gran demanda material de su zona baja. Para más inri, el receptor de la zona emocional (nariz), penetra en una zona que no le pertenece, la zona baja (la materia); por tanto sus emociones estarán sometidas a intereses materiales y físicos, y "olerá" el dinero a leguas "enamorándose" del mismo. La oreja sigue la inclinación de la frente, vaticinando su RL (inclinación) de impulsividad y acción. Su cuello es ancho, indicador de apego a lo físico. La relación entre la frente (cara social) y el perfil (cara íntima) deja latente la máscara que se pone de bueno ante la sociedad (para pasar desapercibido), cuando realmente y en su intimidad, es más sátiro y lujurioso.

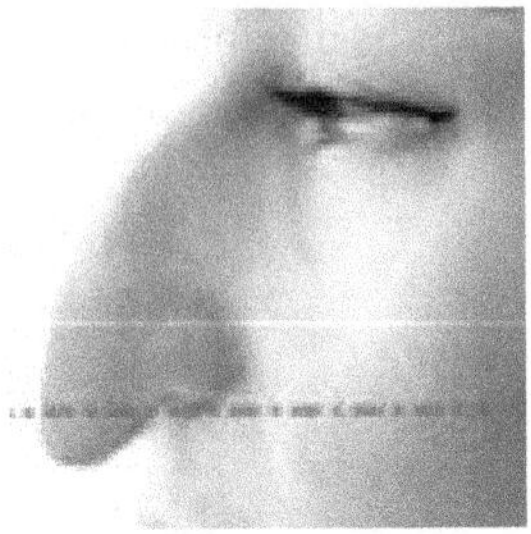

Nariz del materialista.

HONRADO:

Contrariamente al Cleptómano su Marco es invertido, dando preferencia a las zonas superiores y no a la materia. Además, su frente es rica por la diferenciación, la RF (verticalidad) y el surco o línea de paro; es secundario, analiza y reflexiona las cosas antes de actuar, siendo consciente de todo lo que hace, por los ojos tónicos (rasgados) y bien abrigados en sus cuencas (control). Su nariz está en la zona correcta sin adentrarse en la baja, por tanto sus sentimientos serán puros y con intereses materiales mínimos. Por último podemos advertir que su zona Instintiva o baja, además de tener labios moderados y bien cerrados (prudencia), es de RF (verticalidad), corta en altura y de mentón partido; indicando control, sensatez, madurez, sublimación de los instintos y moderación en las cosas. Tiene sentido de la responsabilidad (RF superior), con buena capacidad del orden y la lógica. Su oreja sigue la verticalidad de la frente, ratificando lo secundario y reflexión antes de tomar decisiones. Su cuello es también más fino y por tanto, más desapegado del mundo físico. Su frente (cara social) y perfil (cara íntima) no presentan diferencias que rompan su equilibrio, así como tampoco indican nada oculto.

EJERCICIO PRÁCTICO DE RECONOCIMIENTO FACIAL

Vamos a intentar descifrar y sin mirar las respuestas de abajo, si son verdaderas o falsas las afirmaciones descritas en cada foto, anotándolas en un papel. Se ha utilizado el programa FACES FBI para la confección de los rostros:

1

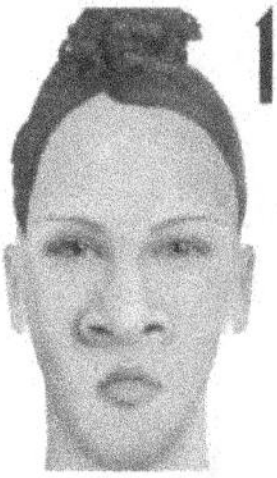

ES MUY SELECTIVO EMOCIONALMENTE

2

LE GUSTA MUCHO BESAR

3

TIENE GRAN FACILIDAD PARA LA LECTURA

4

EN ESTA PERSONA PREVALECE LA MENTE

5

NO ES PARA NADA UN EGOCÉNTRICO

6

NO ES ACTIVA NI PARTICIPA EN NADA

7

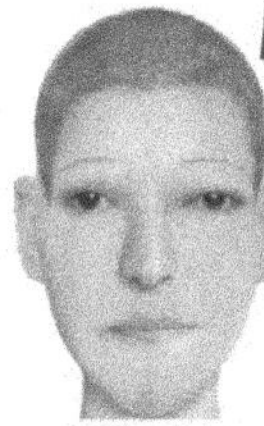

POSEE FACILIDAD PARA LA CONCENTRACIÓN

8

SE CANSA RÁPIDO DE LA PAREJA

9

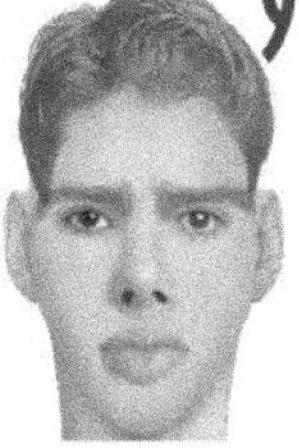

TIENE NECESIDAD DE RECIBIR AFECTO

10

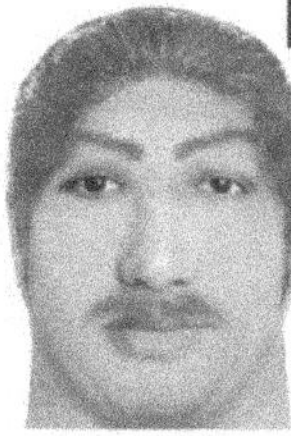

ES DE MUCHAS IDEAS Y ABSTRACTAS

11

SE ENFADA CON FACILIDAD

12

NO TIENE APENAS NECESIDADES FÍSICAS

SOLUCIONES: "VERDADERO O FALSO":

1- FALSO: no es selectivo por nariz muy reaccionante a todo el entorno emocional (muy grande), y además posee orificios redondos grandes abiertos; apertura emocional máxima sin selectividad alguna.

2- VERDADERO: los labios gruesos están hechos para besar, y los finos para controlar ese beso. Es una persona "besucona".

3- FALSO: aunque lleve gafas, los ojos son átonos (caídos), eso dificulta la asimilación y sobre todo, la lectura. La vista "se cansa", y necesita breves descansos para seguir leyendo.

4- FALSO: en esta persona prevalece el sentimiento y la materia. Es lo que se llama "Afectivo-Instintiva" por la anchura de las zonas media y baja (pómulos y mandíbula más anchos que la zona superior). La zona cerebral es la más estrecha.

5- FALSO: es egocéntrico y narcisista, debido a que tiene pómulos muy anchos respecto a su cara; eso nos habla de necesidad de representación y reconocimiento, y la nariz tan estrecha y pequeña, significa frialdad en el trato del terreno afectivo, y que ofrece poco. Por tanto, pómulos muy anchos + nariz muy pequeña = mucha demanda y poca ofrenda= Todo gira en torno a él= Egocentrismo.

6- VERDADERO: todo es átono (pasivo). Todos los receptores son átonos (se caen y van hacia abajo). El Marco también está acolchado en la zona Instintiva, por tanto es otro elemento de atonía. Atonía= Pasividad y falta de iniciativa y actividad en todos los ámbitos. Acomodamiento.

7- FALSO: los ojos son dispersos (grandes para la zona), y la tonicidad (actividad) es pobre. Además, las cejas están distantes del ojo. Todo ello nos habla de distracción y falta de concentración.

8- FALSO: es una persona emocional. Sus pómulos altos (altruismo), son la parte más ancha del rostro. La cara triangular nos habla de poco apego a lo físico (mandíbula estrecha), y por tanto sus sentimientos son puros y están idealizados. Observamos que tiene la nariz larga, eso le aporta paciencia y por tanto, será de relaciones largas, que se traduce a fidelidad. Su Fíltrum o *"espacio naso-labial"* es corto, aportándole necesidad de afecto.

9- VERDADERO: tiene la nariz "del niño" o cóncava (hacia arriba), dejando totalmente visibles los orificios. Eso representa apertura y necesidad de recibir afecto. Además tiene pómulos anchos, más necesidad de cariño todavía.

10- FALSO: la frente es concreta (más ancha que alta) y muy pequeña, eso nos habla de ideas pragmáticas y de realidades prácticas. Por tanto, será una persona más realizadora y activa, pero menos inventiva y teórica. No obstante, podrá especializarse en el terreno elegido.

11- VERDADERO: vemos las arrugas superciliares de crispación, con anillo en raíz de la nariz o *"Plano de Marte"*, en camino de ser *"anillo del león"*. Las cejas están también encrespadas. La zona emocional es ancha; impone su voluntad, y su nariz corta, con poca paciencia de espera, y orificios redondos denotan brutalidad o trato rudo. La boca hacia abajo, nos habla de insatisfacciones, ratificando así la irritabilidad del conjunto del rostro.

12- FALSO: como en el dibujo nº4, tiene más apego por las zonas inferiores (Instintos y emociones) que por la cerebral, que es la más estrecha (cara en forma de cuña). La nariz es fina en el inicio y gruesa en el final; indicador de sentimientos algo materializados. Es una persona apegada a las realidades materiales, es "de la tierra".

¿QUÉ ROSTRO SERÍA MÁS PROPENSO A LA PSICOPATÍA?

Breve introducción:

Los psicópatas suelen ser "*alexitímicos*" (incapacidad de expresar sentimientos), y tampoco pueden ponerse en el interior del que sufre ni sentir remordimientos. Por eso interactúan con las demás personas como si fuesen cualquier otro objeto, las utilizan para conseguir sus objetivos, la satisfacción de sus propios intereses. No necesariamente tienen que causar algún mal. La falta de remordimientos radica en la cosificación (atribuir cualidades de objeto a un ser vivo) que hace el psicópata del otro y quita los atributos de persona para valorarlo como cosa. Este es uno de los pilares de la estructura psicopática. Los psicópatas tienden a crear códigos propios de comportamiento, por lo cual sólo sienten culpa al infringir sus propios reglamentos y no los códigos comunes. Sin embargo, estas personas sí tienen nociones sobre la mayoría de usos sociales, por lo que su comportamiento es adaptativo y pasa inadvertido, siendo incluso agradables en el trato.

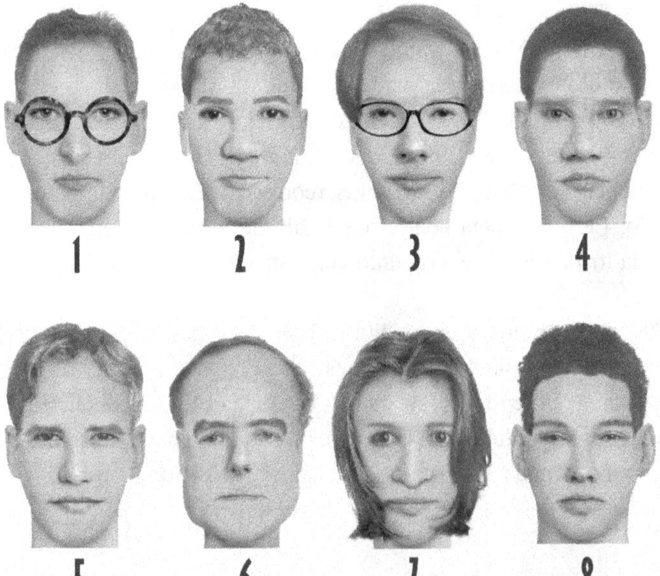

Psicópata (número 6):

Nº6 "el psicópata". "el hermano mayor".

Suele ser el hermano mayor de la familia. Inconscientemente, sus padres, al nacer el nuevo bebé, dejan de prestarle la atención y los mimos que dan al miembro recién llegado. Debido a los celos y las faltas emocionales, en el primogénito se va desarrollando una carencia relacional y afectiva, plasmándose en la falta del desarrollo de anchura, a nivel de pómulos. En algunos casos pueden desarrollar *Síndrome de Caín:* son personas con mayor independencia, poco detallistas, y su comportamiento está destinado en aras del pensamiento y sus instintos, para satisfacer básicamente su alimentación, dinero y sexo. Separan perfectamente los sentimientos del deber, por ello suelen ocupar altos lugares como Directores de Banco o Jefes de empresa, y saben conseguir mucho dinero. Consiguen su puesto más por inteligencia que por habilidad, ya que su palabra está falta de corazón o impulso emocional-pasional. Si su marco es muy dilatado o la zona emocional muy retractada, su goce instintivo será terrible, llegando a ser inhumano y sin escrúpulos. Si la nariz es átona, podemos encontrar "*Alexitímia de Toronto*" mediante el test "*TAS 20*" (falta de expresión emocional), o psicópatas si poseen labios finos, ojos átonos y frente no diferenciada. Si el receptor emocional es corto y pequeño, tendrán poca paciencia con los demás. Nunca hablan de las necesidades de los otros ni quieren saber nada. Para ellos *"el fin justifica los medios"*. Se pueden llegar a emocionar hasta el punto del llanto, pero a los 5 minutos están riendo de nuevo, ya que existe una inhibición emocional y saben desconectar rápido, olvidándose de lo sucedido. No suelen ser violentos ni peleones, pasando desapercibidos, ya que esos impulsos se manifiestan en los pómulos anchos (imposición de consciencia), que son los que imponen su voluntad de forma agresiva. Los *"cara de guitarra"* trabajan en silencio, clandestinamente, con estrategia y a sangre fría.

¿A QUÉ OJOS PERTENECEN ESTAS DEFINICIONES?

A- Dificultad de estudio y posible enfermedad
B- Vive su propio mundo y no escucha
C- Concentración y gran observación
D- Gran dificultad de lectura y atención
E- Buen comunicador pero algo bruto
F- Carácter fuerte y posibles crispaciones
G- Tristeza y dificultad de atención
H- Inseguridad y mundo de sueños
I- Imaginación pero debilidad física
J- Esteticismo y comunicación fluida

DIFERENTES TIPOS DE RECEPTOR CEREBRAL (OJOS)

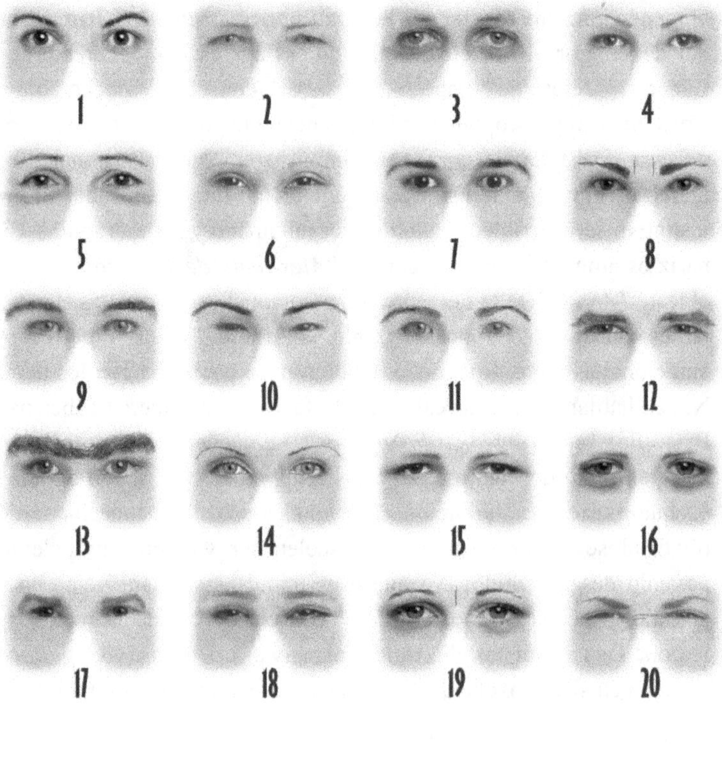

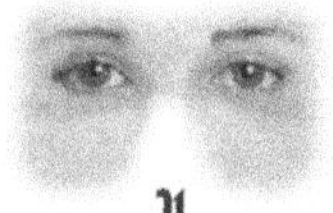
21
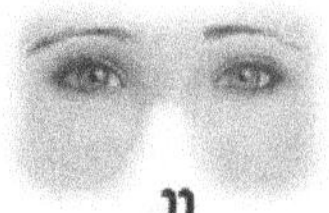
22
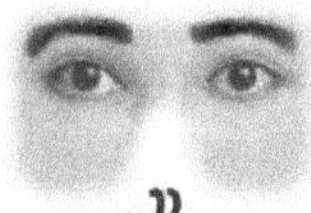
23
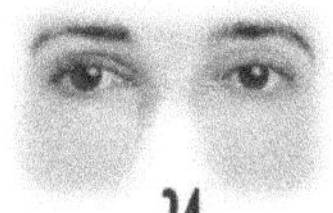
24

RESULTADOS

A- Dificultad de estudio y posible enfermedad **(16)**
B- Vive su propio mundo y no escucha **(10)**
C- Concentración y gran observación **(12)**
D- Gran dificultad de lectura y atención **(19)**
E- Buen comunicador algo bruto **(13)**
F- Carácter fuerte y posibles crispaciones **(20)**
G- Tristeza y dificultad de atención **(3)**
H- Inseguridad y mundo de sueños **(11)**
I- Imaginación pero debilidad física **(2)**
J- Esteticismo y comunicación fluida **(14)**

¿DÓNDE VEMOS LA SELECTIVIDAD EN ESTOS ROSTROS?

En estos distintos rostros, podremos observar la selectividad en varios puntos como el Marco, Modelado y Receptores, entre otros. Intentad describirla mentalmente sin ver los resultados.

1
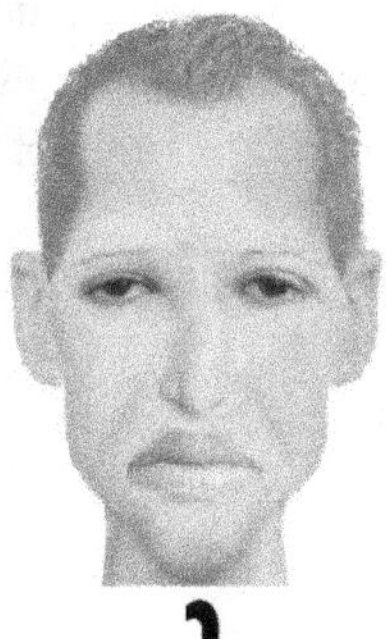
2

La selectividad plasmada en algunos puntos básicos del rostro humano.

En el dibujo nº1: podemos ver su selectividad en la zona superior o cerebral, por la tonicidad a nivel de receptor (ojos), que además, están protegidos y son de tamaño algo pequeño para la superficie, indicador de selección a nivel informativo. Sin embargo, a nivel medio o zona emocional (complejo Sistema Límbico), la elección es más pobre a consecuencia de la visibilidad de sus orificios nasales (demanda). En el nivel Instintivo o inferior (cerebro Reptil) también es selectivo, por la boca bien cerrada y diferenciada, de tamaño algo escueto y tónica. Su Marco es dilatado (poca selección) y con Modelado redondo (gran adaptación), y nos indica que su preferencia a nivel social, no ofrece gran dificultad de adecuación o habituación.

En el dibujo nº2: observamos un Marco retraído (selección) y Abollado (más selección), indicador de la necesidad imperiosa de un "medio electivo", para "aflojarse" en su entorno y mostrar a los demás como es realmente. A nivel cerebral o superior podemos ver astenia (pasividad) en los ojos átonos (caídos), que además están a flor de piel, indicador de poca selección en el primer piso (mental). En la zona media, la nariz no muestra sus orificios, por tanto, allí si existe selectividad y no entregará sus emociones así por así. Por último, su zona baja o reptil de boca átona, carnosidad importante y tamaño grande, habla de poca selección material o conformismo en las realidades concretas, incluso en el caso de poder escoger. Como cita el famoso autor Julio Iglesias en su canción "Soy feliz con un vino y un trozo de pan, y también como no, con caviar y champagne...".

En este ejercicio, he querido plasmar y explicar con cinco puntos simples, la selectividad básica del ser humano; en sus receptores sensoriales, marco, modelado y zona alta, media y baja.

CAPÍTULO 15
TABLA BÁSICA Y ESQUEMÁTICA DE LA MORFOPSICOLOGÍA

EL MARCO	**POTENCIAL Y NECESIDADES. RESISTENCIA AL MEDIO**
De frente: ancho o dilatado extremo	Resistencia, ganas de vida, poca sensibilidad
De frente: estrecho o retraído extremo	Cansancio, gestión de vida, mucha sensibilidad
Tónico/esténico, ángulos diferenciados	Reservas, vigor
Átono/asténico, ángulos difuminados	Debilidad, receptividad
De lado: Inclinado, Retraído Lateral (RL)	Primariedad, acción

De lado: Vertical, Retraído Frontal (RF)	Secundario, cavilación

DINÁMICA DEL MARCO	**ADAPTACIÓN Y SOCIALIZACIÓN**
Redondo, dilatado	Adaptación del niño
Ondulado mixto elástico	Tolerancia femenina, madurez
Retraído abollado mixto fuerte	Tirantez masculina, madurez
Plano, retracción	Defensa de la 3ª edad
Tonicidad, tensión	Desafío

Atonía, tranquilidad	Participación
Diferenciación	Sensibilidad, matiz, sentimiento

MARCO-RECEPTORES DINÁMICA	**INTERCAMBIOS CONSCIENTES**
Magnitud, cuantía de intercambios	Ambición o selectividad
Carnosidad, sensibilidad de intercambios	Sensorialidad o intelectualidad
Resguardo, dominio de los intercambios	Espontaneidad o retirada
Tonicidad, agilidad de intercambios	Afirmación o aplazamiento
Diferenciación, intercambios de	Refinamiento u ordinariez, trato

calidad	rudo o fino

DINÁMICA DE NIVELES DOMINANTE	**FUNCIÓN Y COMPORTAMIENTO**
Piso inferior	Sensaciones
Piso medio	Afectividad
Piso superior	Raciocinio o clarividencia
Cualquier piso retractado	Individualidad o desarrollo en progreso

DINÁMICA DE LAS HEMI CARAS	**EVOLUCIÓN DEL SER**
Hemi cara derecha /cerebro	Audición, sentido común,

izquierdo	actualidad, paternidad
Hemicara izquierda/cerebro derecho	Óptica, intuición, pretérito, maternidad
De frente	Máscara social, moldeable
De perfil	Ser íntimo, rigidez

PREDILECCIÓN EN LA BÚSQUEDA	**ANÁLISIS Y SIGNIFICADO**
NIVEL INFERIOR	**PSICOLOGÍA**
Cuello, Mandíbula	Deseo de realización
Mentón	Deseo de afirmación

NIVEL MEDIO	PSICOLOGÍA
Pómulos, mejillas	Afán de socialización
Nariz	Afán de conquista
Espacio naso-labial	Afán de ternura
NIVEL SUPERIOR	**PSICOLOGÍA**
Cráneo	Apertura al campo de la consciencia
Frente	Disposición a lo teoría o practicidad
Sienes temporales, Ojos	Disposición extrovertida o introvertida

DICCIONARIO MORFOPSICOLÓGICO

Abollado o "bossue": referente al Modelado. Contorno de entrantes y salientes. Fanatismo, pasión, extremismo.

Aerodinámico: relativo a la RL: impulsividad, lucha, valentía, contrario al "piñón" (inhibición).

Anillo de león: línea horizontal en la raíz de la nariz, cólera, crispación.

Arruga semi circular: sobre la sien. Franqueza, lealtad.

Arrugas de la mejilla: estrés, nerviosismo. Sólo una: audacia.

Arrugas auriculares: delante de la oreja: servilismo, sumisión.

Arrugas ascendentes de la boca: alegría, placer bienestar.

Atonía-astenia: pasividad, receptividad, estancamiento, inactividad.

Buccinador: muestra el placer de las sensaciones.

Braquicéfalo: perfil chafado, práctico, activo. Menor creatividad.

Cigomático menor: indica sufrimiento y dolor.

Collar de Venus: líneas horizontales en el cuello. Elemento femenino.

Comisuras caídas: lados de la boca caídos. Amargura, insatisfacción.

Concentrado: tipología de mucha energía. Introversión. Poco desgaste. Mucha longevidad. Ahorro.

Cruz Polty y Gary: delimita 4 zonas cerebrales del perfil; las 2 activas (delanteras) y las 2 pasivas "del niño" (traseras).

Cutáneo del cuello: cuelgan las carnes del cuello. Detención ante los obstáculos. Parada ante la vida.

Disperso reaccionante: reacciona a todo sin control. Extroversión. Poca energía y mucho desgaste. Corta longevidad. Derroche.

Disperso compensado: reacciona a todo con algo de control, pero algún elemento le aporta más control. Energía media. Desgaste medio.

Dilatador nasal: indica participación del el placer, satisfacción y deseo.

Dilatación-dilatado: amplitud, anchura, extroversión, espacioso, grande, ensanchamiento.

Dobles expansiones: relativo a las zonas: 2 grandes y una pequeña.

Dolicocéfalo: perfil largo, más inventivo, teórico. Algo vanidoso.

Escotadura nasal: raíz de la nariz con hendidura o estrangulada. Plano de Marte hendido.
Espiga de Saturno: perteneciente al tipo planetario Saturno. Terminación del cabello frontal hacia abajo en pico. Rigor, meticulosidad, detallismo.
Fisiognomía: estudia la forma de todas las partes del rostro. Máximo detalle físico-psicológico. Pseudociencia intuitiva.
Filtrum: "poción del amor" o líneas paralelas en espacio naso-labial.
Gran Cigomático: traduce la alegría del sentimiento.
Hueco Palpebral: espacio que ocupa el ojo dentro del párpado.
Hendidura del Mentón: partido u hoyuelo. Dudas, cobardía, prudencia, inteligencia.
Interciliar: entre las cejas.
Líneas Venusinas: las llamadas "patas de gallo", alegría, felicidad.
Líneas Marcianas: pliegues "naso genianos", dolor afectivo, cinismo. Llamada la arruga del intelectual. Espíritu crítico.
Líneas Mercuriales: desde el rabillo del ojo al final de mejilla. Ineptitud, torpeza. La arruga de los disminuidos psíquicos.
Línea Lunar: vertical cercana al oído. Se han conseguido progresos demasiado rápidos.
Líneas sexuales: bajo el párpado inferior, arrugas en abanico. Alta sexualidad. En el niño, mal augurio.
Líneas de disipación: bajo las cejas. Falta de concentración, alcoholismo. Dependencias.
Línea Jupiteriana: entre la boca y mentón. Obstinación, testarudez
Línea del lóbulo: en la oreja. Oposición sistemática al otro sexo.
Línea frontal: horizontales de la frente. Preocupación, conciencia de los problemas. Arrugas de la inteligencia.
Línea de paro: hendidura horizontal en mitad de la frente. Reflexión.
Línea vertical del entrecejo: obstinación, fijación. Denota esfuerzo para conseguir la concentración.
Morfopsicología: ciencia que estudia las formas del rostro y su correspondencia psicológica.
Modelado: contorno del rostro: son 4 (abollado, redondo, plano y ondulado). Indican la adaptabilidad con el exterior.

Marco: osamenta o armazón del rostro, energía base vital.
Nariz "a lo Chopin": nariz que deja ver el tabique nasal en su perfil. Susceptibilidad e irritabilidad. Amigdalitis.
Ondulado: referente al Modelado: forma en serpentina equilibrada, adaptabilidad selectiva. Es considerado el mejor modelado de los 4.
Orbicular: exceso de preocupación o concentración.
Pallium: espacio naso-labial, donde se ubica el bigote y el filtrum.
Párpado superior caído: creatividad, imaginación. Ofrece protección al ojo (RF). Elemento femenino. Atonía.
Plano: referente al Modelado: recto o liso. Ideas fijas. Irritabilidad.
Preseptal: bolsas y abultamiento bajo los ojos. Depresión inminente.
Piñón o "pignon": tipología RL de perfil: cobardía, timidez, mentón huidiz, frente inclinada y nariz proyectada; recuerda un piñón.
Pliegues nasogenianos: véase líneas marcianas.
Plano de Marte: es la raíz de la nariz. Entrecejo.
Pretarsal: indica la alegría de vivir, positividad y entusiasmo.
Retracción-retraído-retractado: opresión, introversión, estrechez, pequeñez, retractación, encogimiento, protección, resguardo.
Recodo frontal: canto vertical largo saliente sobre la sien. Inflexibilidad.
Risorio: expresa satisfacción y alegría.
Receptores sensoriales: "le petit visage" o la pequeña cara: 4 Sentidos (ojos, nariz, boca y orejas).
Receptor Cerebral: los ojos, rigen la mente.
Receptor Emocional: la nariz, rige las emociones, corazón y pulmones.
Receptor Instintivo: la boca, rige el instinto, aparato digestivo, equilibrio y sexualidad.
Receptor Auditivo: posee las 3 zonas anteriores. Receptor de escucha, complementario. Sentido musical.
Retracción Frontal (RF): verticalidad, secundario, piensa antes de actuar, prudencia.
Retracción Lateral (RLN): inclinación, primario, actúa antes de pensar, imprudencia.

Redondo: referente al Modelado: forma circular, globoso, rollizo. Adaptabilidad máxima con poca selección.
Retracción Latero Nasal (RLN): aplanamiento de pómulos, a los laterales de la nariz. Tensión, estrés, inhibición y protección afectiva.
Semi tónico o mesotónico: entre la tonicidad y la atonía. Es un plano medio entre ambos (ni activo ni pasivo).
Superciliar caído: incapacidad de resolución, obsesión y obstinación.
Superciliares: osamenta de la observación y realización de los proyectos. Guía de la verticalidad en el perfil del rostro.
Surcos interciliares: 2 líneas verticales en el entrecejo. Lectura, meticulosidad, inteligencia.
Tonicidad-estenia: actividad, emisión, participación, movimiento.
Transversal de la nariz: parecido al anillo de León. Crispación.
Triangular: significa pesimismo y desilusión.
Vena frontalis: vertical del entrecejo. Inteligencia activa. Dificultad de concentración. Terquedad.
Zonas o pisos: son los tres cerebros; zona alta Cerebral, media Emocional y baja Instintiva.

CÓDIGO DEONTOLÓGICO SFM
"NO JUZGAR SINO COMPRENDER"

Los Miembros Diplomados de la SFM - Société Française de Morphopshychologie, se comprometen a observar en todo momento las reglas esenciales deontológicas que, necesariamente, exige su calidad de morfopsicólogo. En la práctica individual, deben respetar la personalidad de los individuos que estudien, prohibiéndose totalmente realizar un estudio morfopsicológico a espaldas de la persona concerniente, no debiendo intervenir a no ser que lo pida la persona o con su consentimiento. Además, siempre deben procurar formular su apreciación en términos claros, apreciación que no debe resumirse en comentarios críticos, sino que debe ser percibida por el sujeto como una ayuda y como una prueba de comprensión profunda. Están sujetos a la regla del secreto profesional más absoluto. La publicación o la comunicación, a terceros de un estudio, no puede hacerse sin el consentimiento de la persona estudiada. Conscientes del alcance de su saber, deben adoptar una actitud de reserva y guardarse de todo abuso. Se comprometen a proseguir su perfeccionamiento a título personal y/o profesional por todos los medios apropiados. En sus relaciones públicas, deben velar por el mantenimiento del nivel científico alcanzado por la Morfopsicología y siempre referirse, en las exposiciones escritas o verbales que hagan, a las enseñanzas del Dr. Corman y de la Société Française de Morphopsychologie por la cual están Diplomados. Son responsables de la imagen que den al publico de la Morfopsicología, y más particularmente a los medios de comunicación. Deben rechazar su colaboración en todas aquellas publicaciones o emisiones que no ofrezcan una suficiente garantía de seriedad en razón de sus objetivos, de su nivel y del público. La Société Française de Morphopsychologie no puede, en ningún caso, ser comprometida, sin su consentimiento, por sus miembros. La exclusión de un Miembro Diplomado de la Société Française de Morphopsychologie puede ser solicitada por el Presidente o por uno de los miembros del Consejo de Administración, si se comprueba que este miembro ha contravenido gravemente estas reglas.

BIBLIOGRAFÍA

Bibliografía básica del Dr. Louis Corman:

Visages et Caractères, P., Plon, 1932 (avec la collaboration de Gervais Rousseau, alors représentant de commerce); réédition en 1948.
Constitution physique des paralytiques généraux contenant un Essai sur les Tempéraments, G. Boin, 1932
Etudes d'orientation professionnelle, 1932
Quinze leçons de morphopsychologie, 1937 (ouvrage fondateur de la Morphopsychologie)
Le test du dessin de famille, PUF, 1964
Le test du gribouillis, PUF, 1966
Psycho-pathologie de la rivalité fraternelle, Dessart, 1970
Le Test Patte Noire, PUF, 1972
Tome 1 : Manuel (réédition 1999)
Tome 2 : Le complexe d'Œdipe
Tome 3 : La règle d'investissement
L'éducation éclairée par la psychanalyse, Dessart, 1973
L'interprétation dynamique en psychologie, PUF, 1974
Narcissisme et frustration d'amour, Dessart & Mardaga, 1975
Connaissance des enfants par la morphopsychologie, PUF, 1975 (réédition 1992)
Le diagnostic de l'intelligence par la morphopsychologie, PUF, 1975
Nouveau manuel de morphopsychologie, Stock-Plus, 1977
Types morphopsychologiques en littérature, PUF, 1978
Nietzsche psychologue des profondeurs, P., PUF, 1982.
Visages et caractères, P., PUF, 1985 ; rééditions en 1987, 1991, 1999, 2001.
Les expressions du visage, Grancher, 1991
Caractérologie et morphopsychologie, PUF, 1994
La Bisexualité créatrice Grancher 1994

EPÍLOGO

Mi intención en este libro ha sido difundir con máxima precisión mis conocimientos estructurales y psicológicos de la fisiognomía humana, que como citaba el gran creador de la Morfopsicología Dr. Louis Corman, deberían volar a cada uno de nuestros hogares y conocimiento personal. La base o fundamento de la comprensión no es ni más ni menos que el conocimiento de uno mismo y de los demás. Como todo el mundo cuando está aprendiendo (aunque realmente se aprende durante toda la vida), en mis 2 primeros años de estudiar Morfopsicología tuve como profesor a una persona, que aun aparentando benevolencia e ingenuidad inicial, no quiso compartir sus conocimientos ni cobrando auténticas fortunas, por temor a quedarse en un segundo plano y afán de ánimo de lucro. Yo no caeré en ese fatal error, ya que además de ser harto contraproducente para la evolución y enriquecimiento del ser humano, sería ir en contra de mis principios y consciencia. Como decía el magnífico Leonardo Da Vinci "*mediocre alumno el que no supera a su maestro*". Afortunadamente este señor al poco fue expulsado de la SFM de París, y es que como cita el famoso autor, la avaricia rompe el saco. Es por ello y que mediante este manual de Morfopsicología y otras técnicas, que mi pretensión no ha sido otra más que ciertamente compartir todo lo que he aprendido, aprenderé en un futuro, y que si puedo seguiré transmitiendo en pequeñas o grandes obras.

El profesor nos preguntaba señalando con un puntero: "¿Esta nariz qué significa?", a lo que contestábamos: "esta nariz es abollada y la persona será apasionada sentimentalmente", entonces él nos corregía inmediatamente: "¡No podemos decir que una persona sea apasionada solo por su nariz!", entonces yo objetaba: "Vd. solo nos ha preguntado qué significa la nariz". Si no consideramos el significado de los elementos de un rostro por separado, JAMÁS podremos llegar a ninguna conclusión final, ¡Nada significaría nada! ¿En base a qué nos ceñiríamos para llegar a una síntesis? Lo que pretendo decir, es que SÍ hay que evaluar "un todo" ; de modo minucioso, ordenado, metódico, y eso sí, siempre sin prisa y haciendo breves pausas, sino dejan de captarse muchos detalles debido a bloqueo o saturación momentánea, como ocurre con todo. Empezaremos siempre el análisis por lo más básico o fundamental "tipos jalón", y terminaremos por lo más complejo o últimos trazos "asimetrías, arrugas...". Solo así conseguiremos óptimos y profesionales resultados.

"COMPRENDER Y NUNCA JUZGAR"

¿PARA QUÉ SIRVE LA MORFOPSICOLOGÍA?

A nivel Personal: con la Morfopsicología la persona puede conocerse a sí misma, tomar consciencia de cuáles son sus capacidades innatas y cómo poder mejorar sus objetivos profesionales, sociales, íntimos y familiares.

A nivel Clínico: para hacer un diagnóstico rápido y efectivo del paciente, con soluciones directas de posible mejoría.

En Psicopedagogía: para trastornos de déficit de atención con/sin Hiperactividad (TADH).

Problemas de aprendizaje: coordinación en escuelas y otros profesionales del niño y centros educativos.

Asesoramiento de "coach-morfopsicólogo": a nivel empresarial o laboral en sector de recursos humanos o selección de personal, evaluación de competencias, carácter y personalidad del candidato, orientando a ejercer la mejor ocupación.

A nivel Educativo: para mejorar el rendimiento en los estudios y orientación profesional.

Detección de competencias: para una eficaz orientación en los estudios o empresa a la cual nos queramos dedicar.

Relaciones íntimas y sociales: encontrar una comprensión que nos haga aceptarnos y corregirnos de forma natural.

Trabajos para la policía: en el reconocimiento de sospechosos, para ganar tiempo, con menos trabajo y más precisión u objetividad.

Deportes: para la correcta ubicación del jugador en cada deporte, así como un asesoramiento personal en función de la competencia innata.

INFORMACIÓN

Si quieres participar y aprender Morfopsicología GRATIS y sin ánimo de lucro, puedes buscarnos y seguirnos en:

Facebook: "GABINETE DE MORFOPSICOLOGIA"

También ofrecemos la posibilidad de clases particulares vía internet, con obtención final de Diplomaturas y/o Postgrados:

Web oficial: WWW.MORFOPSICOLOGIA.ORG

Correo electrónico: gabinetedemorfopsicologia@hotmail.com
Teléfono en España/Barcelona: (+34) 662159614

Moisés Acedo Codina – Morphopsychologue nº3898 SFM París

WWW.MORFOPSICOLOGIA.ORG

CPSIA information can be obtained
at www.ICGtesting.com
Printed in the USA
BVHW040055280620
582395BV00028B/801

9 788468 632858